特种设备焊工培训教程

江文琳 张兆杰 主编

黄河水利出版社

内 容 提 要

本书共分 13 章,主要介绍了锅炉基本知识、压力容器及压力管道基本知识、水工金属结构基础知识、钢材的基础知识、焊接材料、焊接设备、常用焊接方法、焊缝与接头形式及其表示方法、焊接接头组织和性能及其影响因素、焊接变形与焊接应力、常用金属材料的焊接、焊接缺欠、焊接安全技术等内容。

本书为特种设备焊工培训教材,也可供相关行业的管理人员和技术人员阅读参考。

图书在版编目(CIP)数据

特种设备焊工培训教程/江文琳,张兆杰主编.—郑州:
黄河水利出版社,2006.1 (2008.4 修订重印)
ISBN 7−80621−781−9

Ⅰ.特… Ⅱ.①江… ②张… Ⅲ.焊接−技术培训−
教材 Ⅳ.TG4

中国版本图书馆 CIP 数据核字(2005)第 114490 号

组稿编辑:王路平 电话:0371−66022212 E-mail:hhslwlp@126.com

出 版 社:黄河水利出版社
　　　　　地址:河南省郑州市金水路 11 号 邮政编码:450003
发行单位:黄河水利出版社
　　　　　发行部电话:0371−66026940、66020550、66028024、66022620(传真)
　　　　　E-mail:hhslcbs@126.com
承印单位:黄河水利委员会印刷厂
开本:787 mm×1 092 mm 1/16
印张:16.5
字数:380 千字　　　　　　　　　　　印数:3 101—6 100
版次:2006 年 1 月第 1 版　　　　　　印次:2008 年 4 月第 2 次印刷
　　　2008 年 4 月修订

书号:ISBN 7−80621−781−9/TG·2 　　　　　　定价:32.00 元

修订说明

  本次重印时对各章节有误之处进行了修订,对第四章第三节热处理部分进行修订,增加了新的内容,第五章第三节增加了低合金钢焊丝和焊剂等内容。随着我国科学技术的进步,今后技术规范、标准出台,本书将不断修改完善。

  诚恳希望读者来信来函批评指正。

作 者
2008 年 3 月

前　言

随着我国钢铁产量的不断增加，焊接结构的应用也越来越广泛，按照工业发达国家的统计结果，40%～50%的钢材要经过焊接加工才能投入使用，可以说焊接结构制造已经成为国民经济的重要领域之一，在一定程度上也促进了我国现代化工业生产的发展。

本书是作者结合我国近几年发布的焊接新标准和行业标准，结合长期的教学经验和我国目前焊工的技能操作水平而编写的。将不同行业的产品知识、焊接基础理论知识与焊接操作技能紧密结合，使焊工了解产品焊接生产的特点和要求、掌握常用的焊接方法，提高其焊接技术操作水平和理论水平。

本书由水利部水工金属结构质检中心江文琳教授级高级工程师、河南省锅炉压力容器安全科学研究院张兆杰高级工程师担任主编，各章编写人员及分工为：庞振平编写第一、二、四章；江宁、王翠萍编写第三章；何佩排编写第五章；周波编写第六章；刘保民编写第七、十章；李清雅编写第八章；韩红民编写第九章；陈敏编写第十一章；禹红丽编写第十二章；黄新超、齐晓冰编写第十三章。

参加本书编写工作的还有吕鸣涛、齐容宇等，在此深表感谢。

本书力求简明扼要，通俗易懂。由于作者实际工作经验和水平有限，书中难免存在缺欠和错误，恳切希望广大读者对本书提出批评和要求，以便今后作进一步修改和完善。

编　者
2005年8月

目 录

第一章 锅炉基本知识

第一节 概 述

一、锅炉的定义

锅炉是指利用各种燃料或者其他能源,将所盛装的液体加热到一定的参数及压力的密闭设备。

锅炉是由"锅"和"炉"两大部分组成的。"锅"是指接受热量,并把热量传给水的受热面系统;"炉"是指把燃料的化学能转变为热能的空间和烟气流通的通道——炉膛和烟道。尽管锅炉的结构形式很多,其制造的难易程序相差悬殊,但它们一般都包含锅筒(锅壳)、封头、炉胆、炉胆顶、集箱、下降管、水冷壁管和烟管、冲天管、过热器和省煤器等受压元件。这些受压元件一般都要通过焊接的方法制成并相互连接。

锅炉压力容器受压元件的焊接质量直接关系到锅炉压力容器使用的安全性能,所以焊接锅炉压力容器的焊工必须经过专门培训,基本理论知识和操作技能考试合格后,方可从事钢制受压元件的焊接。

二、锅炉的用途

锅炉可为发电设备、机车、轮船提供动力,也可为炼油、化工、纺织、印染、医药等工业部门的生产过程提供必需的热能。

锅炉生产的热水或蒸汽还可用于取暖供热、食品加工、卫生消毒等人民生活的许多方面。

第二节 锅炉的分类

一、按使用方式分类

可分为固定式锅炉和移动式锅炉。

二、按用途分类

可分为电站锅炉、工业锅炉、采暖锅炉、机车锅炉和船舶锅炉。

三、按出口介质状态分类

可分为蒸汽锅炉、热水锅炉和汽水两用锅炉。

四、按压力分类

可分为:

低压锅炉:额定工作压力≤2.45 MPa;

中压锅炉:额定工作压力=3.82 MPa;

高压锅炉:额定工作压力≥9.81 MPa;

超高压锅炉:额定工作压力>13.73 MPa;

亚临界锅炉:额定工作压力=15.70~17.66 MPa;

超临界锅炉:额定工作压力=24.13~26.49 MPa。

五、按蒸发量分类

可分为:

小型锅炉:每小时蒸发量小于20 t;

中型锅炉:每小时蒸发量为20~75 t;

大型锅炉:每小时蒸发量大于75 t。

六、按结构分类

可分为火管锅炉、水管锅炉和水火管组合锅炉。

七、按燃料分类

可分为燃煤锅炉、燃油锅炉、燃气锅炉和原子能锅炉。

八、按燃烧方式分类

可分为层燃炉、沸腾炉和室燃炉。

层燃炉又分手烧炉、链条炉排炉、往复炉排炉、双层炉排炉、振动炉排炉和抛煤机炉等。

九、按循环方式分类

可分为自然循环锅炉、多次强制循环锅炉和直流锅炉。

第三节　锅炉的构成

一、炉

炉,是由燃烧设备、炉墙、炉拱和钢架等部分组成,它使燃料进行燃烧,产生灼热烟气,烟气经过炉膛和各段烟道向锅炉受热面放热,最后从锅炉尾部进入烟囱排出。

二、锅

锅,即锅炉本体部分,它包括锅筒(汽包)、水冷壁管、对流管束、烟管、下降管、集箱(联箱)、过热器、省煤器等受压部件,是盛装锅水和蒸汽的密闭受压部分。

(一)锅筒

锅筒的作用是汇集、贮存、净化蒸汽和补充给水。热水锅炉的锅筒内盛装的全部是热水;而蒸汽锅炉下锅筒盛装的是热水,上锅筒下部是热水,上部为蒸汽。水的表面称水面,汽水分界的位置叫水位线。

(二)水冷壁

水冷壁是布置在炉膛四周的辐射受热面。它是锅炉的主要受热面,有些水冷壁管两侧焊有或带有翼片,又称鳍片。鳍片增大了对炉墙的遮挡面积,可以更多地接受炉膛辐射的热量,提高锅炉产汽量,降低炉膛内壁的温度,保护炉墙,防止炉墙结渣。

(三)对流管束

对流管束是锅炉的对流受热面。它的作用是吸收高温烟气的热量,增加锅炉受热面,对流管束吸热情况与烟气流速、管子排列方式、烟气冲刷的方式等都有关。

(四)烟管、火管

烟管是锅炉的对流受热管,它与对流管束的作用相同,不同的是对流管束烟气流经管外,而烟管是烟气流经管内。

火管有两种情况,直径较大的火管一般称为炉胆,里面可以装置炉排,是立式锅炉和卧式内燃锅炉的主要辐射受热面;直径较小的火管又称为烟管。

(五)下降管

下降管的作用是把锅筒里的水输送到下箱,使受热面管子有足够的循环水量,以保证可靠的运行。下降管必须采取绝热措施。

(六)集箱

集箱也称联箱,它的作用是汇集、分配锅水,保证各受热面管子可靠地供水或汇集各管子的水或汽水混合物。

(七)过热器

过热器是蒸汽锅炉的辅助受热面,它的作用是在压力不变的情况下,从锅筒中引出饱和蒸汽,再经加热,使饱和蒸汽中的水分蒸发并使蒸汽温度升高,提高蒸汽品质,成为过热蒸汽。

(八)省煤器

省煤器是布置在锅炉尾部烟道内,利用排烟的余热来提高给水温度的热交换器,作用是提高给水温度,减少排烟热损失,提高锅炉热效率。

三、附件仪表

为保证锅炉正常、安全地运行,锅炉上需装置一些附件仪表,有安全阀(包括水封式安全装置)、压力表、水位表(包括双色水位计)、高低水位警报器、低地位水位计、低水位连锁保护装置、温度仪表、超温警报器、流量仪表、排污装置、防爆门、常用阀门以及自动调节装置等。

四、附属设备

附属设备是安装在本体之外的必备设备,它是燃料供应系统、通风系统、给水系统、除渣除尘系统等的装置设备,如球磨机、运煤设备、水泵、水处理装置、鼓风机、引风机、除渣机、除尘器以及吹灰装置等。

习　题

一、名词解释

1. 锅炉　2. 亚临界锅炉

二、判断题

1. 锅是由燃烧设备、炉墙、炉拱和钢架等部分组成,使燃料进行燃烧产生灼热烟气,部分烟气经过炉膛和各段烟道向锅炉受热面放热,最后从锅炉尾部进入烟囱排出。　　　　　（　　）
2. 焊接锅炉压力容器的焊工必须经过专门培训,基本理论知识和操作技能考试合格后,方可从事钢制受压元件的焊接。　　　　　　　　　　　　　　　　　　　（　　）
3. 在火管式锅炉中,烟管烟气流经管外。　　　　　　　　　　　　　　　　（　　）

三、选择题

1. 额定工作压力大于等于(　　)MPa的锅炉称为高压锅炉。
   A. 3.82　　　　　B. 9.81　　　　　C. 13.73　　　　　D. 24.13
2. 低压锅炉的额定工作压力应(　　)。
   A. ≤2.45 MPa　　B. ≥2.45 MPa　　C. ≤3.82 MPa　　D. ≥3.82 MPa
3. 按蒸发量分,小型锅炉每小时蒸发量为(　　)。
   A. 小于 20 t　　B. 20～75 t　　C. 大于 50 t　　D. 大于 75 t

四、填空题

1. 锅炉的受压元件一般包含_____等。
2. 超高压锅炉是指额定工作压力_____的锅炉。
3. 锅炉上常见的安全附件仪表有_____、_____、_____。
4. 锅炉按使用方式可分为_____和_____。

五、问答题

1. 锅炉是如何分类的?
2. 简述锅筒、水冷壁、对流管束和集箱的作用。

第二章　压力容器及压力管道基本知识

第一节　概　述

一、压力容器的定义

压力容器,是指盛装气体或者液体,承载一定压力的密闭设备。

二、压力容器的用途

压力容器在工业领域中应用非常广泛,如化学工业、炼油、制药、炸药、油脂、化肥、食品工业、皮鞋制造、水泥、冶金、涂料、合成树脂、合成橡胶、塑料、合成纤维、造纸、深海探测器、潜水舱、火力发电站、航空、深冷、运输储罐、原子能发电等。就当前来说,以石油化学工业应用的最为普遍,占压力容器总数的 50% 左右。

第二节　压力容器分类

常用的分类有以下几种。

一、按压力分类

按承受压力(P)的高低,压力容器可分为低压、中压、高压、超高压四个等级。
(1)低压容器:0.1 MPa$\leqslant P<$1.6 MPa
(2)中压容器:1.6 MPa$\leqslant P<$10 MPa;
(3)高压容器:10 MPa$\leqslant P<$100 MPa;
(4)超高压容器:$P\geqslant$100 MPa。

二、按壳体承压方式分类

按壳体承压方式不同,压力容器可分为内压(壳体内部承受介质压力)容器和外压(壳体外部承受介质压力)容器。

三、按设计温度分类

按设计温度(t)的高低,压力容器可分低温容器($t\leqslant -20$ ℃)、常温容器(-20 ℃$<t<$450 ℃)和高温容器($t\geqslant$450 ℃)。

四、按使用方式分类

按使用方式分类,压力容器可分为固定式容器和移动式容器。

（一）固定式容器

指有固定的安装和使用地点,工艺条件和使用操作人员也比较固定,一般不是单独装设,而是用管道与其他设备相连接的容器。如合成塔、蒸球、管壳式余热锅炉、热交换器、分离器等。

（二）移动式容器

指储装容器,如气瓶、汽车槽车等。其主要用途是装运有压力的气体。这类容器无固定使用地点,一般也没有专职的使用操作人员,使用环境经常变迁,管理比较复杂,较易发生事故。

五、按在生产工艺过程中的作用原理分类

按在生产工艺过程中的作用原理分类,压力容器可分为反应容器、换热容器、分离容器和储存容器。

（一）反应压力容器(代号 R)

指用于完成介质的物理、化学反应的压力容器,如反应器反应釜、分解锅、硫化罐、分解塔、聚合釜、高压釜、超高压釜、合成塔、变换炉、蒸煮锅、蒸球、蒸压釜、煤气发生炉等。

（二）换热压力容器(代号 E)

指用于完成介质的热量交换的压力容器,如管壳式余热锅炉、热交换器、冷却器、冷凝器、蒸发器、加热器、消毒锅、染色器、烘缸、蒸炒锅、预热锅、溶剂预热器、蒸锅、蒸脱机、电热蒸汽发生器、煤气发生炉水夹套等。

（三）分离压力容器(代号 S)

指用于完成介质的流体压力平衡缓冲和气体净化分离的压力容器,如分离器、过滤器、集油器、缓冲器、洗涤器、吸收塔、铜洗塔、干燥塔、汽提塔、分汽缸、除氧器等。

（四）储存压力容器(代号 C,其中球罐代号 B)

指用于储存、盛装气体、液体或液化气体等介质的压力容器,如各种型式的储罐。

在一种压力容器中,如同时具备两个以上的工艺作用原理时,应按工艺过程中的主要作用来划分品种。

六、《压力容器安全技术监察规程》对压力容器的分类

为有利于安全技术管理和监督检查,根据容器的压力高低、介质的危害程度以及在生产过程中的重要作用,《压力容器安全技术监察规程》将其适用范围的容器划分为三类。

（一）第三类压力容器

(1)高压容器;

(2)中压容器(仅限毒性程度为极度和高度危害介质);

(3)中压储存容器(仅限易燃或毒性程度为中度危害介质,且 $PV \geqslant 10$ MPa·m³);

(4)中压反应容器(仅限易燃或毒性程度为中度危害介质,且 $PV \geqslant 0.5$ MPa·m³);

(5)低压容器(仅限毒性程度为极度和高度危害介质,且 $PV \geqslant 0.2$ MPa·m³);

(6)高压、中压管壳式余热锅炉;

(7)中压搪玻璃压力容器;

(8)使用强度级别较高(指相应标准中抗拉强度规定值下限大于540 MPa)的材料制造的压力容器;

(9)移动式压力容器,包括铁路罐车(介质为液化气体、低温液体)、罐式汽车[液化气体运输(半挂)车、低温液体运输(半挂)车、永久气体运输(半挂)车]和罐式集装箱(介质为液化气体、低温液体)等;

(10)球形储罐(容积大于50 m³);

(11)低温液体储存容器(容积大于5 m³)。

(二)第二类压力容器

下列情况之一的,为第二类压力容器((一)中规定的除外):

(1)中压容器;

(2)低压容器(仅限毒性程度为极度和高度危害介质);

(3)低压反应容器和低压储存容器(仅限易燃介质或毒性程度为中度危害介质);

(4)低压管壳式余热锅炉;

(5)低压搪玻璃压力容器。

(三)第一类压力容器

低压容器为第一类压力容器((一)、(二)中规定的除外)。

七、其他分类方法

(1)按容器的壁厚可分为薄壁容器(壁厚大于容器内径的1/10)和厚壁容器。

(2)按壳体的几何形状可分为球形容器、圆筒形容器、圆锥形容器。

(3)按制造方法可分为焊接容器、锻造容器、铆接容器、铸造容器及各式组合制造容器。

(4)按结构材料可分为钢制容器、铸铁容器、有色金属容器和非金属容器。

(5)按容器的安放型式可分为立式容器、卧式容器等。

第三节　压力容器的基本构成

一、壳体

壳体是压力容器最主要的组成部分,是储存物料完成化学反应所需要的压力空间。壳体形状有圆筒形、球形、锥形、组合形等。

二、连接件

压力容器中的反应、换热、分离等容器,由于生产工艺和安装检修的需要,封头和筒体应采用可拆连接结构,即采用连接件。此外,容器的接管与管道连接也采用连接件,所以连接件是在容器及管道中起连接作用的部件。容器法兰可分为整体式、活套式、任意式。

三、密封元件

密封元件是可拆连接结构的容器中起密封作用的元件。密封元件可分为非金属元件

(石棉橡胶板、橡胶 O 形环、塑料垫、尼龙垫等)、金属元件(紫铜垫、不锈钢垫、铝垫等)和组合密封元件(铁皮包石棉垫、钢丝缠绕石棉垫等)。

四、接管、开孔及其补强结构

(一)接管

接管是压力容器与输送管道仪表、安全附件管道等连接的附件。

常用接管有三种型式:①螺纹短管式,包括外螺纹式和内螺纹式;②法兰短管式;③平法兰式,包括贴合式和插入式。

(二)开孔

为了便于检查、清理容器的内部装卸、修理工艺内件及满足工艺的需要,一般压力容器都开设有人孔(筒体 $D_n \geqslant 1\,000$ mm)、手孔($\phi \leqslant 150$ mm),分别有内闭式和外闭式两种。

(三)开孔补强结构

容器的筒体或封头开孔后,不但减少了容器的受力面积;而且还因为开孔造成结构不连续而引起应力集中,使开孔边缘处的应力大大增加,孔边的最大应力要比壁上的平均应力大几倍,对容器的安全运行极为不利。为了补偿开孔处的薄弱部位,就需要进行补强。

开孔补强有两种型式,一是壁体补强,二是局部补强。

五、支座

支座对压力容器起支承和固定作用。

支座可分为以下几种类型:①立式支座,包括悬挂式、支承式、裙式等;②卧式支座,包括鞍式、圈座式、支承式、V 形柱式等;③其他类型,包括圆筒形裙式、钢筋混凝土连接、基础支承等。

第四节　压力管道概述

一、压力管道定义

压力管道,是指利用一定的压力,用于输送气体或者液体的管状设备,其范围规定为最高工作压力大于或者等于 0.1 MPa(表压),输送气体、液化气体、蒸汽介质或者可燃、易爆、有毒、有腐蚀性、最高工作温度高于或者等于标准沸点的液体介质,且公称直径大于 25 mm 的管道。

二、压力管道的用途

压力管道应用极广,化工、石油、制药、能源、航空、环保、钢铁、公用工程等各类工业企业都不同程度地用到压力管道。

三、压力管道分类

压力管道根据不同的特性有各种不同的分类方法。

(1)按管道承受内压的不同分为真空管道、中低压管道、高压管道、超高压管道。

(2)按输送介质不同分为蒸汽管道、燃气管道、工艺管道等。

(3)按材料的不同分为合金钢管道、不锈钢管道、碳钢管道、有色金属管道、非金属管道和复合材料管道等。

(4)从压力管道安全监察的需要分为工业管道、公用管道、长输管道。

四、压力管道构成

压力管道的构成并不是千篇一律的,由于它处的位置不同及功能的差异,所需要的元器件就不同,最简单的就是一条管子。大致可以分为管子、管件、阀门、连接件、附件、支架等。

习　题

一、名词解释

1.压力容器　2.压力管道

二、判断题

1.凡是高压容器都属于第三类压力容器。　　　　　　　　　　　　　　　　（　　）

2.按《压力容器安全技术监察规程》对压力容器的分类,球形储罐属于第三类压力容器。

　　　　　　　　　　　　　　　　　　　　　　　　　　　　　　　　　　（　　）

三、选择题

1.承受压力为 9.8 MPa 的压力容器,属于(　　)。

　　A.低压容器　　　　　B.中压容器　　　　　C.高压容器　　　　　D.超高压容器

2.按《压力容器安全技术监察规程》对压力容器的分类,使用抗拉强度规定值下限大于540 MPa 的材料制造的压力容器应划分为(　　)。

　　A.第一类压力容器　　B.第二类压力容器　　C.第三类压力容器　　D.高压容器

3.压力在 1.6 MPa≤P<10 MPa 之间的压力容器为(　　)。

　　A.低压容器　　　　　B.中压容器　　　　　C.高压容器　　　　　D.超高压容器

4.代号为 R 的压力容器是(　　)。

　　A.反应压力容器　　　B.换热压力容器　　　C.分离压力容器　　　D.储存压力容器

四、填空题

1.压力容器的基本构成有 _____、_____、_____、_____、

_____、_____。

2.按设计温度的高低,压力容器可分为_____、_____和

_____。

3.按压力容器的安放型式,压力容器可分为_____、_____。

4.从压力管道安全监察的角度划分,压力管道分为_____、_____、

_____。

5.压力管道按输送介质不同分为_____、_____、_____。

五、问答题

1. 压力容器是如何分类的？
2. 压力容器主要由哪几部分构成？
3. 压力管道主要用于哪些场合？

第三章　水工金属结构基础知识

水利水电工程中所有过流的金属部件(机组过流部件除外)叫水工金属结构,包括闸门、拦污栅、金属结构埋体和钢管等。主要布置在水利水电枢纽的施工导流系统、泄水系统、电站引水系统、电站排沙系统、取水灌溉系统、航运系统等,它的正常运行对水利枢纽、电站的功能和效益的发挥起着重要作用。

水工金属结构所用钢材的主要种类有碳素钢、低合金钢、高强度钢、不锈钢及不锈钢复合钢板。

第一节　水工钢闸门组成及分类

一、闸门的作用

闸门一般设置于水利枢纽的泄水系统、引水发电系统、水闸及排灌系统以及交通航运系统中,并按照需要全部和局部开启孔口,用来放水,调节上、下游水位,泄放流量,通过船只、木材、排放浮冰、污物、泥沙等,它的灵活启闭直接关系到水利枢纽各系统的正常运行及安全。

二、闸门的分类

闸门的分类方式多种多样,最常见的分类如下:

按用途分类,可分为检修闸门、事故闸门、工作闸门、导流孔(封堵)闸门。

按结构分类,可分为叠梁闸门、平面闸门、弧形闸门、人字闸门等。

按挡水位置分类,可分为露顶闸门、潜孔闸门。

按孔口位置分类,可分为表孔闸门、中孔闸门、底孔(深孔)闸门。

三、闸门的组成

闸门一般由下列几部分组成(以平面闸门为例),见图3-1。

(一)门叶

门叶是封闭孔口而又能根据需要开启孔口的闸门主体,也称活动部分。也就是人们通常所说的闸门(见图3-2)。门叶一般由面板、构架、行走支承装置、吊具、止水等部件组成。

(1)面板。面板是用来直接封闭孔口的挡水面,通常设在闸门上游面,这样可以避免梁格及行走支承浸没于水中,也可以减少因闸门底部过水而产生振动。

(2)构架。构架的作用是保证闸门有足够的强度和刚度支承面板,并把面板传来的水压力传递到支承部件上。

(3)行走支承装置。行走支承装置一方面把构架传来的力传给土建结构,一方面保证门叶移动时灵活可靠。

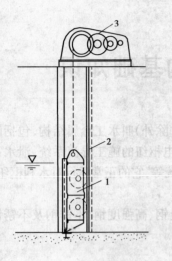

图 3-1 闸门的组成
1—门叶；2—埋设部分；3—启闭机械

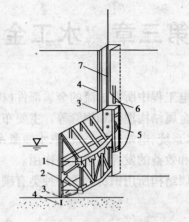

图 3-2 平面闸门门叶的组成
1—面板；2—构架；3—止水部分；4—止水埋件；
5—行走支承装置；6—支承行走装置埋件；7—吊具

(4)吊具。吊具是用来与启闭设备相连接的部件。

(5)止水。止水是用以堵塞闸门门叶与埋设部件间隙的部件(也称水封)，它使闸门在封闭孔口时无漏水现象或使漏水量减到最少。

(二)埋设部分

埋设部分是指埋设在水工建筑物中的构件，包括行走支承埋件、止水埋件、护砌埋件，通过这些构件将门叶所受的荷载传给水工建筑物。

(三)启闭机械

启闭机械用以操作闸门的门叶，使之开启与关闭。现在工程上最常用的启闭机械是固定卷扬式启闭机、液压式启闭机、螺杆式启闭机、移动式启闭机等。

四、闸门焊缝的分类

在《水利水电工程钢闸门制造安装及验收规范》(DL/T 5018—2004)中，焊缝按其质量特性重要度分为三类。

(一)平面闸门的焊缝分类

平面闸门是应用比较广泛的一种门型，操作时门叶一般作直线运动，闸门处于关闭状态时，闸门的门叶像弯曲作用的梁一样，将水压力传至闸墩或边墩上。

平面闸门所受的荷载主要有静水压力、浪压力、闸门自重、启闭力、启门阻力等。当闸门采用等高连接，水压力传递途径如下：

由此可见主梁、边梁、主轮为主要的受力构件。主梁的危险截面为跨中截面和变截面处;边梁的危险截面为主梁与边梁连接处、安装滚轮处、安装吊耳处。

闸门通过吊耳和牵引构件(钢丝绳、吊杆和转向吊杆等)与启闭机械相连,因此吊耳和牵引构件上要承受所有的启闭力,因此吊耳和牵引构件也是闸门的主要受力构件。

平面闸门的焊缝分类如下。

1.一类焊缝

(1)闸门主梁、边梁的腹板及翼缘板的对接焊缝;

(2)闸门吊耳板、吊杆的对接焊缝;

(3)闸门主梁腹板与边梁腹板、翼缘板连接的组合焊缝或角焊缝;主梁翼缘板与边梁翼缘板连接的对接焊缝;

(4)转向吊杆的组合焊缝及角焊缝。

2.二类焊缝

(1)闸门面板的对接焊缝;

(2)主梁、边梁的翼板与腹板的组合焊缝或角焊缝;

(3)闸门吊耳板与门叶的组合焊缝或角焊缝;

(4)主梁、边梁与门叶面板的组合焊缝或角焊缝。

3.三类焊缝

不属于一、二类焊缝的其他焊缝。

(二)弧形闸门的焊缝分类

弧形闸门也是应用非常广泛的一种门型,它与平面闸门不同之处在于弧形挡水门叶,且可绕一固定轴(支承铰)而转动。当孔口关闭时,水压力经主梁及支臂而传给支铰,支铰又把水压力传到闸墩或边墩上。

弧形闸门所受的荷载主要有静水压力、浪压力、闸门自重、启闭力、启门阻力等。当闸门采用等高连接,水压力传递途径如下:

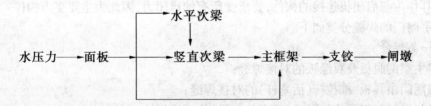

由此可见主框架(主梁和支臂连接成的框架)和支铰为主要受力构件。

吊耳作为与启闭机连接的构件,一般布置在底主梁与支臂交点处的面板前或面板后面,要承受所有的启闭力,因此为主要受力构件。

弧形闸门的焊缝分类如下。

1.一类焊缝

(1)主梁、臂柱的腹板及翼板的对接焊缝;

(2)闸门吊耳板、吊杆的对接焊缝。

2.二类焊缝

(1)面板的对接焊缝;

(2)主梁、臂柱的翼板与腹板的组合焊缝或角焊缝;

(3)闸门吊耳板与门叶的组合焊缝或角焊缝;

(4)主梁与门叶面板的组合焊缝或角焊缝;

(5)支臂与连接板的组合焊缝或角焊缝。

3.三类焊缝

不属于一、二类焊缝的其他焊缝。

(三)人字闸门的焊缝分类

人字闸门是由两扇各绕竖轴转动的门扇组成的门型。在关闭位置时,两扇门在斜接柱上互相支承而形成"∧"形,故有人字门之称。其支承条件和铰相似,所以主横梁的工作条件如同三铰拱,水压力通过面板、次梁传给主梁,再经主横梁的三铰拱作用通过支承装置传给闸墙。

闸门所受的荷载主要有:静水压力、波浪压力、闸门自重、闸门底部(在止水外部分)受的向上的水压力、门顶桥上的人群和设备重量,同时还要考虑到船舶意外撞击。其中主要是静水压力,静水压力传递的途径:

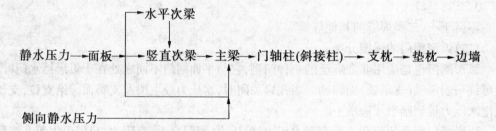

由此可见主梁、门轴柱(斜接柱)、支枕、垫枕为主要受力构件。

吊耳作为与启闭机连接的构件,要承受所有的启闭力,因此为主要受力构件。

人字闸门的焊缝分类如下。

1.一类焊缝

(1)主梁的腹板及翼缘板的对接焊缝;

(2)闸门吊耳板、推拉杆(活塞杆)的对接焊缝;

(3)门轴柱和斜接柱的隔板(垂直工字梁)的对接焊缝;

(4)门轴柱和斜接柱的隔板与主梁腹板及端板的组合焊缝或角焊缝;

(5)背拉杆的对接焊缝;

(6)节点板与主梁翼板的组合焊缝或角焊缝。

2.二类焊缝

(1)面板的对接焊缝;

(2)主梁翼缘板与腹板的组合焊缝或角焊缝;

(3)闸门吊耳板与门叶的组合焊缝或角焊缝;

(4)主梁与门叶面板的组合焊缝或角焊缝;

(5)竖向隔板(垂直梁)与面板的组合焊缝或角焊缝;

(6)门轴柱和斜接柱端板、封板的对接焊缝;

(7)背拉杆与节点板(隔板或主梁的下翼板)的组合焊缝。

3.三类焊缝

不属于一、二类焊缝的其他焊缝。

第二节　拦污栅

一、拦污栅的作用

拦污栅一般设置在水电站、排灌站和船闸输水廊道的进水口,用以拦阻水流中挟带的污物(浮冰、树枝、树叶和杂草等),使有害污物不易进入引水道内,以保护机组、闸门、阀及管道等不受损害,使机组或其他设备与结构物顺利运行。因而拦污栅是水利枢纽中不可缺少的设备之一。

二、拦污栅的结构

拦污栅包括栅叶和栅槽埋件两部分。栅叶是由栅面和支承框架构成。栅面由数块栅片连接排列而成,栅片由平行放置的金属栅条连接而成,连接方式有螺栓连接和焊接连接两种。

螺栓连接的拦污栅,是一种栅片和栅条均可拆卸和更换的拦污栅,其栅片是用长螺栓将平行置放的栅条贯穿于一起。为了保持栅条间距,在栅条间设置等距的间隔环,长螺栓两端用螺帽旋紧,栅片用U形螺栓固定在支承框架上。

焊接连接的拦污栅,是不可拆卸的焊接结构。其栅条与开有槽口的肋板焊接在一起构成栅片,栅片上的栅条则直接焊在支承框架上,形成栅面。这种结构形式加强了拦污栅的整体刚度,简化了工艺流程。但栅片破坏后,不易修复。

拦污栅支承框架的结构与平面闸门一样,由主梁、边梁、纵向联结系和支承等组成。拦污栅的支承一般采用滑动支承,当要求在一定水头下动水提栅时,为了减少启闭力,也可采用轮式支承。

拦污栅槽埋件由主轨、反轨、侧轨和护角构成,其结构形式和作用与平面闸门类同。

三、拦污栅的受力及对焊缝的要求

拦污栅上的荷载包括作用在栅面上的水压力、流冰及原木对栅面的撞击力、机械清污机具在栅面上的附加荷载以及拦污栅的自重等。拦污栅的设计荷载按栅面局部堵塞考虑,设计水头差一般采用2~4 m。其支承框架受力与平面闸门相同,因此主要受力构件有吊耳及主梁,但主梁的受力要比平面闸门小得多。

根据《水利水电工程钢闸门制造安装及验收规范》(DL/T 5018—2004)中的焊缝要求,拦污栅的焊缝分类如下:

一类焊缝:吊耳板和吊杆的对接焊缝;

二类焊缝:主梁腹板、翼板对接焊缝;

三类焊缝:除一、二类焊缝外的其他焊缝。

第三节　压力钢管

一、压力钢管的作用及分类

压力钢管是将水流从水库、压力前池或调压室直接引入水电站水轮机的管道,这种管道承受较大的内水压力且承受水击荷载,故又称高压管道,是水电站的重要组成部分。

压力钢管常见的布置形式有露天钢管、地下埋管、坝内埋管和坝后背管。

压力钢管按构造与制造方法可分为无缝钢管、铆接钢管、焊接钢管和箍管。

二、压力钢管的结构

(一)管身

一般尺寸的焊接钢管,通常在工厂制造。先按要求裁好钢板,再按给定的曲率用卷板机将其辊卷成圆弧形,然后根据运输条件和其他要求,焊成一定长度的管节。

钢管的焊缝有两种,与钢管轴线平行的为纵缝,与轴线垂直的为环向焊缝。环缝间距依钢板的尺寸和管径大小而定,直管段的环缝间距应不小于 500 mm。纵缝不应布置在横断面的水平和垂直轴线上,与其夹角应符合图样规定的范围(10°);相邻管节的纵缝要错开,纵缝的距离应大于板厚的 5 倍且不小于 100 mm;在同一管节上相邻纵缝间距应不小于 500 mm。

为了增加钢管在外力作用下的稳定,防止钢管失稳。可在钢管的外侧焊接加劲环、支承环等,加劲环、支承环可用钢板制成,也可用型钢弯制。加劲环、支承环的对接焊缝应与钢管的纵缝错开 100 mm 以上。

(二)岔管

在压力钢管的主管与支管的连接处,需设置专门的分岔结构——岔管。岔管位置临近水电站的厂房,加之岔管处的内水压力较大,水头损失集中,水流流态和受力状况恶化,致使岔管的结构非常复杂,因此其安全问题很重要,它是压力钢管的重要组成部分。

国内外常见的岔管类型有贴边岔管、三梁岔管、月牙岔管、球形岔管和无梁岔管。在国外,三梁岔管、球形岔管和月牙岔管应用较多;在国内,多用贴边岔管、三梁岔管、月牙岔管,个别工程还采用了球形岔管和无梁岔管。

(三)伸缩节

伸缩节的作用是使钢管能沿轴线方向自由伸缩,以消除温度应力,并能适应钢管的微量角变位。

伸缩节通常布置于靠近上镇墩处和压力钢管与蜗壳连接处。伸缩节的密封通常采用盘根、外套压环的形式,近年来,一些工程上推广了一种波纹管结构,施工方便,径向和轴向的位移补偿量大。三峡工程也采用了这种结构形式。

(四)凑合节

分段安装时,预留出空位,为调整误差和安装需要,最后拼装的管节称为凑合节,由于凑合节安装时焊接拘束应力大,而且要弥补错位和变形矫正,存在安装应力,缺欠隐患也较多,因此对焊接工艺和焊后处理、质量检验要求极为严格。

(五)人孔

为了便于压力钢管内部检修,应在钢管上设置人孔,人孔的位置,宜设在镇墩的上游侧或其他适宜的地方,以便于固定缆索、吊笼和布置卷扬机等。人孔常做成圆形,其直径不小于 450 mm。人孔内应设导流板,以减少水头损失,改善流态。

(六)闷头

水压试验时采用闷头将试验段两端封堵住,水压试验的压力根据设计确定,试验部位主要是岔管、下平段。水压试验时的压力较高,因此对闷头的制造质量和安装质量要求非常高。

当采用一管多机供水时,由于电站的阶段性建设,部分支管段未安装机组,为满足其他机组的发电要求,支管段也要安装闷头。

另外压力钢管还有通气阀、排水管、旁通管和旁通阀、设置事故保护装置,以及测量压力、流量和管壁应力的各种量测设备等附属设备。

三、压力钢管的焊缝分类

根据《压力钢管制造安装及验收规范》(DL 5017—2007)规定,压力钢管的焊缝按其受力性质、工况和重要性分为三类。

(一)一类焊缝(包括所有主要受力焊缝)

(1)钢管管壁纵缝,厂房内明管的环缝,凑合节合拢环缝,预留环缝,坝内弹性垫层管的环缝。

(2)岔管管壁纵、环缝,岔管加强构件的对接焊缝,加强构件与管壁相接处的组合焊缝。

(3)伸缩节内外套管、压圈环的纵缝,外套管与端板、压圈环与端板的连接焊缝。

(4)闷头焊缝及闷头与管壁的连接焊缝。

(5)支承环对接焊缝。

(6)人孔颈管的对接焊缝,人孔颈管与颈口法兰盘和管壁的连接焊缝。

(二)二类焊缝(包括次要的受力焊缝)

(1)不属于一类焊缝的钢管管壁环缝。

(2)加劲环、阻水环、止推环对接焊缝。

(3)泄水孔(洞)钢衬和冲沙孔钢衬的纵、横(环)缝。

(三)三类焊缝

不属于一、二类焊缝的其他焊缝。

第四节 启闭机械

一、常用的启闭机械

常用的启闭机有卷扬式启闭机、螺杆式启闭机、液压式启闭机、门机、桥机。根据启闭机是否能够移动,又分为固定式和移动式。对要求在短时间内全部开启或需施加闭门力的闸门,一般要一门一机,采用固定式启闭机。移动式启闭机多用于操作孔数大且不需要同时开启的闸门。

(一)卷扬式启闭机

采用钢丝绳作为牵引方式的卷扬式启闭机是目前应用最多的启闭机。一般分为卷扬式平面闸门启闭机和卷扬式弧形闸门启闭机。卷扬式平面闸门启闭机一般由电动机通过减速器和开式齿轮带动轴承座上的卷筒转动,从而使缠绕在卷筒上的钢丝绳收紧或放松来升降闸门。

卷扬式弧形闸门启闭机在构造上与卷扬式平面闸门启闭机基本相同,只是弧形闸门的吊点通常布置在面板上游底部,一般不采用滑轮组。

启闭机可用单吊点和双吊点,具体可根据闸门的大小和宽高比而定,当宽高比大于1时,一般采用双吊点。

(二)螺杆式启闭机

螺杆式启闭机在小型工程上应用十分广泛,具有结构简单、耐用、价格低廉的优点。启闭力为 3~200 kN,大吨位的达到 750 kN。

小型螺杆启闭机的螺杆支承在承重螺母内,螺母固定在齿轮箱内的伞形齿轮或蜗轮上,当摇动手摇把,通过齿轮或蜗轮系的传动而转动承重螺母,从而升降螺杆和闸门。

(三)液压式启闭机

液压式启闭机机械部件简单,所占位置小,较其他类型的启闭机更能适应遥控和自动化,因此是一种很有发展前途的启闭设备。液压式启闭机的主机体是一个油缸,缸内的活塞在液压的作用下沿缸壁作轴向往复运动,从而带动连接在活塞上的连杆来升降闸门。

(四)移动式启闭机

移动式启闭机一般由门架或桥架和小车组成,门架或桥架能在轨道上运行,小车可在门架和桥架上的小车轨道上运行,小车上有固定卷扬式启闭机。因此,移动式启闭机能启闭较大范围内的闸门或其他机械。

二、启闭机的焊缝要求

根据《水利水电工程启闭机制造安装及验收规范》(SL 381—2007)规定,启闭机的焊缝按其重要性可分为三类。

(一)一类焊缝

(1)主梁、端梁、滑轮支座梁、卷筒支座梁的腹板和翼板的对接焊缝。

(2)支腿的腹板与翼板的对接焊缝,支腿与主梁连接的对接焊缝。

(3)液压缸分段连接的对接焊缝,缸体与法兰的连接焊缝。

(4)活塞杆分段连接的对接焊缝。

(5)卷筒分段连接的对接焊缝。

(6)吊耳板的对接焊缝。

(二)二类焊缝

(1)主梁、端梁、支座梁、支腿的角焊缝。

(2)主梁与端梁连接的角焊缝,支腿与主梁连接的角焊缝。

(3)吊耳板连接的角焊缝。

(三)三类焊缝

不属于一、二类焊缝的其他焊缝。

习　题

一、名词解释

1.压力钢管　2.拦污栅

二、判断题

1.闸门按用途可分为叠梁闸门、平面闸门、弧形闸门、人字闸门等。　　　　　(　　)

2.伸缩节的作用是使钢管能沿轴线方向自由伸缩,以消除温度应力,并能适应钢管的微量
　角变位。　　　　　　　　　　　　　　　　　　　　　　　　　　　　　　(　　)

3.对要求在短时间内全部开启或需施加闭门力的闸门,一般要一门一机,采用移动式启闭
　机。　　　　　　　　　　　　　　　　　　　　　　　　　　　　　　　　(　　)

4.移动式启闭机有门机和桥机两种,能启闭较大范围内的闸门或其他机械。　(　　)

5.平面闸门的闸门吊耳板、吊杆的对接焊缝是一类焊缝。　　　　　　　　　(　.)

三、选择题

1.弧形闸门的主梁、臂柱的腹板及翼板的对接焊缝属于(　　)。

　　A.一类焊缝　　　　　　B.二类焊缝　　　　C.三类焊缝　　　　D.一般焊缝

2.(　　)的主要作用是操作闸门的门叶,使之开启与关闭。

　　A.行走支承装置　　　　B.埋设部分　　　　C.启闭机械　　　　D.门叶

3.为了便于压力钢管内部检修,应在钢管上设置(　　)。

　　A.凑合节　　　　　　　B.人孔　　　　　　C.闷头　　　　　　D.岔管

4.压力钢管管壁纵缝、厂房内明管的环缝、凑合节合拢环缝属于(　　)。

　　A.一类焊缝　　　　　　B.二类焊缝　　　　C.三类焊缝　　　　D.一般焊缝

5.目前应用最多的启闭机是(　　)。

　　A.液压式启闭机　　　B.螺杆式启闭机　　C.桥机　　　　　　D.卷扬式启闭机

四、填空题

1.闸门一般设置于水利枢纽的_____、_____、_____以及_____系统中。

2.伸缩节的作用是使钢管能沿轴线方向_____,以消除_____,并能适应钢管的_____。

3.拦污栅包括_____和_____两部分。

4.闸门主要有_____、_____、_____等组成。

五、问答题

1.拦污栅对焊缝的要求是什么?

2.常用的启闭机有哪几种?

3.压力钢管的结构有哪些?

4.平面闸门所受的荷载主要有哪些?

第四章 钢材的基础知识

第一节 钢的表示方法

一、钢的定义和铁碳合金状态图

(一)钢的定义

含碳量小于2%的铁碳合金称为钢。碳钢是除含碳以外,还含有少量的其他合金元素,如硅、锰、磷、硫等。

(二)铁碳合金状态图

钢铁材料是以铁和碳为基本组元的复杂合金。铁碳状态图是研究铁碳合金的基本工具。铁碳状态图表明平衡条件下任一铁碳合金的成分、温度与组织之间的关系,如图 4-1 所示。

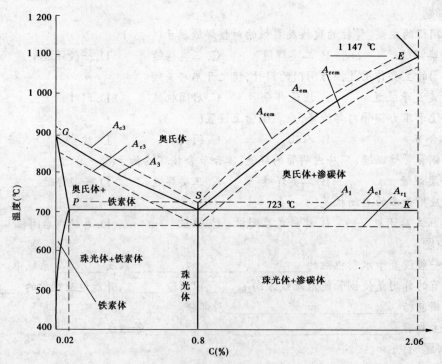

图 4-1 钢的铁碳合金状态图

了解铁碳合金的状态,可以帮助人们制定热处理及热加工等工艺规程。

纯铁液体在高温凝固后,得到体心立方晶格称为 δ-Fe,在 1 390 ℃以下,δ-Fe 转变为具有面心立方晶格的 γ-Fe,当温度降至 910 ℃时,γ-Fe 又转变成体心立方晶格的 α-Fe。

根据构成合金各组元相互作用的不同,合金的构造可分为以下三类:

固溶体:组成合金各组元在凝固后仍然保持溶解的状态而形成的均匀相,就称为固溶体。固溶体是单相。碳溶于 γ-Fe 中形成的固溶体称为奥氏体,如相图曲线 GS 和 SE 上部区域所示。碳溶于 α-Fe 中的固溶体称为铁素体,即 GS 线以下部分。

金属化合物:是合金各组元相互化合而形成的一种新晶体,化合物也是单相。例如,钢中的碳与铁结合生成稳定的化合物 Fe_3C,这种化合物称为渗碳体,即 SE 线以下部分。

机械混合物:机械混合物是由两种以上的相混合而成的。例如,钢中的铁素体和渗碳体可以混合形成机械混合物,这种混合物称为珠光体,即 PSK 线以下部分。

相图中的 ES 线简称 A_{cm} 线,GS 线简称 A_3 线,PSK 线简称 A_1 线,这些线表达在平衡状态下不同含碳量时内部组织转变的临界温度(又称临界点)。

由于相图中的曲线是在极为缓慢的条件下测得的,在实际过程中,如在冷却过程中总有过冷现象,实际相变温度比相图曲线的指示温度低。因此与曲线 A_1、A_3、A_{cm} 对应,则用 A_{r1}、A_{r3} 和 A_{rcm} 表示,即 $A_1 > A_{r1}$,$A_3 > A_{r3}$,$A_{cm} > A_{rcm}$。又如在加热情况下,由于转变的滞后现象,与曲线 A_1、A_3、A_{cm} 对应,则用 A_{c1}、A_{c3} 和 A_{ccm} 表示,即 $A_{c1} > A_1$、$A_{c3} > A_3$、$A_{ccm} > A_{cm}$。加热和冷却时各临界点的实际位置即为图 4-1 中的虚线位置。

二、钢的表示方法

(一)碳素钢表示方法

1.普通碳素钢

按国家标准《普通碳素结构钢》(GB 700—88)规定,普通碳素钢的钢号由代表屈服点的字母(Q),屈服点值(×××MPa),质量等级符号(A、B、C、D),脱氧程度符号(沸腾钢 F,半镇静钢 b,镇静钢 Z,特殊镇静钢 TZ)四部分组成。

如 Q235B 表示屈服点为 235 MPa,质量等级为 B 级的镇静钢。

2.优质碳素钢

(1)一般用途优质碳素钢。优质碳素结构钢的钢号用 2 位数字表示,代表钢的平均含碳量的万分率。如"20"钢,表示平均含碳量为 0.20%(即 20/10 000)的优质碳素结构钢。优质碳素钢中的硫磷含量均小于 0.035%。

(2)高级优质碳素钢。高级优质碳素钢中的 S 的含量≤0.03%,P 的含量≤0.035%,其钢号除按优质碳素钢的表示方法表示外,还在尾部加符号"A"。

例如:平均含碳量为 0.20%的高级优质碳素结构钢的钢号用"20A"表示。

(3)专门用途的优质碳素钢。专门用途优质碳素钢的钢号,除按优质碳素钢的表示方法表示外,还在尾部加代表产品用途的符号,如表 4-1 所示。

例如:

锅炉用钢的牌号   20g,22g

压力容器用钢的牌号 20R,16MnR

焊接气瓶用钢的牌号 15MnHP,20HP

表 4-1　专门用途用钢代表符号

用　　途	符　　号
锅　炉　钢	g
压 力 容 器 用 钢	R
低温压力容器用钢	DR
焊 接 气 瓶 用 钢	HP
多层压力容器用钢	RC

(二)合金钢表示方法

1.低合金钢钢号表示方法

《低合金高强度结构钢》(GB/T 1591—94)规定,钢的牌号由代表屈服点的拼音字母 Q、屈服点值、质量等级符号(A、B、C、D、E)三个部分组成。C、D、E 质量等级中含 Al 及细化晶粒元素 V、Nb、Ti,除 A、B 级外,钢中应至少含有其中一种细化晶粒元素,若同时使用则至少应有一种元素的含量不低于规定的最小值。为改善钢的性能,各牌号 A、B 级钢可加入 V 或 Nb 或 Ti 等细化晶粒元素。

GB/T 1591—94 中各种牌号低合金钢的表示与旧牌号对照见表 4-2。

表 4-2　GB/T 1591—94 中各种牌号低合金钢的表示与旧牌号对照

GB/T 1591—94	GB 1591—88
Q295	09MnV　09MnNb　09Mn2　12Mn
Q345	12MnV　14MnNb　16Mn　16MnRE　18Nb
Q390	15MnV　15MnTi　16MnNb
Q420	15MnVN　14MnVTiRE
Q460	—

注:钢牌号尾部字母 R 表示容器用钢,E 表示特级钢。

2.不锈钢钢号表示方法

由于不锈钢的含碳量都很低,其含碳量以钢的平均含碳量的千分之几表示,合金元素是以合金元素符号加数字的方法表示。合金元素用其化学符号标明,其后数字表示合金元素含量,以百分之几表示。例:合金元素平均含量<1.5%,不标数字;在 1.5%～2.5%之间,标以 2;在 2.5%～3.5%之间,标以 3;以此类推。特殊情况下有些元素虽含量小于1.5%,但为专门需要加入的,也应标出。如:

1Cr18Ni9Ti 含碳量≤0.15%,钢号前"1"表示"普碳级";

0Cr18Ni9Ti 含碳量≤0.08%,钢号前"0"表示"低碳级";

00Cr18Ni9Ti 含碳量≤0.03%,钢号前"00"表示"超低碳级"。

第二节　钢的分类

钢的分类方法很多,没有统一的分类标准,常用的分类方法如下。

一、按钢的质量分类

根据钢的冶炼方法、化学成分、钢的品质和供应状态进行分类,见表 4-3 所示。

表 4-3　按钢的质量分类

分类名称	钢种名称说明
冶炼方法	氧气转炉钢　─┤镇静钢、半镇静钢、沸腾钢 平炉钢　　　　 酸性钢、碱性钢 电炉钢 电渣炉钢 真空炉钢
化学成分	碳素钢　普通碳素钢┐低碳钢 C 含量≤0.2% 　　　　优质碳素钢┤中碳钢 C 含量=0.25%~0.6% 　　　　　　　　　└高碳钢 C 含量>0.6% 　　　　低合金钢:合金元素总含量<5% 合金钢　中合金钢:合金元素总含量=5%~10% 　　　　高合金钢:合金元素总含量>10%
钢的品质	普通钢(P 的含量≤0.05%,S 含量≤0.05%) ABCD　A:保证力学性能和化学成分 　　　　B:核查常温 V 形缺口冲击韧性 　　　　C、D:用于重要焊接结构 优质钢(P 的含量≤0.035%,S 的含量≤0.035%) 优质碳素钢 优质合金 高级优质钢(P 的含量≤0.025%,S 的含量≤0.025%)
供应状态	热轧、正火、调质(淬火+回火)

二、按钢的用途分类

按钢的用途分类,有锅炉压力容器用钢、建筑用钢、结构钢、弹簧钢、轴承钢、工具钢、桥梁钢、造船钢和特殊钢等。

第三节　钢的性能

与焊接有关的钢材性能主要包括力学性能(强度、塑性、韧性)、化学成分和金相组织。

一、钢的力学性能

钢材在一定外力作用下,所表现的抵抗变形和断裂的行为称为钢的力学性能。力学性能是选用材料的主要依据。钢材常用的力学性能指标包括屈服点、抗拉强度、伸长率、断面收缩率、弯曲角度、冲击韧性和硬度等。其中屈服点、抗拉强度、伸长率、断面收缩率通过拉伸试验获得,弯曲角度通过弯曲试验获得,冲击韧性通过冲击试验获得,硬度则通过硬度试验获得。

(一)屈服点和抗拉强度

屈服点和抗拉强度是评判钢材承载能力的重要指标,是焊接结构设计的主要依据,是钢材在静载荷作用下抵抗塑性变形和断裂的能力。屈服点和抗拉强度指标,是通过试样的拉伸试验测定得到的。

1. 屈服点

钢材试样在拉伸过程中,外力不增加(保持恒定)仍能继续伸长(变形)时的应力,称为屈服点,又称屈服极限或屈服强度,以 σ_s 表示。若钢材拉伸试验过程中,试样不出现明显的屈服现象,则将试样产生 0.2% 塑性变形量时的应力值定为钢材的屈服点,用 $\sigma_{0.2}$ 表示,其单位为 MPa。

屈服点的计算公式:

$$\sigma_s(\sigma_{0.2}) = F_s(F_{0.2})/S_0 \tag{4-1}$$

式中　F_s 或 $F_{0.2}$——试样屈服时的载荷,即屈服力,N;

S_0——试样的原始横截面积,mm^2。

从设计角度,焊接结构在服役过程中,不允许出现永久变形,因此结构设计时选用的最大允许承受应力必须小于屈服点。

2. 抗拉强度

拉伸试验时,试样拉伸到断裂前所承受的最大应力,称为抗拉强度,又称强度极限,以 σ_b 表示,其单位为 MPa。

抗拉强度的计算公式:

$$\sigma_b = F_b/S_0 \tag{4-2}$$

式中　F_b——试样拉断前所承受的最大载荷,N;

S_0——试样的原始横截面积,mm^2。

(二)伸长率和断面收缩率

伸长率和断面收缩率是衡量钢材塑性的指标,采用试样的拉伸试验测得。

1. 伸长率

钢材拉伸试样拉断后,实际伸长后的标距长度值与试验前原始标距长度值之百分比称为伸长率,以符号 δ_5 或 δ_{10} 表示。δ_5 或 δ_{10} 指的是原始标距长度为 5 倍或 10 倍之试样直径的伸长率值。

伸长率计算公式:

$$\delta_5(\delta_{10}) = \frac{L_1 - L_0}{L_0} \times 100\% \tag{4-3}$$

式中　L_0——试样原始标距长度,mm;

L_1——试样拉断后的实际伸长标距长度,mm。

2．断面收缩率

拉伸试样拉断后，断口缩颈处的横截面积与试样原始横截面积之百分比，称为断面收缩率，以符号 ψ 表示。

断面收缩率的计算公式：

$$\psi = (1 - S_1/S_0) \times 100\% \tag{4-4}$$

式中 S_0——试样原始横截面积，mm^2；

        S_1——试样拉断后，断口缩颈处的横截面积，mm^2。

拉伸试验一般在常温下进行，但当产品在高温条件下工作，则可在不同的工作温度下进行拉伸试验，称为高温拉伸试验。

（三）弯曲角度

弯曲角度也是一项衡量钢材塑性的指标，是通过试样的弯曲试验而获得的。弯曲试验时，试样弯曲到因受拉而出现裂纹的角度称为弯曲角度，又称冷弯角，以 α 表示。

弯曲试验时，应规定弯曲压头直径 d、试样厚度 t 的比值。弯曲压头直径与试样厚度的比值（d/t）愈大，材料的冷塑性变形能力愈差；反之，弯曲压头直径与试样厚度的比值愈小，表明材料的塑性愈好。

（四）冲击吸收功

冲击吸收功是对具有缺口的材料试样抵抗冲击负荷作用能力的衡量，它是评定钢材质量的一项极其重要的指标。冲击吸收功以 A_k 表示，单位为 J，它是试样在冲击负荷作用下冲断时吸收的功。冲击吸收功是在冲击试验机上进行测定的，冲击试验的试样缺口有夏比 V 形缺口和梅氏 U 形缺口两种形状，由于 V 形缺口试样更灵敏地反映脆化因素的影响和材料组织的变化，所以常用的是夏比 V 形缺口冲击试验。

冲击吸收功是在冲击载荷及试样缺口联合作用下进行测定的钢的力学性能指标之一，通过对钢材的冲击试验，可以进行下列评定和判断：

（1）钢材的冶炼质量。钢材冶炼后，可能存在夹杂、夹渣、气孔、缩孔、分层、偏析、带状组织等，通过冲击值可间接地评判这些缺陷的严重程度。

（2）钢材的热处理和热加工质量。热处理或热加工（如焊接、锻造）后可能出现过热、过烧、回火脆性、氢脆、淬火裂缝等缺陷，会使钢材的冲击值降低。通过冲击试验可以检验钢材的热处理或热加工质量。

（3）钢材在不同温度下的变脆倾向。钢材在不同温度下其冲击吸收功是不同的，如钢在两相区时可能会出现重结晶脆性，在 550℃ 左右会出现蓝脆现象，在低温下会出现冷脆等，都会使钢的冲击吸收功明显降低。通过冲击试验，可将冲击吸收功作为检验和验收钢材或产品的指标。

冲击试验一般在常温下进行。当产品在低温条件下工作时，则可在不同的低温下进行冲击试验，称低温冲击吸收功。通过低温冲击试验可测定钢材的脆性转变温度。

有时，钢材通过冷加工变形后，其冲击吸收功会随着时间的延长（即时效）而急剧下降，这种现象称为应变时效敏感性，为了考虑应变时效后的冲击吸收功的变化，应进行时效冲击试验。时效冲击试验是将试样预先变形 10%，再进行人工时效（250℃ 加热 1 h），然后进行冲击试验测得 A_k 值。一般规定钢材的时效冲击吸收功不应低于该钢材常温冲击吸收功的 50%。

(五)硬度

硬度是金属材料表面抵抗硬物压入的能力,是衡量材料塑性变形能力的一项指标。硬度一般在硬度计上采用压入法测量。常用硬度指标有布氏硬度(HB)、洛氏硬度(HRA、HRB、HRC)和维氏硬度(HV)。

二、钢的高温性能

钢材的高温性能,主要是指蠕变极限和持久强度,是锅炉和中、高温压力容器的重要指标。

(1)蠕变极限。钢材在高温下长时间承受一定应力作用时,随着时间的延长,应变增大,这种现象称为蠕变。蠕变极限是指钢试样在一定温度加恒定拉力作用下,试样在规定时间内(通常 100 000 h)的蠕变变形量(通常定为 1%)或蠕变速度不超过某一规定值的最大应力。

(2)持久强度。是指钢材在一定的温度下,经指定的工作期限,引起钢材破坏时所能承受的恒定应力。

三、疲劳极限

疲劳极限是指材料在循环的变化应力(方向或大小)作用下,在规定的循环次数内发生裂断时所承受的最大应力。

疲劳极限的大小与变化应力的性质和介质有关,其值低于材料的抗拉强度值。

四、钢中合金元素和杂质对钢材性能的影响

各种合金元素和杂质对钢的组织和性能都有一定的影响。下面着重介绍几种主要的合金元素和杂质对钢性能的影响。

(一)碳(C)

碳是钢的一种主要强化元素。碳对钢的力学性能的影响是,随着碳含量的增加,钢的抗拉强度、屈服点和硬度增加,但伸长率和冲击值下降,对钢材的低温脆性、耐腐蚀性有不利影响。而随着温度上升,碳的这种影响趋于减弱。

碳含量的提高使钢的淬硬性增加。所以,焊接含碳量较高的钢材时,易出现淬硬和冷裂纹倾向,使钢的焊接性变差。因此,一般焊接用碳素钢的含碳量应控制在 0.25% 以下,低合金钢的含碳量限制在 0.20% 以下为宜。

(二)锰(Mn)

锰在钢中起固溶强化作用,可提高钢的抗拉强度和屈服点。锰含量在 1% 时,会提高钢的冲击值和塑性,而继续增加锰含量,反而会引起冲击值和塑性的降低。

锰能显著提高钢的淬硬性。在焊缝金属中,锰有脱硫的作用,可减少硫的危害性。焊接冶金过程中锰与硫生成 MnS,可减少焊缝金属热裂纹倾向,改善焊接性能。当锰含量

大于1%时,会增加焊缝金属的冷裂纹敏感性,所以,焊缝金属中的锰含量必须控制在0.8%～1.0%范围内。

(三)硅(Si)

硅是一种强烈的脱氧元素。在钢中,适量的硅可提高钢的强度,过高的硅含量,会使钢的塑性和冲击值降低,并增加钢的回火脆性和晶粒长大倾向。

硅在焊接过程中是良好的还原剂,起脱氧作用,如 CO_2 焊采用的 H08Mn2Si(ER49-1)焊丝。但过量的硅会使钢的焊接性变差,在焊缝金属内形成硅酸盐夹杂物,降低焊缝金属的塑性和韧性,增加焊接热裂纹敏感倾向。一般钢中含硅量以 0.10%～0.25%为佳。

(四)铬(Cr)

在钢中加入铬的主要目的是提高钢的抗氧化性和耐腐蚀性。低合金耐热钢中加入铬后,不仅改善抗氧化性能,而且显著地提高了钢的高温强度。一般地说,铬含量小于0.5%对钢的焊接性无有害影响,但随着铬含量的增加,钢的淬硬倾向增加,焊接冷裂纹敏感倾向增大。

(五)钼(Mo)

钼在钢中能提高钢的室温和高温抗拉强度,细化晶粒,防止回火脆性,是一种重要的合金强化元素。但加入钼后会增加钢的淬透性,从而提高钢的焊接冷裂纹敏感倾向。碳素钢焊缝中含有少量的钼(0.1%～0.35%),能有效地提高焊缝金属的塑性和冲击韧性。

(六)钒(V)

钒是一种强烈的碳化物形成元素。钢中加入钒,可细化晶粒,与碳形成的碳化物可显著提高钢的常温强度和热强度。

在含钒的低合金钢焊缝金属中,由于与铬、钼元素形成复杂的碳化物,使焊缝金属的塑性和韧性降低。同时在焊后消除应力热处理时,明显增加焊接接头再热裂纹倾向。因此,对于焊后需热处理的焊缝,必须严格控制钒的含量小于 0.05%。

(七)镍(Ni)

镍可以提高钢的强度,并显著改善钢的韧性,特别是低温韧性。一般地说,焊缝金属中含有 0.3%～2%的镍,能提高焊缝的冲击韧性,尤其是低温韧性。在不锈钢中镍是一种主要的奥氏体化元素,它能增强钢的耐腐蚀性,使不锈钢具有高的塑性。但在铬-镍不锈钢焊缝中应控制 Cr、Ni 之比,如镍含量偏高,不锈钢焊缝容易产生热裂纹。

(八)钛(Ti)

钛是一种比钒更强烈的碳化物形成元素和脱氧剂。钢中加入钛可明显地提高钢的室温强度和热强度。由于其细化晶粒的作用,在焊缝金属中,加入小于 0.02%的钛,可提高焊缝的冲击值,改善钢的焊接性。但过量的钛则会有害于焊缝金属的塑性和韧性。钛在不锈钢中是一种提高耐晶间腐蚀能力的碳化物稳定元素。其含量应控制在 0.08%以下。

(九)铌(Nb)

铌是一种能起细化晶粒和析出硬化的碳化物形成元素。在钢中加入少量铌,可显著提高钢的常温抗拉强度和高温持久强度,改善钢的冷脆倾向。不锈钢中,铌能形成稳定的碳化物,可提高不锈钢的抗晶间腐蚀能力。由于钛在焊接过程中极易氧化,因此不锈钢焊接材料中常以铌作为碳化物稳定元素。但在焊缝金属中,铌与铁、碳易形成低熔点共晶物,增加焊缝金属的热裂纹形成倾向。铌的析出沉淀硬化导致低合金钢焊缝金属韧性下降。因此,在焊缝中应控制铌的含量。

(十)硫(S)

在钢中硫是一种有害杂质。它易造成钢材的偏析,在晶界上硫与铁形成低熔点共晶化合物,增加钢的热脆性。在焊缝金属中,硫提高热裂纹敏感倾向。所以,焊接用钢的硫含量应限制在 0.045% 以下。

(十一)磷(P)

磷与硫一样在钢中为有害杂质,它与铁形成低熔点的 FeP,增加钢的冷脆性,使钢的冲击值显著下降,钢的脆性转变温度提高。因此,焊接用钢的磷含量应控制在 0.04% 以下。

五、热处理对钢材性能的影响

(一)钢的热处理

将钢加热到某一温度,保温一定时间后,以预定的温度冷却,使钢的内部组织发生改变而获得所要求性能的加工工艺称为钢的热处理。通过热处理可以改变或调整钢的组织和力学性能,常用的钢的热处理方法有:

(1)淬火。将钢加热到临界点 A_3 以上 30~50 ℃,保温一定的时间,使钢的组织全部奥氏体化,然后在水或油介质中进行快速冷却,以得到马氏体组织的热处理方法,称为淬火。

(2)正火。将钢加热到临界点 A_3 或 A_{cm} 以上 30~50 ℃,保温一定的时间,使钢的组织完全奥氏体化,然后在空气中冷却的热处理方法,称为正火。

(3)退火。将钢加热到 A_3 或 A_1 以上 30~50 ℃,保温一定时间后,随炉缓慢冷却至室温,或者于炉内冷却到低于 A_1 的某一温度,再于空气中冷却的热处理方法称为退火。

(4)回火。将钢加热到 A_1 以下某一温度,保温一定时间后,然后随炉或在空气中或在油中冷却的热处理方法称为回火。

(5)调质。某些钢种在淬火后再进行高温回火的热处理方法称为调质热处理。

(二)消除应力热处理

消除应力热处理是将钢或构件加热到临界点 A_{c1}(见图4-1)以下,保温一定时间后,缓慢冷却的热处理方法。它可以松弛内应力,对钢材性能影响很小,主要用于消除构件在冷加工和热加工中产生的内应力和焊接残余应力。

由于钢的种类不同,热处理工艺也不同。应根据钢材标准、相关产品的标准和工艺要求进行热处理。

第四节　锅炉压力容器用钢

一、锅炉用钢的基本要求

(1)较高的强度。一般中低压锅炉可选用 σ_s 为 $240\sim350$ MPa 级钢,压力较高的中压锅炉选用 σ_s 为 400 MPa 级钢,高压锅炉选用 σ_s 为 400 MPa 级以上的钢材。

(2)良好的塑性、韧性和一定的冷弯性能。要求钢的伸长率不小于 15%,常温冲击功 $A_{kV}\geqslant27$ J。

(3)较低的缺口敏感性。锅炉制造中,往往需要开孔和焊接管接头,缺口敏感性差的钢材,容易在管接头处产生应力集中而导致破坏。

(4)良好的中温性能。承受高温高压的锅炉受压元件,应采用具有良好中温性能的钢材。

(5)良好的组织性能和加工工艺性能。钢材中的分层、白点、非金属夹杂等缺欠应严格控制。

(6)良好的低倍组织。

二、锅炉受压元件常用的钢号

(一)钢板
碳素钢:20g 和 22g;
低合金钢:16Mng,12Mng,14MoMnVg 和 18MnMoNbg。

(二)钢管
中低压锅炉用钢管:10 号钢和 20 号钢;
高压锅炉用钢管:15MnV,12MnMoV,20g,15CrMo,12Cr1MoV,12MoVWBSiXt,12CrMoWVTiB、12Cr3MoVSiTiB。

(三)锻件
碳钢锻件:20,25,35,45;
低合金钢锻件:16Mn,12CrMo,15CrMo,30CrMo,12CrMoV,25Cr2MoVA,25Cr1Mo1VA,20Cr1Mo1V;
高合金钢锻件:0Cr13,2Cr13,1Cr18Ni9Ti。

三、压力容器用钢的基本要求

(1)良好的综合力学性能;
(2)良好的可焊性;
(3)良好的加工性能;
(4)表面质量好,厚度均匀;
(5)盛装腐蚀介质的设备用钢应具有良好的抗腐蚀性能;
(6)低温设备(温度 $\leqslant-20$ ℃)用钢应具有良好的低温冲击韧性,避免脆性裂断。

四、压力容器常用的钢号

(一)钢板

碳素钢:Q235(A、B、C、D),20R,20HP,15MnHP;

低合金钢:见表4-4所示。

表4-4　压力容器常用的低合金钢板钢号

容器类型	钢 号
常温压力容器	16MnR,15MnVR,15MnVNR,18MnMoNbR
中温压力容器	15CrMo,12Cr2Mo1
低温压力容器	16MnDR,09MnTiCuXtDR,09Mn2VDR,06MnNbDR
焊接气瓶用钢	20HP,12MnHP,15MnHP,16MnHP,10MnNbHP
高压容器用层板	16MnRC,15MnVRC

高合金钢:1Cr13,00Cr18Ni10,1Cr18Ni9Ti,00Cr17Ni14Mo2,Cr18Ni12Mo2Ti 等。

(二)钢管

压力容器常用的钢管钢号见表4-5所示。

表4-5　压力容器常用的钢管钢号

类 型	钢 号
碳素钢管	10,20,20g
合金钢管	16Mn,15MnV,09Mn2V,12CrMo,15CrMo,10MoWVNb,12Cr2Mo,1Cr5Mo
不锈钢管	0Cr13, 0Cr18Ni9Ti, 0Cr18Ni12Mo2Ti, 00Cr18Ni10, 00Cr17Ni14Mo2, 00Cr17Ni14Mo3

(三)锻件和圆钢

锻件和圆钢牌号见表4-6所示。

表4-6　锻件和圆钢牌号

类 型	锻 件	圆 钢
碳素钢	20,25,35,45	35
合金钢	16Mn,20MnMo,15MnMoV,20MnMoNb,15CrMo,35CrMo,12Cr1MoV,12CR2Mo	40MnB,40MnVB,40Cr,30CrMoA,35CrMoA,35CrMoVA,25Cr2MoVA,1Cr5Mo
不锈钢	0Cr13,1Cr18Ni9Ti	2Cr13,0Cr19Ni9,0Cr19Ni12Mo2

习 题

一、名词解释

1.镇静钢　2.正火　3.调质　4.抗拉强度　5.冲击韧性　6.蠕变极限

二、判断题

1.在钢的质量上沸腾钢优于镇静钢。　　　　　　　　　　　　　　（　　　）

2.1Cr18Ni9 的平均含碳量为 0.1%。　　　　　　　　　　　　　　（　　　）

3.淬火后经不同温度的高温回火,可以使钢的性能、质量得到不同程度的改善。　（　　　）

三、选择题

1.含碳量为 0.20% 的碳钢是(　　　)。

　　A.低碳钢　　　　　B.中碳钢　　　　　C.高碳钢　　　　　D.以上都不是

2.16MnR 的平均含碳量为(　　　)。

　　A.16%　　　　　B.1.6%　　　　　C.0.16%　　　　　D.0.016%

3.下列哪种元素是钢中的有害元素? (　　　)

　　A.碳　　　　　B.锰　　　　　C.硅　　　　　D.硫

四、填空题

1.含碳量小于＿＿＿＿＿＿＿＿的铁碳合金称为钢。

2.在钢材技术标准中包括五项基本性能有＿＿＿＿＿＿＿＿、＿＿＿＿＿＿＿＿、＿＿＿＿＿＿＿＿、＿＿＿＿＿＿＿＿、＿＿＿＿＿＿＿＿。

3.焊接气瓶用钢主要有＿＿＿＿＿、＿＿＿＿＿、＿＿＿＿＿、＿＿＿＿＿、＿＿＿＿＿。

4.锅炉压力容器常用的热处理有:＿＿＿＿＿＿＿、＿＿＿＿＿＿＿、＿＿＿＿＿＿＿等。

5.Q235B 表示屈服点为＿＿＿＿＿＿＿MPa,质量等级为＿＿＿＿＿＿＿级的镇静钢。

6.钢中含碳量增加,钢的强度和硬度＿＿＿＿＿,塑性和韧性＿＿＿＿＿。

五、问答题

1.锅炉压力容器常用的专用钢材主要有哪几种? 各用什么符号表示?

2.钢材的实际使用性能主要包括哪些?

3.常用的锅炉用钢板和钢管有哪些牌号?

4.锅炉用钢的基本要求有哪些?

5.压力容器用钢有哪些基本要求?

6.钢中碳、硫、磷对钢的力学性能有哪些影响?

7.锅炉压力容器的热处理有哪些作用?

8.什么叫钢材的焊接性? 评定钢材的焊接性应从哪两个方面进行?

第五章　焊接材料

焊接材料是焊接时所消耗材料的简称,它包括焊条、焊丝、焊剂、保护气体、电极及焊料(见图5-1)。

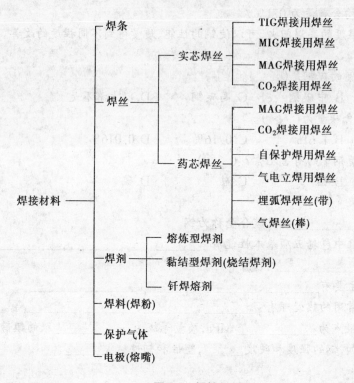

图 5-1　焊接材料

第一节　焊　条

涂有药皮供焊条电弧焊用的熔化电极叫焊条,它由焊芯和药皮两部分组成。

一、焊条的组成

(一)焊芯

焊条中被药皮包敷的金属芯叫焊芯。焊芯在电弧高温作用下熔化,与焊件母材熔合形成焊缝。焊芯的成分对焊缝质量有很大的影响。用做焊芯的钢丝通常使用平炉冶炼的优质钢,先轧制成盘条,然后再拔制成不同直径的焊芯。

焊芯的牌号用"H"表示,后面的数字表示含碳量的百分率,其他合金元素含量的表示方法与低合金钢号的表示方法大致相同。例如:

H08 表示含碳量为 0.08% 的钢芯；

H10Mn2 表示含碳量为 0.1%、含锰量为 2% 的低合金钢芯；

H08Cr21Ni10 表示含碳量为 0.08%、含铬量为 21%、含镍量为 10% 的不锈钢芯。

对于硫、磷含量较低的高级优质焊芯，在其牌号尾部加"A"或"E"标注。例如：

H8MnA 表示焊芯中的硫、磷含量不超过 0.030%；

H08E 表示焊芯中的硫、磷含量不超过 0.025%。

常用焊芯的化学成分应符合 GB1300 的规定。

在焊接过程中，焊芯主要起填充金属的作用，熔敷金属的合金成分主要是从焊芯中过渡的。

焊条的名义直径是按焊芯直径来确定的，常用的焊芯直径有 1.6、2、2.5、3.2、4、5mm 等。焊条的长度取决于焊芯直径、化学成分和药皮类型。随着焊芯直径的增加，焊条长度也相应增加。不锈钢焊条因焊芯电阻较大，为防止焊接时焊条过热发红和药皮脱落，焊条长度也相应地短一些。

(二)药皮

压涂在焊芯表面的涂料层叫药皮。

1.药皮的作用

(1)稳弧作用。提高电弧燃烧的稳定性，保证焊接过程正常进行。

(2)造气保护作用。利用药皮熔化后产生的气体来保护电弧和熔池，防止空气进入熔池。

(3)造渣保护作用。药皮熔化后形成熔渣，覆盖在熔滴和熔池及凝固后的焊缝表面上，保护焊缝金属，同时使焊缝金属冷却速度减慢，有利于气体逸出，防止气孔的产生，并改善焊缝的组织和性能。

(4)脱氧、去硫、去磷作用。药皮熔化后，参与了熔池的冶金反应，在一定程度上脱氧、还原、去硫、去磷，以减少焊缝中有害元素含量，减少合金元素烧损，从而提高焊缝质量。

(5)渗合金作用。通过药皮将所需要的合金元素渗入到焊缝金属中，改进和控制焊缝金属的化学成分，以获得所希望的性能。

(6)套筒保护作用。药皮在焊接时形成喇叭形套筒，使熔滴能较好向熔池过渡，有利于全位置焊接，同时使电弧热量集中，减少飞溅，提高熔敷效率。

2.药皮的组成

药皮主要由矿物类、铁合金、有机物、水玻璃等四类物质组成。药皮组成物根据其作用的特点，可分为稳弧剂、造渣剂、造气剂、脱氧剂、合金剂、稀释剂和黏结剂等。

(1)稳弧剂。改善电弧引弧性能，保证电弧稳定燃烧，如碳酸钾、硫酸钠、钛白粉、长石等。

(2)造渣剂。形成熔渣，保护焊缝，改善焊缝成形，如大理石、萤石、菱苦土、钛铁矿等。

(3)造气剂。形成保护气体，保护电弧和熔池，如大理石、白云石、木料、纤维素等。

(4)脱氧剂。去除熔池中含氧量，降低熔渣氧化性，如锰铁、硅铁、钛铁、铝粉等。

(5)合金剂。渗入焊缝中的合金元素，使焊缝金属达到所要求的成分和性能，如锰铁、钛铁、钼铁等。

(6)稀释剂。降低熔渣黏度,增加其流动性和透气性,如萤石、长石、钛白粉等。

(7)黏结剂。将各种原料黏结在一起,保证药皮具有一定强度,如钠水玻璃、钾水玻璃。

3.药皮类型及特点

(1)钛铁矿型。药皮含钛铁矿30%以上。电弧稳定、熔深大,熔渣流动性好,且脱渣容易,可用于交直流电源全位置焊接。E4301(J423)、E5001(J503)属此类焊条。

(2)钛钙型。药皮含氧化钛30%以上,含碳酸钙、碳酸镁20%以下。熔渣流动性好,易脱渣,电弧稳定,熔深适中,成形美观,可用于交直流电源全位置焊接。E4303(J422)、E5003(J502)属此类。

(3)铁粉钛钙型。药皮类型和钛钙型相似,因增加了铁粉,熔敷效率高。E4323(J422Fe)属此类。

(4)高纤维素钾(钠)型。药皮中含有30%的纤维素和少许的钙钾化合物。焊接时主要靠造气保护,渣很少。使用时限用大电流,可全位置焊接,也可用于打底焊。E4310、E4311(J425)、E5010、E5011(J505)属此类。

(5)高钛钠(钾)型。药皮中含有30%的氧化钛和少量硅酸盐,电弧稳定,易引弧,熔深浅,成型好,适用于断续焊及薄板焊接。E4312、E4312(J421)属此类。

(6)铁粉钛型。在高钛型基础上加入铁粉,熔敷效率高,可使用交直流电源全位置焊接,适合焊接角焊缝。E5014(J502Fe)、E4324(J421Fe)、E5024(J501)属此类。

(7)氧化铁型。药皮中含有大量氧化铁和较多锰铁,熔化速度快,脱渣性好,但飞溅大,适用于高速单道焊,不宜焊接薄板。E4320(J424)属此类。

(8)铁粉氧化铁型。在氧化铁型基础上加入铁粉,熔敷效率高,电弧吹力大,可使用大电流焊接。E4327(J424Fe)、E5027(J504Fe)属此类。

(9)低氢钠型。药皮中的主要组成物是碳酸盐和萤石,熔渣的碱度高,力学性能好,抗裂性好,但焊接工艺性稍差,宜采用短弧焊,可使用直流反接电源全位置焊接。E4315(J427)、E5015(J507)属此类。

(10)低氢钾型。在低氢钠型基础上加入稳弧剂,提高电弧稳定性,改善焊接工艺性能,可使用交流、直流反接电源全位置焊接。E4316(J426)、E5016(J506)属此类。

(11)铁粉低氢型。在低氢钠(钾)型基础上加入铁粉,提高了熔敷效率。E5018、E5028(J506Fe、J507Fe)、E5048属此类。

4.焊条的酸碱性

焊条药皮中的氧化物多为酸性氧化物,其熔渣的化学性质呈酸性,此类焊条为酸性焊条;药皮中含有大量的碱性氧化物和氟化钙的焊条为碱性焊条。

酸性焊条药皮中主要含有 TiO_2、MnO_2、FeO、SiO_2 等氧化物,氧化性强,焊接过程中合金元素烧损较多,焊缝金属中含氧量和含氮量高,焊缝的力学性能差。由于酸性渣的脱硫、脱磷能力差,所以焊缝金属抗裂性差。但酸性焊条工艺性较好,对油、锈、水分不敏感,抗气孔能力强,可使用交直流电源焊接。

碱性焊条药皮中主要含有 CaF_2、$CaCO_3$、SiO_2、$MgCO_3$ 等氧化物和大量的铁合金,焊接过程中脱氧能力强,脱硫、脱磷能力也较强,焊缝金属的力学性能和抗裂性较好。但焊条工艺性较差,对油、锈、水分敏感,易产生气孔,由于药皮中含有的 CaF_2 影响电弧稳定性,只能使用直流反接电源焊接。

二、焊条的分类、型号和牌号

(一)焊条的分类

我国焊条分类是以焊接母材的种类划分的。主要有碳钢焊条、低合金钢焊条、不锈钢焊条、堆焊焊条、铸铁焊条、铜及铜合金焊条、铝及铝合金焊条等。

(二)焊条型号和牌号

我国焊条型号是依据熔敷金属的力学性能、化学成分、药皮类型、焊接位置和焊接电流种类划分的。GB 5117—95 规定了碳钢焊条的技术要求,GB 5118—95 规定了低合金钢焊条的技术要求,GB 983—95 规定了不锈钢焊条的技术要求。

焊条型号可以区别各种焊条熔敷金属的力学性能、化学成分、药皮类型、焊接位置和焊接电流种类,它是国家标准对焊条编号的一种规定。

焊条牌号是焊条制造厂作为其产品(焊条)出厂的规定编号,以区别不同焊条的熔敷金属力学性能、化学成分、药皮类型和焊接电流种类。与型号相比,牌号中没有区别焊接位置的编号。

焊接材料产品样本中统一规定了焊条牌号编制方法。

1. 碳钢焊条

碳钢焊条型号应符合国家标准 GB 5117—95,表示方法如下:

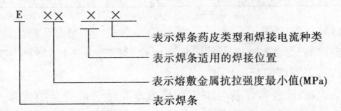

GB5117 规定了碳钢焊条有两个系列,即 E43 系列和 E50 系列,其熔敷金属抗拉强度分别大于 420 MPa 和 490 MPa。

E 后面第三位数字,"0"和"1"表示焊条适用于全位置焊接(平、立、横、仰),"2"表示焊条适用于平焊及平角焊,"4"表示焊条适用于向下立焊。

E 后面第三位和第四位数字组合时,表示焊接电流种类及药皮类型。

2. 低合金钢焊条

低合金焊条型号应符合国家标准 GB 5118—95,表示方法如下:

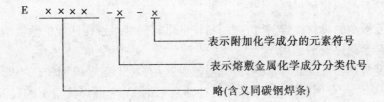

GB 5118 规定了低合金钢焊条有六个系列,即 500、550、600、700、750、850 MPa。符号中短横线后的熔敷金属化学成分分类为:碳钼钢、铬钼钢、镍钢、镍钼钢、锰钼钢及其他类低合金钢。

3．不锈钢焊条

GB/T 983—95 适用于焊条电弧焊用的不锈钢焊条,其熔敷金属中铬含量应大于10.50%。焊条型号是根据熔敷金属的化学成分、药皮类型、焊接位置和焊接电流种类划分。编制方法如下:

字母"E"表示焊条;"E"之后的数字表示熔敷金属化学成分分类代号,如有特殊要求的化学成分,用其元素符号表示放在数字后面;以"–"后面的两位数字表示焊条药皮类型、焊接位置及适用的焊接电流种类。见表 5-1。

表 5-1　焊接电流及焊接位置

焊条型号	焊接电流	焊接位置
E×××(×)–15	直流反接	全位置
E×××(×)–25		平焊、横焊
E×××(×)–16	交流或直流反接	全位置
E×××(×)–17		
E×××(×)–26		平焊、横焊

不锈钢焊条型号示例如下:

(1)E308–15:E 表示焊条;308 表示熔敷金属化学成分分类代号;15 表示焊条为碱性药皮,适用于全位置,采用直流反接焊接。

(2)E410NiMo–26:E 表示焊条;410 表示熔敷金属化学成分分类代号;NiMo 表示熔敷金属中 Ni 和 Mo 的含量有特殊要求;26 表示焊条为碱性或其他类型药皮,适用于平焊和横焊位置,采用交流或直流反接焊接。

三、焊条选用原则

选用焊条时,应根据钢材的类别、化学成分及力学性能、结构的工作条件(荷载、温度、介质)和结构的刚度特点等进行综合考虑,必要时,还应进行焊接试验来确定焊条型号和牌号。

(一)碳钢焊条的选用

按焊缝与母材等强的原则选用。当焊缝冷却速度较大(如薄板施焊、单层焊)时,也可选用强度比母材低一级的焊条。

不同强度级别的母材施焊时,应选用与较低母材强度级别相匹配的低氢型焊条。

(二)低合金钢焊条的选用

对于强度级别较低的低合金钢,按等强原则选用;对于强度级别较高的低合金钢,如高强钢,以考虑焊缝金属的塑性选用焊条;对于铬钼钢,以考虑焊接接头的高温性能选用焊条;对于镍钢,以考虑焊缝金属的低温韧性选用焊条。

低合金异种钢焊接时,应按照强度级别较低的钢种选用焊条,但焊接工艺要求应按强度级别较高的钢种进行。

(三)不锈钢焊条的选用

按熔敷金属化学成分与母材相同或相近的原则选用,以满足焊接接头耐腐蚀性能的要求。对于Cr5Mo、Cr9Mo、Cr13、Cr27等类型的钢种,往往选用铬镍奥氏不锈钢焊条。

四、焊条的检验、保管及领用

(一)焊条的检验

焊条购进后,应根据产品技术要求进行检验,合格后方可入库。

检验内容包括:

(1)检查焊条规格、数量及按生产厂家批号提供的质量证明书。

(2)审查焊条包装及包装中的焊条标志。

(3)对焊条按国家标准要求进行复验。焊条复验内容应按相应标准确定,一般包括:①焊条外观;②药皮偏心;③T形接头角焊缝试验;④熔敷金属化学成分分析;⑤熔敷金属力学性能试验;⑥焊缝射线探伤检查;⑦药皮含水量试验;⑧熔敷金属扩散氢的测试;⑨熔敷金属耐腐蚀性能试验;⑩熔敷金属铁素体含量的测试。

(二)焊条的保管

焊条入库后应严格管理,焊条库应备有干燥通风装置,在潮湿季节或长年湿度较大的地区,库内应配置除湿机。一级库内环境温度应不低于10 ℃,相对湿度应低于60%。

焊条应按型号、批号码放,并置于货架上,距地面和墙壁间距应大于300 mm以上。

(三)焊条的领用

焊条使用前应烘干。酸性焊条的烘干温度为100~150 ℃,保温1~1.5 h;碱性焊条的烘干温度为350~400 ℃,保温1~2 h,烘干后应置于100 ℃的保温箱内存放。焊工领用焊条时,应放在保温筒内,随用随取。当日未用完的焊条退回库房后应重新烘干,重新烘干的次数不得超过2次。

第二节 焊 丝

一、焊丝的分类

焊接用的焊丝可分为两大类:一类是在焊接过程中,焊丝作为填充金属和电极,如埋弧焊、CO_2焊、氩弧焊等;另一类为自保护焊丝,即在焊接过程中,依靠焊丝自身的合金元素和高温时的冶金反应来防止空气中氧、氮等气体侵入和补充合金成分的烧损。

焊丝可制成实芯焊丝或药芯焊丝。实芯焊丝多为冷拔钢丝;而药芯焊丝则是由薄钢带卷制成圆管或异形管,管中填充一定成分的药粉,再拉拔而成。

二、实芯焊丝

(1)实芯焊丝的分类。实芯焊丝分为气体保护焊用碳素钢、低合金钢焊丝,熔化焊用丝,铜及铜合金焊丝,铝及铝合金焊丝,镍及镍合金焊丝等。气体保护焊用焊丝主要包括 CO_2 气体保护焊、钨极气体保护电弧焊和等离子弧焊的焊丝。熔化焊用钢丝主要包括用于埋弧焊、电渣焊和气焊的冷拔钢丝。

为了防止焊丝生锈,保持焊丝的光洁,焊丝表面一般都镀有铜,镀铜焊丝不影响焊丝的使用性能。

(2)气体保护焊焊丝(GB/T 8110—1995)。本标准适用于碳素钢、低合金钢熔化极气体保护焊用的实芯焊丝,推荐用于钨极气体保护电弧焊和等离子弧焊的填充焊丝。焊丝型号的表示方法为 ER××－×。

字母 ER 表示焊丝,ER 后面的两位数字表示熔敷金属抗拉强度最低值,短划"－"后面的数字或字母表示焊丝化学成分分类代号。如还附加其他化学成分时,直接用元素符号表示,并以短划"－"与前面数字分开。举例如下:

$ER55-B_2-MnV$

ER 表示焊丝;55 表示熔敷金属抗拉强度最低值为 550 MPa;B_2 表示焊丝化学成分分类代号;MnV 表示焊丝中含有锰元素和钒元素。

气体保护焊焊丝的直径比较小,为 0.5~3.2 mm。CO_2 气体保护焊常用的焊丝直径为 1.2、1.6 mm,钨极气体保护焊常用的焊丝直径为 0.8、1.2、2.5 mm。

表 5-2 列出了部分气体保护焊焊丝的牌号与型号对照和它们的用途。

表 5-2　气体保护焊焊丝的牌号与型号对照及用途

国家标准		牌　号	符合国家标准型号	用　途
GB/T 8110 —1995	推荐用于熔化极气体保护焊	MG49－1	ER49－1	焊接低碳及某些低合金钢结构
		MG49－Ni	—	用于 500 MPa 级高强度钢、耐热钢的焊接
		MG50－3	ER50－3	适用于碳素钢及低合金钢的焊接
		MG50－4	ER50－4	碳素钢的焊接,薄板、管的高速焊接
	推荐用于钨极气体保护焊	TG50Re	ER50－4	各种位置的管子氩弧焊打底及弧焊
		TG50	—	各种位置的管子氩弧焊打底及弧焊
		TGR50CM	ER55－B2	锅炉受热面管子、蒸汽管道、高压容器
		TGR55V	ER55B2MnV	石油裂化设备、高温化工机械打底焊
GB/T 14957—94		H08MnSi	—	400 MPa 级构件焊接,主要用于单道焊
		H08Mn2Si H08Mn2SiA	—	碳素钢、低合金钢的焊接
		H11Mn2SiA	—	碳素钢、低合金钢的焊接

(3)熔化焊用焊丝(GB/T 14957—94)。熔化焊用钢丝是适用气体保护焊、埋弧焊、电渣焊和气焊的冷拉钢丝。焊丝牌号以字母"H"开头。对于低碳钢焊件,使用的牌号有H08A、H08MnA、H10Mn2 等,其中 H08A 使用最为普遍。

熔化焊用钢丝的公称直径有 1.6、2、2.5、3、3.2、4.0、5.0、6.0 mm 等几种。

三、药芯焊丝

按 GB 10045—2001 规定,药芯焊丝型号第一部分以英文字母"EF"表示药芯焊丝代号,代号后面的第一位数字表示主要适用的焊接位置("0"表示用于平焊和横焊,"1"表示用于全位置焊);代号后面的第二位数字或英文字母为分类代号;第二部分在横线后用四位数字表示焊缝金属的力学性能。如焊丝型号 EF03 - 5042。

实际生产中常用牌号来表示药芯焊丝的类型。药芯焊丝牌号表示如下:

<u>Y</u> <u>×</u> <u>××</u> <u>×-×</u>

首字母"Y"表示药芯焊丝;第二位字母表示药芯焊丝种类,见表5-3;第一、第二位数字表示焊丝特点;第三位数字表示熔渣类型(或第三位数字之后的数字及元素符号表示焊缝金属化学成分);最后一位数字为"1"或"2",分别表示气体保护或自保护,并以短划"-"与前面部分分开。

表 5-3 药芯焊丝的种类

第二位字母	J	B	D	R
种类	结构钢药芯焊丝	不锈钢药芯焊丝	堆焊药芯焊丝	耐热钢药芯焊丝

药芯焊丝发展很快,很多的药芯焊丝牌号目前还没有相应的国标型号对应。表 5-4为常用药芯焊丝性能的介绍,供选用时参考。

药芯焊丝熔敷效率高,焊丝质量好,对钢材适应性强,特别是实心焊丝无法或很难拉制时,药芯焊丝就显示出其优越性。

表 5-4 药芯焊丝性能

焊丝牌号	符合国家标准型号	熔敷金属力学性能				说　明	用　途
		屈服点值(MPa)	抗拉强度(MPa)	伸长率(%)	冲击值(J)		
YJ501 - 1	—	≥410	≥500	≥22	≥47(0 ℃)	钛型 CO_2 气体保护药芯焊丝,用于全位置焊接,可进行向下立焊。焊角焊缝时,脱渣性好,焊缝成形美观	用于碳素钢及 500 MPa级高强度钢的焊接
YJ502 - 1	EF01 - 5020	≥410	≥500	≥22	≥27(0 ℃)	氧化钛钙型渣系的 CO_2 气体保护焊丝。采用直流反接,焊接工艺性能优良	用于重要的低碳钢及相应强度等级的低合金结构钢的焊接

焊丝牌号	符合国家标准型号	熔敷金属力学性能				说　明	用　途
		屈服点值（MPa）	抗拉强度（MPa）	伸长率（%）	冲击值（J）		
YJ507-1	EF03-5040	≥410	≥500	≥22	≥27（-30℃）	低氢型 CO_2 气体保护焊丝,焊接效率高,工艺性能优良,内在质量稳定可靠	用于低碳钢及相应强度等级的低合金结构钢的焊接,如压力容器焊接
YJ507TiB-1	EF03-5005	≥410	≥500	≥22	≥47（-40℃）	碱性渣系高韧度药芯焊丝。熔敷金属具有在低温下优良冲击韧度,采用直流反接,适用于平焊、角焊	用于低合金钢焊接结构,如桥梁、造船、机械、化工、车辆等
YJ507G-2	EF04-5042	≥410	≥500	≥22	≥47	自保护结构钢药芯焊丝。采用直流反接,适用于平焊和横焊位置单道焊或多道焊,焊接电弧稳定,脱渣性好	用于焊接较重要的低碳钢中、厚板结构
HYD616Nb	—	—	—	—	—	埋弧焊用药芯焊带。特点是熔深浅,堆焊层硬度稳定,配用 HJ151 焊剂及其改进型焊剂	用于特别严重磨料磨损的水泥碾辊、磨煤机碾辊等的表面堆焊

第三节　焊　剂

一、焊剂的作用

焊剂是埋弧焊过程中使用的焊接材料,它由十余种氧化物组成,在焊接过程中具有下列作用:

(1)保护作用。焊剂熔化后,形成熔渣,保护熔池,防止氧、氮侵入,同时还起到减少合金元素烧损的作用。

(2)渗合金作用。焊接过程中,焊剂和液态金属进行冶金反应,向熔池过渡有益的合金元素,从而改善焊缝性能。

(3)成形作用。焊剂熔化后形成熔渣覆盖在熔池表面,使焊缝具有良好的成形。

(4)稳弧作用。焊剂中有部分低电离电位物质可起到稳定电弧燃烧的作用。

二、焊剂的分类

通常将焊剂按制造方法不同分为熔炼焊剂、烧结焊剂和陶质焊剂三类。熔炼焊剂是将各种配料在电炉中熔炼,然后水冷粒化、烘干制成;烧结焊剂是将配料加入黏结剂,在400~1 000 ℃间烧结粉碎制成;陶质焊剂又称黏结焊剂,是将配料加黏结剂在低温下黏化制成。目前使用最广泛的为熔炼焊剂。

三、焊剂的型号和牌号

(一)焊剂的型号

1.碳钢焊丝和焊剂

按照《埋弧焊用碳钢焊丝和焊剂》(GB/T 5293—1999)中规定,焊剂型号分类原则是依据焊丝－焊剂组合的熔敷金属力学性能、热处理状态进行划分,其表示方法如下:

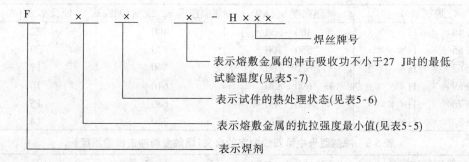

尾部的"H×××"表示在焊接试板时与焊剂匹配的焊丝牌号,按《熔化焊用钢丝》(GB/T 14957—1994)的规定选用。

表5-5　焊剂型号中第一位数字含义(熔敷金属拉伸试验)

×(第一位数字)	抗拉强度(MPa)	屈服点(MPa)	伸长率(%)
4	415~550	≥330	≥22
5	480~650	≥400	≥22

表5-6　焊剂型号中第二位字母含义

A	焊态
P	焊后热处理状态

表5-7　焊剂型号中第三位数字含义(熔敷金属冲击试验温度)

×(第三位数字)	0	2	3	4	5	6
试验温度(℃)	0	−20	−30	−40	−50	−60
冲击吸收功(J)			≥27			

举例:F4A3－H08MnA,表示埋弧焊用焊剂,采用 H08MnA 焊丝按照规定的焊接工艺参数焊接试板,其试件状态为焊态时,熔敷金属的抗拉强度为 415~550 MPa,屈服点值不小于 330 MPa,伸长率不小于 22%,在−30 ℃时冲击吸收功不小于 27 J。

2. 低合钢焊丝和焊剂

按照《埋弧焊用低合金钢焊丝和焊剂》(GB/T 12470—2003)中规定,型号分类根据焊丝－焊剂组合的熔敷金属力学性能、热处理状态进行划分,其表示方法如下:

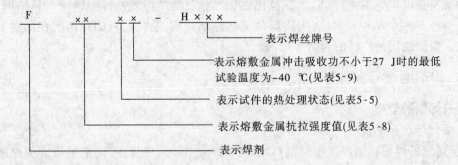

表5-8 焊剂型号中前二位数字的含义(熔敷金属拉伸试验)

焊剂型号	抗热强度 σ_b(MPa)	屈服强度 $\sigma_{0.2}$ 或 σ_s(MPa)	伸长率 δ_5(%)
F48××－H×××	480~660	400	22
F55××－H×××	550~700	470	20
F62××－H×××	620~760	540	17
F69××－H×××	690~830	610	16
F76××－H×××	760~900	680	15
F83××－H×××	830~970	740	14

表5-9 焊剂型号中第四位数字的含义(熔敷金属冲击试验温度)

×(第四位数字)	0	2	3	4	5	6	7	8	9	10	Z
试验强度(℃)	0	－20	－30	－40	－50	－60	－70	－80	－90	－100	不要求
冲击吸收功(J)					－27						

(二)焊剂的牌号

通用的焊剂统一牌号在形式上与焊剂型号相同,但是牌号中数字的含义与焊剂型号是不相同的。因此,在使用中极易混淆,应当引起注意。

(1)熔炼焊剂牌号见表5-10和表5-11所示。

表5-10 熔炼焊剂牌号中第一位数字含义

焊剂牌号	焊剂类型	MnO 含量(%)
HJ1××	无锰	>2
HJ2××	低锰	2~15
HJ3××	中锰	15~30
HJ4××	高锰	>30

牌号前"HJ"表示埋弧焊用熔炼焊剂,牌号中第一位数字表示焊剂中氧化锰的含量,第二位数字表示焊剂中二氧化硅、氟化钙的含量,第三位数字表示同一类型焊剂的不同牌号,按 0,1,2,…,9 顺序编排。

同一牌号生产两种颗粒度时,在细颗粒焊剂牌号后面加"×"。例如:

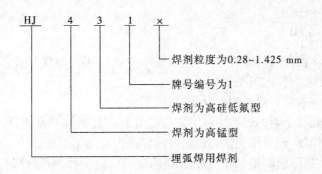

表 5-11　熔炼焊剂牌号中第二位数字含义

焊剂牌号	焊剂类型	SiO$_2$ 含量(%)	CaF$_2$ 含量(%)
HJ$\times$1$\times$	低硅低氟	<10	<10
HJ$\times$2$\times$	中硅低氟	10~30	<10
HJ$\times$3$\times$	高硅低氟	>30	<10
HJ$\times$4$\times$	低硅中氟	<10	10~30
HJ$\times$5$\times$	中硅中氟	10~30	10~30
HJ$\times$6$\times$	高硅中氟	>30	10~30
HJ$\times$7$\times$	低硅高氟	<10	>30
HJ$\times$8$\times$	中硅高氟	10~30	>30

(2)烧结焊剂。见表 5-12 所示。

表 5-12　烧结焊剂牌号中第一位数字含义

焊剂牌号	熔渣渣系类型	主要成分含量(%)
SJ1$\times$$\times$	氟碱型	CaF$_2 \geqslant$15 CaO + MgO + MnO + CaF$_2$ >50 SiO$_2 \leqslant$20
SJ2$\times$$\times$	高铝型	Al$_2$O$_3 \geqslant$20 Al$_2$O$_3$ + CaO + MgO>45
SJ3$\times$$\times$	硅钙型	CaO + MgO + SiO$_2$ >60
SJ4$\times$$\times$	硅锰型	MgO + SiO$_2$ >50
SJ5$\times$$\times$	铝钛型	Al$_2$O$_3$ + TiO$_2$ >45
SJ6$\times$$\times$	其他型	—

　　牌号前"SJ"表示埋弧焊用烧结焊剂,牌号中第一位数字表示焊剂熔渣渣系的类型,第二位数字和第三位数字表示同一渣系类型焊剂中的不同牌号焊剂,按 01,02,…,09 顺序编排。例如:

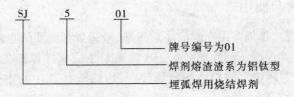

四、焊剂的选用

焊剂是埋弧焊重要的焊接材料,采用同样的焊丝以相同的焊接工艺配以不同牌号的焊剂,焊缝的性能会有较大的差别。

焊剂的选用一般应和焊丝相配合,选用原则如下:

(1)低碳钢、低合金钢的焊接。为保证焊缝具有良好的综合性能,可选用高锰高硅焊剂配合无锰低锰焊丝,或采用无锰、低锰、高硅焊剂配合高锰焊丝。

(2)低合金高强度钢焊接。可选用碱度较高的低锰、中硅、中氟焊剂,以保证焊缝具有良好的韧性。

(3)不锈钢的焊接。可选用高碱度的无锰低硅焊剂,采用烧结焊剂效果更好。

表 5-13 给出了常用的熔炼焊剂及其相匹配的焊丝。

表 5-13　常用熔炼焊剂及相匹配的焊丝

钢种	钢号	焊丝	焊剂牌号
低碳钢	Q235A(B、C、D) 15、20 15g、20g	H08A H08MnA H08MnSi H10Mn2	HJ430 HJ431
低合金钢	16Mn、16MnR 15MnV、15MnVR 14MnMoVR 18MnMoNb	H08MnA H10Mn2 H10MnSi H08MnMo、H08Mn2Si H08Mn2Mo H08Mn2Mo2 H08MnNiMo	HJ430 HJ431 HJ250 HJ350
耐热钢	12CrMo、15CrMo 12Cr1MoV Cr5Mo	H12CrMo H08CrMoV HCr5Mo	HJ260 HJ172
低温钢	09Mn2V 09MnTiCuRe	H08Mn2Mo H08Mn2MoVA	HJ250
不锈钢	0Cr13、1Cr13 Cr17 00Cr19Ni11 0Cr19Ni9 0Cr18Ni11Ti	H0Cr14 H1Cr17 H00Cr21Ni10 H0Cr21Ni10 H0Cr20Ni10Ti	HJ150 HJ260 HJ172

五、焊剂的保管与使用

为了保证焊接质量,焊剂在保存时应注意防潮,搬运焊剂时要防止包装破损,使用前,必须按规定温度烘干并保温。酸性焊剂在 250 ℃烘干 2 h,碱性焊剂在 300~400 ℃烘干 2 h,焊剂烘干后应立即使用。使用中回收的焊剂,应清除掉其中的渣壳、碎粉及其他杂物,与新焊剂混合均匀后应立即使用。使用中回收的焊剂,应清除掉其中的渣壳、碎粉及其他杂物,与新焊剂混合均匀后再使用。使用直流焊接电源时应采用直流反接。

第四节 焊接用气体

一、氩气

氩气作为氩弧焊的焊接材料,是一种惰性气体,它无色、无味,比空气重,元素符号为Ar。氩气的沸点为 -185 ℃,由液化空气分馏而制取。氩气作为保护气体,既不溶于焊缝金属,又不与熔池金属进行化学反应,在焊接过程中仅起保护作用。氩气的纯度对焊接质量有较大影响,氩气中所含氧、氮、氢、水分等杂质含量超过标准规定时,会使电弧不稳定,焊缝力学性能下降、气孔增加,焊缝成形变差等。

国家标准 GB 4842—84 对氩气的技术要求见表5-14。

表 5-14　国家标准对氩气的技术要求

项目名称	指标	项目名称	指标
氩含量(%)	≥99.99	氢含量(10^{-6})	≤5
氮含量(10^{-6})	≤70	总碳含量(10^{-6})	≤10
氧含量(10^{-6})	≤10	水分含量(10^{-6})	≤20

注:①含量为体积比;②总碳含量以甲烷计;③水分在15 ℃大于12.0 MPa条件下测定。

当氩气的含量为99.99%时,能满足焊接要求。氩气瓶涂为灰色,满瓶气体压力15.0 MPa。当氩气瓶压力降至表压2.0~3.0 MPa时,含水量增加,应停止使用。

二、氧气

氧气是一种无色、无味、无毒的气体,分子式为 O_2,当温度为 -183 ℃时,呈浅蓝色液体。氧由液化空气分馏制取。氧不能燃烧但能助燃,化学性质极其活泼,能与许多元素化合生成氧化物。

氧气纯度对气焊和碳弧气刨的质量及效率有很大影响。纯度愈纯,燃烧的火焰温度愈高,效率也愈高。国家标准 GB 3863—83 对工业用气态氧技术要求见表5-15。

满瓶氧气压力为15.0 MPa,气瓶涂为天蓝色,每瓶氧气不得全部用光,应保留0.1~0.3 MPa气体以上。使用中,氧气瓶应远离操作地点10 m以上,严防暴晒和高温。

表 5-15　工业用氧气的国家标准

项目名称		指标		
		I	II	
			一级	二级
氧气含量(%,体积)		>99.5	>99.5	>99.2
水分含量	游离水(mL/瓶)	—	<100	<100
	露点(℃)	< -43	—	—

三、乙炔气

乙炔气又称电石气,分子式为C_2H_2,是一种无色的碳氢化合物。工业用的乙炔气往往含有硫化氢(H_2S)和磷化氢(H_3P)杂质,故有强烈的臭味。-83 ℃时,乙炔气可变成液体。乙炔是理想的可燃气体,在氧气助燃下,燃烧温度可达3 200 ℃。

乙炔气由碳化钙与水作用制取或由石油天然气分解制得。焊接用乙炔气,一种是由乙炔发生器生产,另一种是购买的瓶装溶解乙炔气。用电石生产的乙炔气,受设备和电石质量影响杂质较多,对焊接不利。为提高焊缝质量,往往还要增加滤清。过滤瓶装溶解乙炔虽然成本偏高,但具有纯度高(可达98%)安全性好、环境污染小、使用方便等优点,因此得到广泛使用。

在使用瓶装乙炔过程中,严禁将乙炔瓶卧放,并注意防火,严格按操作规程使用。

四、二氧化碳气体

二氧化碳是无色、无味的气体,比空气重,分子式为CO_2,CO_2气体在常温下加压可液化或固化。焊接用的CO_2气体是由钢瓶装的液态CO_2经气化后供给的。液态CO_2沸点为-78 ℃,常温下即可气化。

CO_2气体钢瓶一般为40 L,可装液态CO_2 25 kg,钢瓶涂为黑色。

国家标准《工业液体二氧化碳》(GB 6052—85),将液态CO_2分为Ⅰ类和Ⅱ类,Ⅰ类纯度达99.8%以上;Ⅱ类纯度分为三级,一级纯度在99.5%以上,水分含量在0.05%以下。Ⅱ类一级纯度可满足焊接要求。

CO_2气体中的含水量大小对焊接质量影响较大,气瓶中压力愈低则含水量就愈高。焊接时可采取以下措施减少或消除CO_2气体中的水分。

(1)使用前,将瓶倒置1~2 h,让水分沉到瓶口部位,然后打开瓶阀放出一部分液体,进行2~3次(间隔约30 min),可除去大部分水分。

(2)使用前,开启瓶阀约2 min,放掉部分杂质。

(3)供气管路中串联一干燥器进一步减少CO_2气体中的水分。

CO_2气瓶压力降至1.0~2.0 MPa时停止使用。CO_2气瓶应避免受热和暴晒。此外,固态CO_2有严重的窒息性(人吸入气中有5%CO_2时,可刺激呼吸中枢),使用中应注意。

五、混合气体

混合气体有二元混合气、三元或多元混合气。混合气用40 L钢瓶充装,压力为15.0、10.0、5.0 MPa三种。常用的混合气体见表5-16所示。

表5-16 常用的混合气体

元数	主要气体成分	掺加气体成分(%)	元数	主要气体成分	掺加气体成分(%)
二元	Ar	$O_2$1~12 或 $H_2$1~15 或 $CO_2$15~30 或 $N_2$0.1~1	二元	CO_2	$O_2$1~20
			三元	Ar	$O_2$2~5 + $CO_2$5~13
二元	He	Ar20~60	三元	He	Ar30 + $CO_2$4
二元	N_2	$H_2$5~20	多元	Ar	O_2 + He + CO_2

第五节 钨电极

钨电极是氩弧焊、氦弧焊等不熔化极气体保护焊的焊接材料。

钨电极有两类:一类是纯钨电极;另一类是在纯钨基础上加入过渡元素锆、铈、钍而形成的活性钨电极,通常称钍钨极、铈钨极和锆钨极。

纯钨电极的熔点为 3 387 ℃,沸点为 5 900 ℃,强度约 10.0 MPa。为提高电极的电子发射能力和耐熔性,纯钨电极已很少使用,目前广泛使用的是钍钨极和铈钨极。

钍钨极是在纯钨中加入 1%~2% 的氧化钍而制成的,常用牌号有 WTh10、WTh15。与纯钨极相比较,钍钨极提高了热电子发射能力和电极最大使用电流。以交流焊接为例,不同直径的钍钨电极许用电流比纯钨电极提高了 30%~50%。由于钍钨极具有微量放射性和在小电流下施焊时电弧稳定性差的缺点,已逐渐被铈钨极所取代。

铈钨极是一种比较理想的钨电极,它基本上没有放射性,引弧容易,电弧稳定集中,最大使用电流比钍钨极又增加 5%~8%。

国家标准 GB 4191—84。标准中规定了铈钨极(WCe10、WCe15、WCe20、WCe30、WCe40)的氧化铈含量(1%~4%)、尺寸公差、技术要求、检验规则等。

习 题

一、名词解释

1.焊芯 2.焊条

二、判断题

1.H10Mn2 表示含碳量约为 0.1%,含锰量约为 0.2% 的合金钢芯的焊条。 （ ）

2.不锈钢焊条的选用应按焊缝与母材等强的原则。 （ ）

3.Ho8MnA 表示焊芯中的硫、磷含量不超过 0.030%。 （ ）

4.焊条的直径是由药皮的直径来确定。 （ ）

5.药皮能够提高电弧燃烧的稳定性。 （ ）

6.造渣剂的作用是改善电弧引弧性能,保证电弧稳定燃烧。 （ ）

7.低氢钠型药皮熔渣流动性好,易脱渣,电弧稳定,熔深适中,成形美观。 （ ）

8.E4303 焊条的脱硫效果比 E5015 焊条好。 （ ）

9.E5016 焊条的药皮类型为氧化铁型。 （ ）

10.焊接用钢丝按成分和用途分为碳素结构钢、合合结构钢和不锈钢三类。 （ ）

三、选择题

1.16MnR 的焊接宜选用下列哪种焊条。（ ）

  A.E5015　　　　B.E4303　　　　C.E308－15　　　　D.E4311

2.碱性焊条使用前必须进行烘干,烘干温度为( )℃。

  A.100　　　　B.100~350　　　　C.350~400　　　　D.400~500

3.焊接用氩气瓶外表涂为( )。

A.灰色　　　　B.白色　　　　C.红色　　　　D.黑色

4.(　　)是一种比较理想的钨极,它基本上没有放射性,引弧容易,电弧稳定集中。

A.纯钨极　　B.钍钨极　　C.铈钨极　　　D.锆极

5.空气中含量最多的惰性气体是(　　)。

A.氦气　　　B.氖气　　　C.氩气　　　　D.氪气

6.在焊接过程中(　　)元素是种较好的脱硫剂。

A.碳　　　　B.硅　　　　C.锰　　　　　D.铝

7.(　　)焊条是酸性焊条。

A.能交、直流两用的　　　　　　B.药皮中含多量酸性氧化物的

C.药皮中含多量碱性氧化物的　D.能进行全位置焊接的

8.E5015焊条要求采用的电源是(　　)。

A.交流电源　B.直流电源正接　　C.直流电源反接　　D.直流电源正接或反接

9.焊剂431的第三位数字"1"表示(　　)。

A.氧化钙含量　　　　　　　　　B.氧化锰含量

C.同一类型焊剂的不同牌号的第一顺序号　D.能进行全位置焊接的

10.要求焊缝韧性高时,应采用(　　)。

A.酸性焊条　　B.碱性焊条　　C.铁粉焊条　　D.重力焊条

四、填空题

1.焊条主要由_____和_____组成,是_____使用的焊接材料。

2.E4303型号焊条,其熔敷金属抗拉强度最小值为_____MPa,焊条适用的焊接位置为_____焊接,焊条药皮的类型为_____。

3.低碳钢用焊条焊芯的含碳量应控制在_____以下。

4.焊丝一般分为实芯焊丝和_____。

5.H08MnA焊丝中A所表示的含义是_____。

6.H10MnMoVA焊丝,其含碳量为_____,合金元素 Mn、Mo、V 的含量_____,焊丝质量品级为_____。

7.焊剂按制造方法不同分成_____、_____和_____三种。

8.焊条应按型号、批号码放,并置于货架上,距地面和墙壁间距应大于_____mm以上。

9.焊剂的作用主要有_____、_____、_____、_____。

10.钨电极是_____焊、_____焊等不熔化极气体保护焊的焊接材料。

五、问答题

1.简述焊条药皮的作用和组成。

2.什么叫焊条的酸碱性?有什么特点?

3.碳钢焊条的选用原则是什么?

4.低合金钢焊条的选用原则是什么?

5.简述埋弧焊剂的作用。

6.请说明 HJ403－H08MnA 的含义。

7.焊剂选用的一般原则是什么?

第六章 焊接设备

第一节 焊接电弧

一、焊接电弧的产生

焊接电弧是由焊接电源供给的,具有一定电压的两电极间或电极与焊件间在气体介质中产生的强烈而持久的放电现象。

焊接电弧的引燃通常有两种方法,即接触(撞击或划擦)引燃和非接触(采用高频或高压脉冲引弧器)引燃。接触引燃时,两个电极接触短路,电极间个别突出点接触,比工作电流大得多的短路电流通过这些点,高的电流密度产生大量电阻热,使阴极表面的电子逸出,产生热发射。金属熔化、蒸发产生强烈的热游离。当电极间距离很近(如 $10^{-8} \sim 10^{-7}$ mm)时,极间强大的电场强度将阴极表面电子吸出,称为热发射或自发射。对电弧焊来说,若两电极间保持 $18 \sim 24$ V 的电压不断地供给能量,热发射和自发射放出来的电子就能在极间电场的作用下高速运动,撞击极间气体介质,使之电离,同时产生光和热,迅速形成稳定的电弧放电,这种过程称为引弧。

二、焊接电弧的结构

焊接电弧由 3 个区域构成(见图 6-1):阴极区长度 $10^{-5} \sim 10^{-4}$ mm,电压降为 $10 \sim 20$ V;阳极区长度 $10^{-3} \sim 10^{-2}$ mm,电压降 $2 \sim 3$ V;弧柱区长度 $2 \sim 5$ mm(取决于焊接参数),

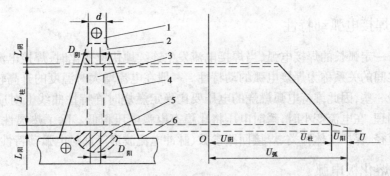

图 6-1 电弧结构及压降分布

1—电极;2—熔滴;3—弧柱;4—弧焰;5—熔池;6—焊件;$L_阳$—阳极区长度;$L_柱$—弧柱长度;
$L_阴$—阴极区长度;d—焊丝直径;$D_阴$—阴极斑点直径;$D_阳$—阳极斑点直径;
$U_弧$—电弧电压;$U_阴$—阴极压降;$U_柱$—弧柱压降;$U_阳$—阳极压降

电压降 25～30 V。电弧电压 $U_弧$ 则为各区电压降之和,即

$$U_降 = U_阳 + U_阴 + U_柱 = \alpha + EL_柱 \tag{6-1}$$

式中　E——弧柱的电场强度,$E = 10～50$ V/cm;

　　　α——常数。

焊条电弧焊工艺参数中要求控制电弧电压,实际上是控制电弧长度;反之,要控制操作的电弧长度,可利用仪器采取电弧电压作信号进行监控。

三、焊接电弧静特性

在电极材料、气体介质和弧长一定的情况下,电弧稳定燃烧时,焊接电流与电弧电压变化的关系称为焊接电弧的静特性(交流电弧取电流、电压有效值),一般也称为伏－安特性。电弧电压将随弧长增大而增大。在电弧电压一定时,过分增大弧长将导致断弧。

电弧静特性曲线呈 U 形(见图 6-2)。在 ab 段,电流较小时(焊条电弧焊约 100 A 以下、埋弧焊约 400 A 以下),要求电源提供较高电压,一般比正常电弧电压高 0.5～1 倍才能保证顺利引弧;随着电流的增大,弧柱温度和电离程度都增加,弧柱电压降减小,曲线呈下降形状。在 bc 段,中等电流时(焊条电弧焊约 100～200 A、埋弧焊约 400～800 A),由于弧柱已充分电离,随电流增加电弧电压基本不变,曲线呈水平形状。在 cd 段,电流密度很大,由于弧柱截面受电极截面限制难以增大,电弧电压随电流增加而增大,曲线呈上升形状。实际生产中,焊条电弧焊、埋弧焊应用 bc 段的电弧特性,气体保护焊、水下电弧焊、等离子(压缩电弧)焊或切割时应用 cd 段的电弧特性。

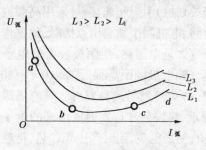

图 6-2　焊接电弧静特性曲线

四、焊接电弧动特性

对于一定弧长的焊接电弧,当焊接电流发生连续地快速变化时,焊接电流与电弧电压瞬时值之间的关系称为焊接电弧的动特性。一般在电流增大时温度的升高较之电流增大速度要慢一些,因此维持电弧燃烧的电压要比稳定燃烧时静特性曲线上对应的电弧电压稍高。同理,在电流变小时,瞬时电压将比稳态电弧电压稍低。除了热惯性影响外,焊丝或电极直径、保护气体种类、焊接回路参数、脉冲电流波形等都对电弧动特性有明显影响。

五、熔化极电弧

焊条或焊丝金属被电弧热不断熔化,形成熔滴过渡到熔池中。非脉冲电弧焊的熔滴过渡形式有 3 种:喷射过渡、粗滴过渡和短路过渡(见图 6-3)。大电流富氩气体保护焊和细丝大电流埋弧焊为小颗粒喷射过渡;一般焊条电弧焊、埋弧焊、小电流熔化极惰性气体保护焊及大电流粗丝 CO_2 焊为大颗粒的粗滴过渡;碱性焊条直流反接短弧焊、200 A 以下低电压 CO_2 焊及熔化极惰性气体焊为短路过渡。短路过渡时,电弧短路和电弧燃烧交替

进行,过渡过程为:焊丝熔化形成短路桥→熔滴过渡进入熔池→桥断→电弧复燃。这种过渡形成的熔池温度较低,适用于焊接薄板。

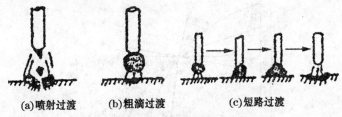

(a)喷射过渡　　(b)粗滴过渡　　　(c)短路过渡

图 6-3　熔滴过渡形式

影响熔滴过渡的有自身重力、表面张力、电磁收缩力、电弧气体吹力和极点压力。

六、交流电弧和直流电弧

交流电弧由交流电源提供电能,由于交流电每秒钟有 100 次过零点,电弧熄灭后再引燃,所以稳定性较差。电弧熄灭的时间长短,决定了交流电弧的稳定性。高空载电压电源、方波电源及电弧稳定器可提高交流电弧的稳定性,既能满足低氢型焊条的要求,又保留了交流电弧无磁偏吹、无极性选择的优点。

直流电弧由直流电源提供电能,电弧燃烧稳定,由焊接工艺选择电源极性,但常伴有磁偏吹现象。使用低氢型焊条(EXX15、EXX16)焊接时,电源极性需采用反接法,以免产生气孔、飞溅及电弧不稳现象;使用酸性焊条焊接时,电源极性多采用正接法,只有焊接薄板时为防止烧穿而采用反接法。CO_2 焊在短路或粗滴过渡时,电源极性采用反接法可获得电弧稳定、飞溅小、熔深大的效果。对于大电流、高速堆焊及补焊铸铁,电源极性多采用正接法。钨极氩弧焊时,为避免钨极的损坏,采用正接法。熔化极氩弧焊时,采用反接法,可保证电弧稳定、熔深大。

第二节　焊接电源

一、对弧焊电源的要求

(一)对电源外特性要求

电源在其他参数不变的情况下,其端电压与输出电流之间的关系,称为电源的外特性。弧焊电源的外特性一般分下降特性和平特性两类,如图 6-4 所示。

下降特性是指当电弧长度等变化因素引起电弧电压变化时,焊接电流只有很小的变化。根据变化的程度不同,下降特性又分为缓降特性、陡降特性及垂降特性三种。下降特性的弧焊电源适合于非熔化极和焊丝熔化速度较慢的熔化极焊接方法,如钨极氩弧焊、焊条电弧焊和埋弧焊等。

平特性是指电弧长度等因素变化引起焊接电流变化时,电弧电压保持恒定。平特性的弧焊电源适合于焊丝熔化速度较快的熔化极焊接方法,如 MIG、MAG 和 CO_2 气体保护焊等。

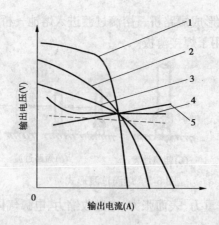

图 6-4 电源外特性

1—陡降(恒流)特性;2、3—缓降特性;4、5—平(恒压)特性

电源外特性曲线和电弧静特性曲线的交点才是电弧燃烧工作点。当焊接电流、电弧电压偏离工作点时,如能自动修正回复到原工作点,该点称为电弧稳定工作点。

(二)对电源动特性要求

焊接电弧在焊接电路中作为一个负载,不同于一般电路中的负载。一般电路中的负载在相对一段时间内是固定不变的,如电灯的电阻。而在焊接电路中,焊接电弧对弧焊电源来说,是一个一直在变化着的动态负载,这是因为在焊接过程中,由于熔滴的过渡可能造成短路,使电弧电压、电弧长度和焊接电流产生瞬间的变化。弧焊电源的动特性,就是指弧焊电源对焊接电弧这样的动态负载所输出的电流、电压对时间的关系,它表示弧焊电源对动态负载瞬间变化的反应能力。

焊条电弧焊要求其焊接电源具有较合适的动特性,以获得良好的焊缝成形。

(三)对电源空载电压的要求

为保证顺利引弧和电弧稳定,要求电源具有较高的空载电压,一般选 $U_空 \geqslant (1.5 \sim 2.4) U_弧$。但为保障焊工安全和保证焊机容量不大,又希望 $U_空$ 尽量低些,一般不超过 100 V,见表 6-1 所示。

表 6-1 焊接电源的空载电压

电源	焊条电弧焊	钨极氩弧焊		CO$_2$ 焊
		手工	自动	半自动
交流(V)	≤80	70～90	70～100	≤90
直流(V)	≤85	65～80	65～100	

(四)对电源调节特性的要求

在焊接过程中,根据焊接材料的性质、母材的厚度、焊接接头的形式、焊缝位置及焊条直径等不同,需要选择不同的焊接电流。这就要求弧焊电源能在一定的范围内,对焊接电流作均匀、灵活的调节,以保证焊接接头的质量。

二、焊机型号编制方法

焊机型号的编制,是用汉语拼音大写字母和阿拉伯数字按一定次序编排而成。《电焊机型号编制方法》(GB/T 10249—88)规定如下,如图 6-5 所示。

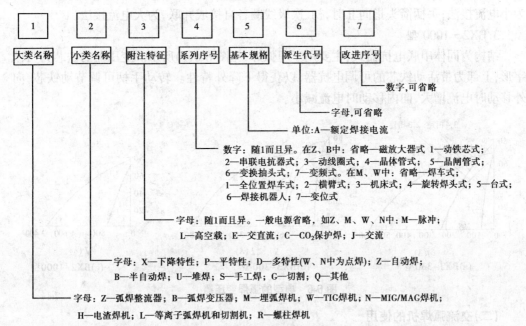

图 6-5　焊机型号编制

例如:自动横臂式脉冲熔化极氩气及混合气体保护焊机,额定焊接电流 400 A。型号为 NZM2 - 400:N 表示熔化极气体保护焊机;Z 表示自动焊;M 表示脉冲电源;2 表示横臂式系列;400 表示额定焊接电流 400 A。

三、交流弧焊机

交流弧焊机是以弧焊变压器为电源,配以焊钳等辅助工具的电弧焊机。弧焊变压器具有下降外特性,并配有调节和指示装置。除作为焊条电弧焊的电源外,还可用于碳弧气刨、堆焊、埋弧焊和半自动焊的电源。它具有结构简单、价格便宜、使用可靠、维修方便、省料、省电、效率高等优点。按其结构形式可分为动铁式、动圈式和抽头式。

(一)典型的弧焊变压器

1.BX1 - 330 型

结构属动铁式,如图 6-6(a)所示,是国内目前使用较多的焊机之一。动铁芯在"口"字形的静铁芯中移动以改变漏磁。动铁芯向外移动时,磁阻大、漏磁少、电流增大,反之亦然,可实现焊接电流细调节,粗调节依靠改变次级线圈匝数。接线端1、5分别接焊钳和工件,接线端2、3、4用铜片连接。3、4相连时,电流最小;2、3相连时,电流最大。

2.BX3 - 300 型

结构为动圈式,见图 6-6(b)所示。单相供电,初级线圈分成匝数相等的两部分,固定在高而窄的"口"字形铁芯的两芯柱底部。次级线圈也分成两部分,分别套在两芯柱的上部,固定在非导磁材料的可动支架板上。用调节手轮转动与夹板螺母配合的螺柱,使次级线圈沿铁芯上下移动。增大初、次级线圈间距离,焊接电流小;反之,焊接电流大,实现焊接电流细调节,粗调节是通过转换开关,手柄箭头指向 I 时,初、次级线圈各自接成串联,为小电流接法;手柄箭头指向 II 时,初、次级线圈各自接成并联,为大电流接法。

3.BX2-1000 型

结构为同体串联电抗器式,主要用于埋弧焊,见图 6-6(c)所示。变压器的铁芯为"日"字形,上部为带活动铁芯的可调电抗器,以获得下降外特性。转动手柄可调节动铁芯,向外移动时电流增大,向内移动时电流减小。

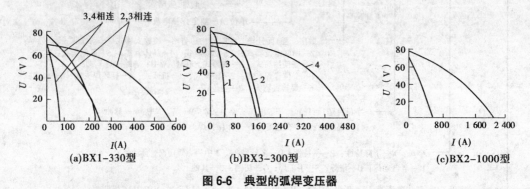

(a)BX1-330型   (b)BX3-300型   (c)BX2-1000型

图 6-6　典型的弧焊变压器

(二)交流弧焊机的使用

1.了解焊机铭牌及说明书

(1)焊机容量(kVA);

(2)额定值。额定值是对焊机规定的使用限额,包括电流(A)、电压(V)及功率(kW),焊机在额定值下工作最经济合理、安全可靠;

(3)负载持续率(%)。一般焊机标准的负载持续率为 60%;

(4)功率因数。交流焊机功率因数为 0.5~0.7;

(5)效率。

2.使用前检查

新装或长期停用焊机,使用前要对整机及附件进行检查和清理,测试初、次级绝缘电阻。日常使用前应检查供电回路和焊接回路的绝缘性,拧紧接头,活动部分及电流指示器应清洁、灵活。

3.合理选择焊机工作状态

焊机额定工作状态是根据其额定发热量决定的。

$$允许焊接电流 = 焊机额定电流 \times \sqrt{\frac{额定负载持续率}{实际负载持续率}}$$

例如 BX1-330 型焊机额定负载持续率为 60%,额定电流 330 A,若按 80% 负载率工作,则许用电流 $= 330 \times \sqrt{60/80} = 286$ A。若按 300 A 工作,则焊机过载。当焊接电流为

450 A，负载持续率为 30%，焊机并不过载，因为允许负载持续率 $=(330/450)^2 \times 60\%=32\%$，大于 30%。

焊机短时间过载虽不会被烧毁，但会加速线圈绝缘老化、降低焊机寿命。若长时间过载，将会导致线圈绝缘损坏和短路，烧毁焊机。但是用大容量焊机，小电流工作的轻载状态也是一种浪费。

4.焊接电缆

焊接电缆一般较长，由于位置不固定，电缆处于各种状态，如盘成圈状就相当于在焊接回路中串联电感，造成电压降及电能损失。因此，电缆不宜过长，尽量并列和伸直，且接触良好。

5.焊机的并联运行

当用小容量焊机提供大电流(用大直径焊条、碳弧气刨或埋弧焊)时，需将焊机并联。应注意：选用型号相同、空载电压相同的焊机；初级、次级应同极性相并联；各焊机输出电流应均衡，并接入电流表加以监视。

四、直流弧焊机

直流弧焊电源包括机械调节、电磁控制、电子控制三种类型，目前采用的直流弧焊电源以电子控制型居多。

(一)电子控制型弧焊电源

电子控制型弧焊电源，简称电子弧焊电源。它无论外特性还是动特性，都完全借助于电子线路(含反馈电路)来进行控制，包括对输出电流、电压波形的任意控制，而与本身结构没有决定性的关系。

电子弧焊电源充分体现了电子技术和电子功率器件的优越性，其特点如下：

(1)可以对外特性进行任意控制，满足各种弧焊方法的需要；

(2)具有良好的动特性，反应时间短；

(3)可调节参数多，特别是脉冲式电子控制的弧焊电源，可以对电弧功率进行精密的控制和遥控；

(4)输出电压、电流稳定性好，抗干扰能力强，不易受网路电压波动和温度变化的影响；

(5)弧焊逆变器还具有高效、体积小的特点；

(6)便于进行编程和采用微机控制，是管道全位置自动焊和弧焊机器人用的理想弧焊电源；

(7)电路比较复杂。

(二)逆变式弧焊电源

逆变式弧焊电源又称为弧焊逆变器。其基本工作原理如图 6-7 所示，单相或三相 50 Hz 的交流网路电压经输入整流器 UZ_1 整流和输入滤波器 LC_1，借助大功率电子开关 VT(晶闸管、晶体管、场效应管或绝缘栅双极晶体管 IGBT)的交替开关的作用，又将直流变换成几千至几万赫兹的中频交流电，再分别经中频变压器 T、整流器 UZ_2 和电抗器 LC 的降压、整流与滤波就得到所需的焊接电压和电流。输出电流可以是直流或交流。因此，弧焊逆变器可归纳为两种逆变系统："AC - DC - AC"和"AC - DC - AC - DC"。通常较多采用后一种逆变系统,称为逆变弧焊整流器,它主要由输入整流器(可控或不可控的整流桥)、电抗器、大功率电子开关(晶闸管组、晶体管组、场效应管组或 IGBT)、中频变压器、输出整流器、电抗器及电子控制电路等组成,借助于大功率电子开关和闭环反馈电路实现对外特性和电弧电压、焊接电流的无级调节。

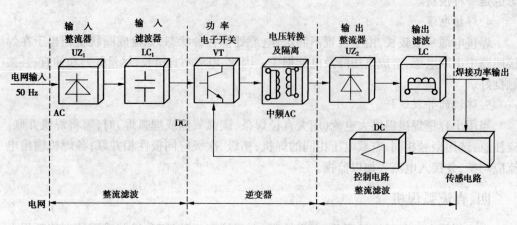

图 6-7 弧焊逆变电源基本原理框图

弧焊逆变器的优点如下:

(1)高效节能。弧焊逆变器的效率可达 80%～90%,空载损耗极小,一般只有几十至一百余瓦特,节能效果显著。

(2)质量轻,体积小。中频变压器的质量只为传统式弧焊电源降压变压器的几十分之一,整机质量仅为传统式弧焊电源的 1/5～1/10。

(3)具有良好的动特性和弧焊工艺性能。

(4)调节速度快,所有焊接工艺参数均可无级调节。

(5)具有多种外特性,能适应各种弧焊方法的需要。

弧焊逆变器可用于焊条电弧焊、各种气体保护焊、等离子弧焊、埋弧焊、管状焊丝电弧焊等多种弧焊方法,还可适用于机器人弧焊电源。由于焊接飞溅少,有利于提高机器人焊接的生产效率。它具有更新换代的意义,应用愈来愈广泛。

(三)直流弧焊机的极性选择

直流弧焊机输出端均标有正负极,焊接时的极性选择如表 6-2 所示。

表 6-2 直流焊接时极性的选择

焊接方法		直流正接	直流反接
焊条电弧焊	酸性焊条	√(厚板焊接)	√(薄板焊接)
	碱性焊条		√
钨极氩弧焊		√	
熔化极气体保护焊(Ar、CO_2)			√
等离子弧焊		√	
埋弧焊		√(堆焊)	√
碳弧气刨			√

五、交直流氩弧焊机

钨极氩弧焊(TIG),因其保护性能好,可进行全位置焊接,特别适用于焊接耐热钢、不锈钢、铝、镁、钛及其合金等。由于黑色金属焊接时要采用直流正接法,有色金属焊接时需采用交流焊机,因此钨极氩弧焊常选用交直流两用的焊接电源。

第三节 半自动焊机

一、半自动焊机的特点、构成和分类

半自动焊接时,焊丝由机械送给机构自动送入焊接电弧区,电弧的移动则依靠人工操作。半自动焊机由弧焊电源、控制系统、送丝机构、焊枪等部件组成,如图6-8所示。采用半自动焊机常见的焊接方法有埋弧焊、药芯焊丝或 CO_2 气体保护焊及氩弧焊。半自动焊机的控制系统简单,便于操作和维修,生产效率高,手工控制灵活、方便。多用于中、低碳钢,合金钢及有色金属的焊接。

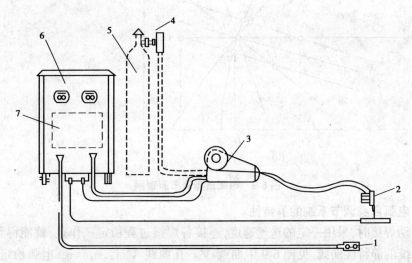

图6-8 半自动气体保护焊机组成示意图

1—遥控器;2—焊枪;3—送丝机构;4—减压阀,流量计;
5—气瓶;6—弧焊电源;7—控制装置

二、半自动焊对焊接电源的要求

(一)电弧自身调节过程

半自动焊时,由于焊丝为机械机构自动送进,需要依靠电弧自动调节系统来保持电弧稳定,所以多采用电弧自身调节系统,如图6-9所示。电弧静特性 L_0 与电源外特性3在稳定工作点 O_0 燃烧,这时送丝速度 v_s 等于焊丝熔化速度 v_r。当弧长受干扰增至 L_1,工作点移至 O_1,焊接电流由 I_0 减至 I_1,相应地焊丝熔化速度 v_r 减小, $v_s > v_r$,弧长自动缩

短至 L_0。反之,亦然。

(二)影响电弧自身调节的因素

电源外特性是影响电弧自身调节作用灵敏度的重要因素。陡降外特性引起的焊接电流变化小,电弧自身调节作用弱,如图 6-9 中曲线 1 所示;当采用细焊丝、大电流密度焊接时,电弧静特性曲线呈上升趋势,配用平特性电源,电弧自身调节作用最强。

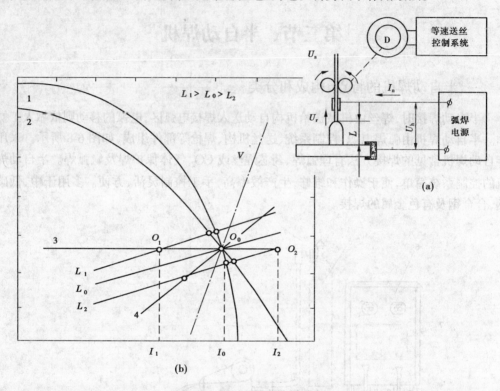

图6-9 电弧自身调节原理图

(三)电弧自身调节系统的静特性

半自动焊接时,采用一定的送丝速度,连接各焊接过程稳定工作点,就能得到电弧自身调节系统的静特性曲线,见图 6-9 中曲线 V。在曲线 V 上,$v_s = v_r$,电弧稳定燃烧;在曲线 V 之外,$v_s \neq v_r$,电弧不稳定。当送丝速度 v_s 减小时,曲线 V 向左移动,焊接电流下降,反之,则焊接电流上升。根据这种特性进行焊接电流调节。

(四)对电源的要求

半自动焊接时一般采用直流电源反接法,配用平特性或微下降外特性电源。

熔滴喷射过渡时,对电源动特性要求不高。细丝 CO_2 焊采用短路过渡,要求具有良好的动特性。在焊接回路中串接电抗器,可调节动特性。

三、半自动焊机的送丝机构

半自动焊机的送丝机构一般由焊丝盘、送丝电机、减速装置、送丝滚轮、压紧装置及送丝软管组成,有的还带有焊丝校直装置。送丝方式按送丝滚轮与软管的相对位置分为推丝式、拉丝式和推拉丝式。

第四节 自动焊设备

一、自动弧焊机的特点、构成和分类

自动弧焊机的焊丝输送和电弧的移动都由机械装置自动完成,一般由电源、控制系统和行走机构三部分组成。按照焊接方法可分为埋弧焊和气体保护焊两大类,按行走机构可分为焊车式、悬挂式、横臂式、机床式和龙门式五种。

二、自动弧焊机的控制

通用的自动弧焊机主要包括弧焊电源、送丝机构电机、小车行走或工件移动电机、通断保护气的电磁阀、高频式高压脉冲发生器等。埋弧焊机主要包括前三种。

(一)引弧

自动弧焊机的各种引弧方式和适用范围见表6-3,多采用焊丝回抽引弧。即先将焊丝与工件短路,然后回抽、引燃电弧。

表6-3 自动弧焊机常用引弧方式和适用范围

电弧类别	引弧方式	主要适用范围
熔化极电弧	接触爆断引弧	常用于等速送丝的细丝气体保护焊
	回抽引弧	等速或变速送丝、埋弧焊或气体保护焊
	慢速送丝引弧	主要用于粗丝 CO_2 焊
非熔化极电弧	高频引弧	常用于钨极氩弧焊、等离子焊
	脉冲引弧	小功率钨极氩弧焊

(二)电弧电压的自动调节

电弧电压自动调节过程如图6-10所示。电弧在 O_0 点稳定燃烧,当受外界干扰使弧长增大时,电弧静特性曲线由 L_0 变为 L_1,电弧在 O_1 燃烧,焊接电流从 I_0 减至 I_1,焊丝熔化速度减小,使电弧缩短;此外,电弧电压由 U_{h0} 上升至 U_{h1},使 $U_h - U_g$ 增大,送丝速度 v_s 增大,则弧长迅速缩短,恢复至原稳定燃烧点,保证了焊接过程的稳定性。自动焊时,当焊丝直径大于 3 mm 时,由于焊接电流密度小,电弧自身调节作用弱,主要依靠电弧电压的自动调节来保证焊接过程稳定。

三、MZ-1000型埋弧焊机的使用

(一)安装

安装 MZ-1000 型埋弧焊机时应按焊机外部线图(如图6-11所示)正确接线,防止错接、漏接。特别注意三相异步电机的转向应与规定的一致。

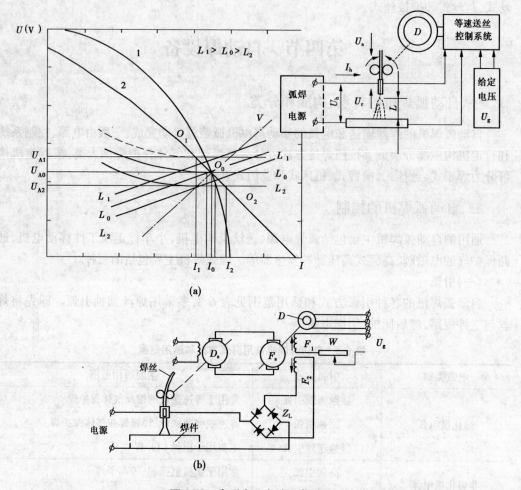

图 6-10　电弧电压自动调节过程

(二)使用注意事项

(1)MZ-1000 型埋弧焊机所用电缆为多芯控制电缆,应尽量将电缆拉直,避免扭曲、压、碾而造成内部断线或短路等故障,插接件应插牢、拧紧,防止接触不良。

(2)焊接前应将开关拨到"调整"位置,检查送丝及小车行走情况,预调电弧电压和焊接速度,检查导电嘴,然后将开关拨到"焊接"再施焊。

(3)焊接时焊丝应与工件可靠接触后再打开焊剂阀门。启动后,调整电压达到给定值。

(4)停焊时应先关焊剂阀门,再分级按"停止"按钮,避免粘丝。

四、埋弧焊辅助装置

埋弧焊机常需要依靠辅助装置发挥其功效。焊接环缝时,可采用回转胎具,如图 6-12所示,也可采用内伸式小车架焊接容器内壁纵、环缝,如图 6-13 所示。对中、薄板拼接,尤其要求单面焊双面成型,最好使用带铜冷却垫的气动或电磁夹具。

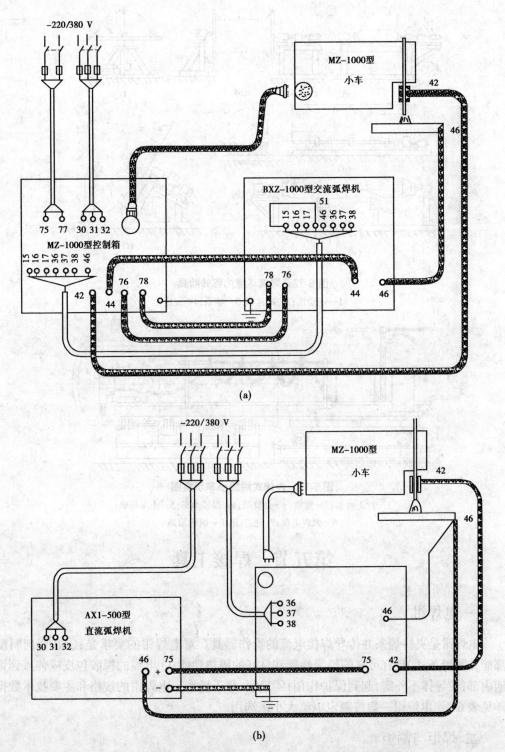

图 6-11 采用直流电源时的 MZ-1000 型自动焊机外部接线图

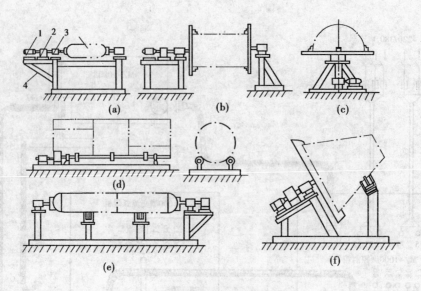

图 6-12 焊接环缝的回转胎具

1—电动机;2—减速器;3—轴承;4—支座

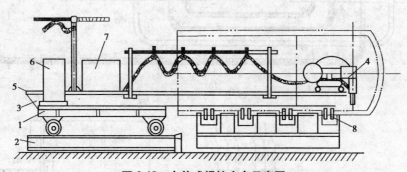

图 6-13 内伸式焊接小车示意图

1—行走台车;2—地轨;3—悬臂架;4—焊接小车;5—小车导轨;
6—弧焊电源;7—控制箱;8—滚轮胎架

第五节 焊接工具

一、电焊钳

电焊钳是夹持焊条并传导焊接电流的操作器具。对电焊钳的要求是:①在任何斜度都能夹紧焊条;②具有可靠的绝缘性能和良好的隔热性能;③电缆的橡胶包皮应伸入到钳柄内部,使导体不外露,起到保护作用;④轻便,易于操作。电焊钳的规格和主要技术数据详见表6-4。电焊钳一般按额定电流大小来选用。

二、焊炬与割炬

焊炬(用 H 表示)与割炬(用 G 表示)分为射吸式和等压式两种,其型号中以"O"代表

表 6-4 电焊钳的规格和主要技术数据

规格 (A)	额定值			适用焊条 直径 (mm)	耐电压性能 (V/min)	可连接最大 电缆截面 (mm²)
	负载持续率 (%)	工作电压 (V)	工作电流 (A)			
500	60	40	500	4.0~8.0	1 000	95
300	60	32	300	2.5~5.9	1 000	50
100	60	26	160	2.0~4.0	1 000	35

手工用,1 代表射吸式,2 代表等压式,短划"-"后面的数字表示焊割的厚度。射吸式割炬采用 0.1~0.4 MPa 氧气,将乙炔吸入混合室。等压式焊割炬使用的乙炔压力较高,靠自身压力与氧气混合,产生回火的可能性较小。焊割炬的主要技术数据见表 6-5。

两用焊割炬用 HG 表示,后面数字表示焊割厚度。

表 6-5 焊割炬主要技术数据

型号	焊割嘴数 (个)	孔径 (mm)	焊割厚度 (mm)	氧气压力 (MPa)	乙炔压力 (MPa)
H02-1	3	0.5~0.9	0.2~1.0	1~2	
H02-1	5	0.9~1.3	1~6	2~4	
H02-12	5	1.4~2.2	6~12	4~7	
H02-20	5	2.4~3.2	10~20	6~8	0.001~0.1
G02-30	3	0.6~1.0	2~30	2~3	
G01-100	3	1.0~1.6	10~100	2~5	
G02-100	3	0.8~1.2	5~40	2.5~3.5	0.025~0.1
G01-300	4	1.8~3.0	100~300	5~100	0.001~0.1

三、喷嘴和导电嘴

喷嘴的材料、形状和尺寸影响气体保护焊的焊接质量。为减少飞溅,常采用紫铜制作喷嘴,表面镀铬以提高光洁度和熔点;或采用陶瓷制作喷嘴等。气体保护效果以圆柱形喷嘴内孔最好,喷嘴尺寸的选择见表 6-6。

表 6-6 喷嘴孔径、焊接电流与气体流量的选择

喷嘴孔径(mm)	焊接电流(A)	气体流量(L/min)
11~12	160	4.2~6.7
13~15	250	7.5~10.0
16~20	400	11.7~20.0

导电嘴应采用耐磨、耐热、导电性好的材料制作,常用紫铜或铬铝镁青铜、镉青铜或铍青铜等材料。导电嘴孔径 D 影响电弧稳定性,根据实践经验,当焊丝直径 $d \leqslant 1.6$ mm 时,$D = d + (0.1 \sim 0.3)$ mm;当焊丝直径 d 为 $2 \sim 3$ mm 时,$D = d + (0.4 \sim 0.6)$mm。导电嘴长度约 25 mm。

四、面罩及其他防护用具

面罩的主要作用是保护焊工的眼睛和面部不受电弧光的辐射和灼伤。面罩上的护目玻璃起到减弱电弧光并过滤红外线、紫外线的作用。护目玻璃有不同色号,目前以黑绿色为多,可根据焊工年龄和视力情况选择颜色较深的护目玻璃以保护视力。护目玻璃外还加有相同尺寸的一般玻璃,以防金属飞溅沾污护目玻璃。

其他防护用品,如焊工在操作时要戴专用的电焊手套和护脚,在清渣时应戴平光眼镜。

五、焊条烘干箱和焊条保温筒

焊条烘干箱一般采用远红外辐射加热原理制成,具有自动控制、定时保温和报警功能。焊条烘干箱一次可装焊条量为 $20 \sim 500$ kg,最高工作温度为 500 ℃,温度均匀性为 ± 10 ℃。

焊条保温筒用于盛装已烘干的焊条,防止焊接过程中焊条受潮。焊条保温筒可利用焊机的二次电源加热,并保证加热温度为 100 ℃。

六、减压器和流量计

气体减压器是一种自动降低压缩气体压力和控制其流量的机械装置。常用的减压器有氧气减压器,乙炔减压器,氩气减压器和 CO_2 气体减压器等,不同种类的气体减压器不能互换。

流量计用于控制保护气体的流量。流量计上装有一个手动节流阀,以调节气体的流量。用于 CO_2 焊的流量计还装有加热装置,可对 CO_2 气体进行干燥。

习 题

一、名词解释

1.焊接回路　2.空载电压　3.电弧电压　4.引弧电压　5.焊接电流　6.负载持续率
7.额定焊接电流　8.短路电流

二、判断题

1.焊接电源的外特性曲线越陡降,越能满足电弧稳定燃烧和焊缝成形良好的要求。

（　　）

2.焊接电源短路时,会使焊接电源烧毁。
（　　）

3.交流电焊机与直流电焊机相比,具有结构简单、成本低、效率高、使用可靠、维修容易等优点。
（　　）

4. BX-500型弧焊变压器的电流调节是通过改变电抗器铁芯间隙的大小实现的。 （　　）

5. 电焊钳是夹持焊条并传导焊接电流的操作器具。 （　　）

6. ZX7-400是表示具有下降外特性的逆变焊机,其额定焊接电流为700 A。 （　　）

7. 焊机的负载持续率越高,可以使用焊接电流越大。 （　　）

8. H01-6表示手工操作的可焊接最大厚度为6 mm的射吸式焊炬。 （　　）

三、选择题

1. 以下哪个参数对焊缝成形的影响最大（　　）。
　A. 电弧电压　　　　B. 焊接电流　　　　C. 引弧电压　　　　D. 短路电流

2. 手工电弧焊电源在选定5 min的工作时间周期内,焊接时间为3 min,则弧焊电源的负载持续率为（　　）。
　A. 30%　　　　　　B. 50%　　　　　　C. 60%　　　　　　D. 70%

3. 焊机铭牌上负载持续率是表明（　　）的。
　A. 焊机的极性　　　　　　　　　　　　B. 焊机的功率
　C. 焊接电流和负载时间的关系　　　　　D. 焊机的使用时间

4. 焊接电源适应焊接电弧变化的特性叫（　　）。
　A. 动特性　　　　　B. 外特性　　　　　C. 静特性　　　　　D. 调节特性

5. G01-30射吸式割炬可切割的最大厚度为（　　）mm。
　A. 10　　　　　　　B. 20　　　　　　　C. 30　　　　　　　D. 40

四、填空题

1. 焊接电源的外特性是指焊接电源的_____与_____之间的对应关系。

2. 直流弧焊电源包括_____、_____、_____三种类型。

3. 手工电弧焊对弧焊电源的基本要求是具有_____外特性。

4. 从容易引弧和保证电弧稳定燃烧而言,电焊机的空载电压越_____越好。

5. ZX7-400焊机型号,"X"表示_____。

6. ZXC-200焊机型号中,200表示_____。

7. 等速送丝式自动埋弧焊机的送丝速度增大,则焊接电流_____。

8. 变速(均匀调节)式埋弧自动焊机,要求焊接电源具有_____的外特性曲线。

9. 自动弧焊机的焊丝输送和电弧的移动都由机械装置自动完成,一般由_____、_____和_____三部分组成。

10. 半自动焊机的送丝方式按送丝滚轮与软管的相对位置分为_____、_____和_____。

五、问答题

1. 电焊机有哪些基本要求?

2. 陡降外特性的焊接电源具有哪些基本特点?

3. 什么是电焊机的动特性? 电焊机的动特性对焊接过程有什么影响?

4. 焊条电弧焊机在使用过程中要注意哪些事项?

5. 请列举出几种常见的焊条电弧焊工具。

第七章　常用焊接方法

特种设备焊接常用的焊接方法有焊条电弧焊(SMAW)、钨极气体保护焊(GTAW)、熔化极气体保护焊(GMAW)、埋弧焊(SAW)、电渣焊(ESW)、螺柱焊(SW)以及长输管道焊接技术。

第一节　焊条电弧焊

一、焊条电弧焊的特点

(1)工艺灵活,适应性强。焊条电弧焊对各种位置、常用钢种、不同厚度的工件都能适用。特别是对不规则的焊缝、短焊缝、仰焊缝、高空和狭窄位置的焊缝,更显得机动灵活,操作自如。

(2)质量好。焊接电弧焊因电弧温度高,焊接速度较快,热影响区小,接头性能与气焊相比,有很大改善。

(3)易于分散应力和控制变形。在所有的焊接结构中,因受热循环的作用,都存在着焊接残余应力和变形,外形复杂的焊缝、长焊缝和大工件更为突出。采用焊条电弧焊,可以通过焊接顺序调整,如跳焊、逆向分段焊、对称焊等方法,来减少变形和改善应力分布。

(4)设备简单,维护方便。

二、焊条电弧焊的操作技术

(一)引弧

引弧一般有两种方法:划擦法和直击法。

(1)划擦法。先将焊条末端对准焊缝,然后将手腕扭转一下,使焊条在表面轻微划一下,动作有点像划火柴,用力不能过猛。引燃电弧后焊条不能离开焊件太高,一般为2~4 mm,且不能超出焊缝范围。然后手腕扭平,将电弧拉回起头位置,使电弧保持适当的长度,开始焊接,见图7-1。

(2)直击法。先将焊条末端对准焊缝,然后手腕下弯,使焊条轻轻碰一下焊件,随即将焊条提起引燃电弧,并迅速将电弧移至起头位置,并使电弧保持一定长度,开始焊接,见图7-2。

(二)焊条运动

当引燃电弧进行施焊时,焊条要有三个方向的基本动作,才能得到良好成形的焊缝。这三个方向的基本动作是:沿焊条中心线向熔池送进动作;焊条横向摆动动作;焊条前移动作,见图7-3。

(1)焊条送进动作。焊条在电弧热的作用下,会逐步熔化缩短,为了保持电弧的长度,

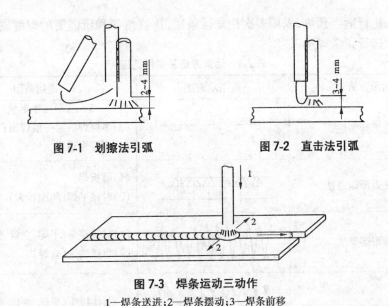

图7-1 划擦法引弧　　　　　　图7-2 直击法引弧

图7-3 焊条运动三动作
1—焊条送进;2—焊条摆动;3—焊条前移

必须将焊条朝着熔池方向逐渐送进。为了达到这个目的,焊条送进的速度应该与焊条熔化的速度相等。如果焊条送进速度比焊条熔化的速度慢,则电弧的长度增加,直至断弧;如果焊条送进速度过快,则电弧长度迅速缩短,使焊条与焊件接触,造成短路。

电弧的长度对焊缝质量有极大影响。一般来说,长弧时,电弧不稳定,空气易侵入而产生气孔;热量不集中、热散失大,使焊缝熔深浅、电弧吹力减小而产生夹渣。因此,焊接时宜采用短弧,但也不宜过短,以防止焊条接触工件短路。均匀掌握焊条送进速度,保持电弧长度恒定是获得优良焊缝的重要因素。

(2)焊条横向摆动动作。为了获得一定宽度的焊缝,焊条必须要有适当的横向摆动动作,其摆动的幅度与焊缝要求的宽度及焊条的直径有关。摆动越大,焊缝越宽,必然会降低焊接速度,增加热输入。对于某些容易过热的材料(奥氏体不锈钢、3.5Mi 低温钢)等,不宜作横向摆动的单道焊。

(3)焊条前移动作。焊条前移的快慢,表示焊接速度的快慢,它对焊缝的质量影响很大。焊接速度太快,电弧来不及熔化足够的焊条和母材金属,造成焊缝断面太小,形成未焊透等焊接缺欠。如果焊接速度太慢,熔化金属堆积过多,产生溢流及焊缝成形不良,同时由于热量集中,薄焊件容易烧穿,厚焊件则发生过热,降低焊缝金属的综合性能。因此,焊条前移的速度应根据焊接电流大小、焊条直径、焊件厚度、装配间隙、焊缝位置及焊件材质等适当掌握。

(三)运条方法及使用范围

焊条电弧焊运条方法及使用范围见表7-1。

(四)起头、接头及收尾

1.焊缝的起头

由于焊件在未焊之前温度较低,引弧后电弧不能立即稳定下来,所以起头部分往往容易出现气孔、未焊透、宽度不够及焊缝堆积过高等焊接缺欠,因此引弧后应稍将电弧拉长,对焊缝端头进行适当预热,采用多次往复运条法,达到熔深和所需要的焊缝宽度后,再以合适的弧长进行正常焊接。

表 7-1　运条方法及使用范围

运条方法		运条示意图	适用范围
直线形运条法			(1)3～5 mm 厚度 I 形坡口对接平焊; (2)多层焊的第一层焊道; (3)多层多道焊
直线往返形运条法		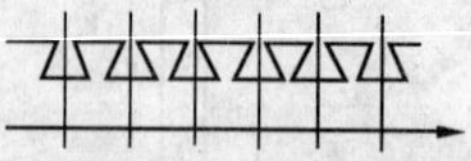	(1)薄板焊; (2)对接平焊(间隙较大)
锯齿形运条法		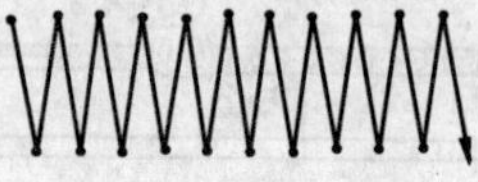	(1)对接接头(平焊、立焊、仰焊); (2)角接接头(立焊)
月牙形运条法		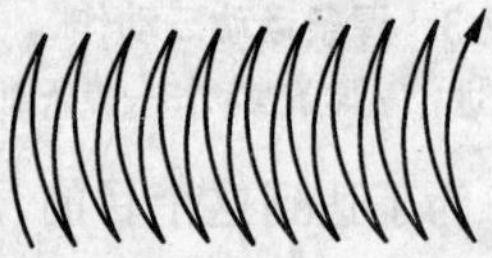	(1)对接接头(平焊、立焊、仰焊); (2)角接接头(立焊)
三角形运条法	斜三角形	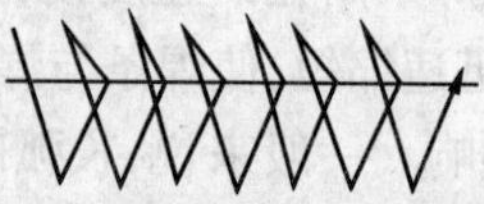	(1)角接接头(仰焊); (2)对接接头(开 V 形坡口横焊)
	正三角形	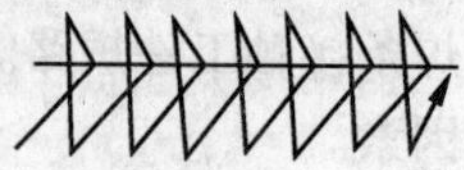	(1)角接接头(立焊); (2)对接接头
圆圈形运条法	斜圆圈形	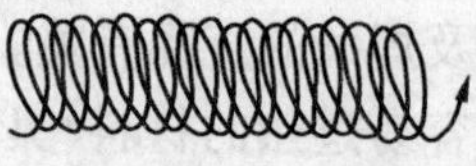	(1)角接接头(平焊、仰焊); (2)对接接头(横焊)
	正圆圈形		对接接头(厚焊件平焊)
八字形运条法		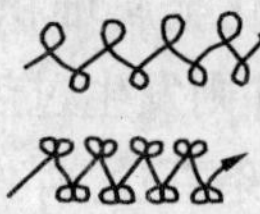	对接接头(厚焊件平焊)

　　环形焊缝的起头,由于焊缝末端在这里收尾,所以要求起头处应焊接薄一些,便于收尾时成形良好。

　　2.焊缝的接头

　　在焊条电弧焊操作中,焊缝的接头是不可避免的。焊缝接头的好坏,不仅影响焊缝外观成形,也影响焊缝质量。

　　接头时,一般在弧坑前约 15 mm 处引弧,然后移至原弧坑位置进行焊接,如图 7-4 所示。采用酸性焊条时,引燃电弧后可稍拉长些电弧,待移到接头位置时再压低电弧;采用碱性焊条时,电弧不可拉长,否则容易出现气孔。接头部位过于推后,会出现焊缝重叠突起现象;如果接头部位过前,又会出现脱节凹陷(见图7-5)。接头时,更换焊条的动作越快越好,以保证接头处成形良好。

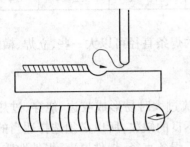

图7-4 接头示意

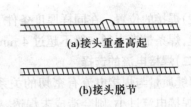

(a)接头重叠高起

(b)接头脱节

图7-5 接头形状

打底焊时,为保证接头处焊透,应将熔池前端重新熔化,再将焊条移至熔池后部进行接头。如果熄弧处成凸形,应将凸起部分去除,加工成斜坡形,再进行接头。

3.焊缝的收尾

指焊缝结束时的收尾。操作时,应保持正常的熔池温度,作无直线移动的横摆点焊动作,逐渐填满熔池后再将电弧拉向一侧熄弧。每条焊缝结束时必须填满弧坑。未填满的弧坑不仅影响美观,还会使焊缝收尾处产生缩孔和弧坑裂纹。

一般采用以下三种操作方法填满弧坑:

(1)划圈收尾法。焊条作圆圈运动,直到填满弧坑再拉断电弧。此法适合于焊接厚板的收尾。

(2)反复断弧收尾法。在弧坑处反复熄弧和引弧数次,直至填满弧坑。此法适用于薄板和大电流焊接,但不适用于碱性焊条的焊接,否则容易产生气孔。

(3)回焊收尾法。焊条移至焊缝收尾处稍加停顿并改变焊条角度回焊,直至填满弧坑。此法适用于碱性焊条的焊接。

三、焊条电弧焊工艺参数

焊条电弧焊的工艺参数通常包括焊条的牌号、焊条直径、电源种类与极性、焊接电流、电弧电压、焊接速度和焊接层数等。工艺参数选择的正确与否,直接影响到焊缝质量和劳动生产率。

焊条牌号、电源种类的选择已在其他章节中论述过,焊条电弧焊中,电弧电压由电弧长度决定,和焊接速度一样,一般由焊工根据具体情况灵活掌握。

(一)焊条直径的选择

从提高生产率的角度出发,应尽可能地选择大直径的焊条。但是大直径的焊条也有不利因素,如易造成未焊透、焊缝堆积过高、全位置焊接困难、增加热输入等,应按实际情况选择直径合适的焊条。通常可以根据下列因素选择:

(1)焊件的厚度。焊件的厚度越大,选用的焊条直径也越大。焊条直径与焊件之间关系,可参照表7-2。但实际选用时,还要考虑其他因素。

表7-2　焊条直径与焊件厚度的关系　　　　　（单位:mm）

焊件厚度	≤1.5	2	3	4~6	8~12	≥13
焊条直径	1.5	1.5~2	2~3.2	3.2~4	3.2~4	4~5

(2)焊接的位置。在同样厚度条件下,平焊用的焊条直径可以大一些,立焊、横焊、仰焊位置,焊条最大直径一般不超过4 mm。

(二)焊接电流的选择

焊缝质量与焊接电流有密切的关系。焊接电流过大时易形成咬边、烧穿、过热等缺欠;而焊接电流过小,则会造成未焊透、夹渣、熔合不良的缺欠,所以必须选择适当的焊接电流。决定焊接电流大小的因素很多,如焊条类型、焊条直径、焊件厚度、焊件性质、接头形式、焊缝位置和焊缝层次等,主要是焊条直径和焊接位置。

1.焊条直径与焊接电流的关系

焊条直径的选择取决于焊件的厚度、焊接位置及母材。焊条直径越大,焊条熔化所需要的热量越大,焊接电流也相应增大。

用焊条直径来选择焊接电流,可按下列经验公式计算:

$$I = KD \qquad\qquad (7\text{-}1)$$

式中　I——焊接电流,A;

　　　D——焊条直径,mm;

　　　K——经验系数,见表7-3。

表7-3　经验系数值

焊条直径 D(mm)	1~2	2~4	4~6
经验系数 K	25~30	30~40	40~60

按经验公式计算得出的焊接电流,只是个大概值,实际生产中还要与其他因素综合考虑,才能选定合适的焊接电流。

2.焊缝位置与焊接电流的关系

焊接电流大,焊条的熔化速度快,熔池也大。除平焊位置外,在其他位置焊接时,焊接电流应小一些;在使用碱性焊条时,电流也宜小些,可以减少飞溅。

3.判断焊接电流大小的实际经验

(1)听声响。焊接的时候可以从电弧的响声来判断电流的大小。当焊接电流较大时,发出"哗哗"的声响,犹如大河流水一样;当电流较小时,发出"沙沙"的声响,同时加着清脆的劈啪声。

(2)看飞溅。焊接电流过大时,飞溅严重,电弧吹力大,爆裂声响大,可看到大颗粒的熔滴向外飞出;电流过小时,电弧吹力小,飞溅也小,熔渣和铁水不易分清。

(3)看焊条熔化状况。电流过大时,当焊条熔化到半截以后,剩余焊条出现红热状况,甚至出现药皮脱落现象;如果焊接电流过小,焊条熔化困难,容易粘在焊件上。

(4)看熔池形状。在焊接过程中,观察熔池形状,调整操作方法是得到理想的焊缝形状常用的方法。熔池的形状可以反映出电流的大小(如图7-6所示)。当焊接电流较大时,椭圆形熔池长轴较长,如图7-6(a)所示;焊接电流小时熔池呈扁形如图7-6(c)所示;焊接电流适中时,熔池形状像鸭蛋形,如图7-6(b)所示。

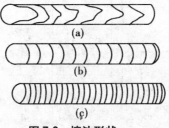

图7-6 熔池形状

(5)看焊缝成形。焊接电流过大,熔深大、焊缝宽而低,两边易产生咬边,焊波粗糙;焊接电流较小,焊缝窄而高,且两侧与母材金属熔合不良;焊接电流适中,焊缝两侧熔合良好,焊波成型美观,高度适中,过渡平滑。

焊条电弧焊常用焊接工艺参数见表7-4。

表7-4 碳素钢焊条电弧焊常用焊接工艺参数

焊缝空间位置	焊缝断面形状	焊件厚度或焊脚尺寸(mm)	第一层焊缝		其他各层焊缝	
			焊条直径(mm)	焊接电流(A)	焊条直径(mm)	焊接电流(A)
平对接焊缝		2	2	55~60	—	—
		2.5~3.5	3.2	90~120	—	—
		4~5	3.2	100~130	—	—
			4	160~200	—	—
		5~6	3.2	100~130	—	—
			4	160~250	—	—
		≥6	3.2	100~130	4	160~210
			4	160~210	5	220~280
		≥12	4	160~210	4	160~210
					5	220~280
立对接焊缝		2	2	50~55	—	—
		2.5~4	3.2	80~110	—	—
		5~6	3.2	90~120	—	—
		7~10	3.2	90~120	4	120~160
			4	120~160		
		≥11	3.2	90~120	4	120~160
			4	120~160	5	160~200

焊缝空间位置	焊缝断面形状	焊件厚度或焊脚尺寸(mm)	第一层焊缝		其他各层焊缝	
			焊条直径(mm)	焊接电流(A)	焊条直径(mm)	焊接电流(A)
立对接焊缝		12~18	3.2 4	90~120 120~160	4	120~160
		≥9	3.2 4	90~120 120~160	4 5	120~160 160~200
横对接焊缝		2 2.5	2 3.2	50~55 80~110	— —	— —
		3~4	3.2 4	90~120 120~160	—	
		5~8	3.2	90~120	3.2 4	90~120 140~160
		≥9	3.2 4	90~120 140~160	4	140~160
		14~18	3.2 4	90~120 140~160	4	140~160
		≥9	4	140~160	4	140~160

四、各种焊接位置的操作方法

由于焊接位置不同,对焊缝质量要求也不同,为获得成形美观,符合标准要求的焊缝外形尺寸,在焊接过程中应注意观察熔池的形状及大小,判断熔池的温度,并及时调整焊接参数和操作手法。

(一)平位置焊缝的焊接

平焊时,由于焊缝处于水平位置,熔滴主要靠自重过渡,熔池中的熔化金属不易外流,操作容易。但是焊接参数选择不正确,操作方法不当,容易在根部形成未透焊、夹渣或焊瘤等缺陷。

平位置焊缝有不开坡口的正对接焊、开坡口的对接焊和角接焊三种。

1.不开坡口的平对接焊

焊件厚度3~6 mm,正面焊宜选用直径3~4 mm焊条,反面封底宜采用直径3.2 mm焊条。采用直线或直线往返运条方法,焊条角度应保持两侧垂直,前倾角65°~80°。施焊过程中可根据实际情况进行调整,见图7-7。

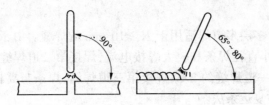

图 7-7　平焊焊条角度

2. 开坡口的平对接焊

焊件厚度大于 4～6 mm 时,为保证焊透,应开坡口,一般采用 V 形、X 形、U 形等坡口形式。可进行多层焊或多层多道焊,见图 7-8。

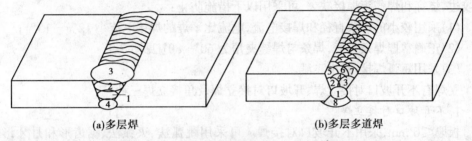

(a)多层焊　　　　　　　　　　　　(b)多层多道焊

图 7-8　焊接层次

(1)底层焊。底层焊又称打底焊,宜选用直径较小的焊条,采用小锯齿形、小月牙形运条方法,注意焊接参数的选择,既要保证焊透,又要防止下塌或焊瘤。

(2)中间层焊。中间层焊也称填充焊,主要目的在于填满坡口,可选用较大直径的焊条和焊接电流。为保证层间熔合良好,避免夹渣等缺欠,应将前一层熔渣清除干净。运条方法可根据坡口的宽度选择直线形、小月牙形锯齿形等方法。摆动幅度根据坡口宽度而定,并在两侧稍加停留,保证边缘熔合良好,不形成过窄夹角。为保证焊缝质量和减少变形,每层的焊接方向应相反,接头也应尽量错开。

(3)盖面焊。盖面焊是多层焊的最表面一层,要求达到一定的宽度和高度(要符合图纸及标准)。运条方法可采用月牙形、圆圈形等。多道焊可采用直线形、小月牙、小圆圈形等,焊缝两侧过渡要平缓。

(4)封底焊。宜采用较大焊接电流,根据焊缝宽度选用直线形、月牙形或圆圈形运条方法。

3. 平角焊

平角焊接主要是指 T 字接头和搭接接头的平角焊。

平角焊分为单层焊、双层焊、多层多道焊或船形焊,其焊缝尺寸以焊脚 K 表示。

(1)单层焊。$K \leqslant 8$ mm 的焊缝,通常采用单层焊。焊条直径选用 3～5 mm,采用斜圆圈和斜三角形运条方法。$K \leqslant 5$ mm 的焊缝,可采用直线形运条法,焊条与翼板成 45°夹角,与前进方向成 65°～80°夹角。

(2)双层焊。K 为 8～10 mm 的焊缝,采用双层焊。第一层焊接宜选用较小直径的焊条、较大的电流,以得到较大的熔深。采用直线形或斜圆圈、斜三角形运条法,电弧宜偏向腹板,为第二层打好基础。第二层焊接时,先清除第一层的熔渣,电流不宜过大,采用斜圆圈和斜三角形运条法。

(3)多层多道焊。多层多道焊适用于 $K \geqslant 10$ mm 的焊缝。由于焊脚较大,第二层宜采用二道焊缝。选用小直径焊条和较大焊接电流,焊接第二道焊缝,焊条与翼板夹角在 $45° \sim 55°$ 之间,覆盖第一道焊缝约 2/3;焊接第三道焊缝,焊条与翼板夹角在 $40° \sim 45°$ 之间,采用直线或直线往复运条法。

(二)立位置焊缝的焊接

立位置焊缝的焊接方法分为由下向上焊和由上向下焊两种,由上向下焊的立焊,要求采用专用焊条。

立焊时由于熔化金属受重力的作用容易下淌,使焊缝成形困难,运条不当时,容易产生咬边、烧穿和焊瘤等焊接缺欠,可采用以下措施防止:

(1)采用较小的焊条直径和焊接电流,电流比平焊的焊接电流小 $12\% \sim 15\%$;

(2)正确掌握焊条角度,焊条与焊缝夹角为 $60° \sim 80°$,见图 7-9;

(3)采用短弧焊接,减少飞溅。

立焊有不开坡口对接立焊、开坡口对接立焊及角接立焊三种。

1.不开坡口对接立焊

板厚 $\leqslant 6$ mm,采用不开坡口对接焊。可采用跳弧法、灭弧法、锯齿形和月牙形运条法。

(1)跳弧法。跳弧法是直线往复运条法的一种,具体操作方法见图 7-10。当电弧在熔池作用一段时间后,快速将电弧向上方提起,使熔池离开电弧热的作用,开始冷却凝固,此时可观察到熔池变小,亮度较低,随即将提起的电弧拉回,在原熔池的稍上一点,压低电弧,使熔滴过渡到焊缝上,形成新的熔池。当新熔池达到一定形状与大小后,再提起电弧,周而复始。为了避免空气对熔化金属的侵蚀,电弧移开距离不宜太大,电弧跳起长度不宜过长,尤其低氢型焊条,跳弧的弧长不宜超过焊条直径(包括药皮厚度),熔池应处于电弧的保护气氛中。

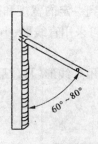

图 7-9　正确的焊条角度

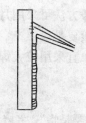

图 7-10　跳弧法

(2)灭弧法。不锈钢、薄板、间隙较大的焊缝,可采用灭弧法进行立焊。当电弧在熔池上稍加停顿,熔滴过渡到熔池并使熔池达到一定形状后,立即将电弧熄灭,熔池随即冷却凝固,然后再将焊条末端移到弧坑上重新引弧,进行下一个循环。由于灭弧法对熔池和熔滴保护性能差,碱性焊条不宜采用。

2.开坡口的对接立焊

板厚 $\geqslant 6$ mm 时,为保证焊透,应采用开坡口焊。

(1)底层焊。选择直径较小的焊条,采用跳弧法或灭弧法。底层焊缝不宜过厚,否则容易出现夹渣现象。

(2)中间层焊。可采用月牙形、三角形运条法,使电弧在两侧停留时间稍长,熔合良好。

(3)盖面层的焊接。采用锯齿形或月牙形运条法,焊接电流较中间层小。

(4)封底焊。采用月牙形或锯齿形运条法。为防止产生层间未熔透和夹渣等焊接缺欠,封底焊前应清根。

3.角接立焊

角接立焊的操作方法与开坡口对接立焊基本相同。可采用跳弧法和三角形、月牙形、锯齿形等运条法,焊条与焊缝夹角 65°～85°,左右夹角 45°。角接立焊时容易产生未焊透和咬边等焊接缺欠,应采用短弧焊。

(三)横位置焊缝的焊接

横焊有不开坡口、V 形、单 V 形及 K 形等几种坡口形式。

1.不开坡口横焊

板厚≤3～5 mm,可采用不开坡口横焊,见图 7-11。较薄焊件采用直线或直线往复形运条法;较厚焊件可采用斜圆圈运条法。

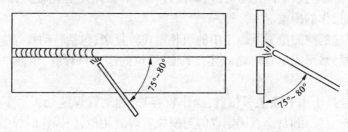

图 7-11 不开坡口横焊

2.V 形坡口横焊

板厚≤8 mm 时,宜采用多层焊。第一层焊接时,选用小直径焊条,采用直线形或直线往返形运条法;第二层焊接时,采用斜圆圈形运条法。

板厚>8 mm 时,宜采用多层多道焊和直线形或小圆圈形运条法。

3.单 V 形和 K 形坡口的横焊

常用于大型罐、槽的环缝焊接。运条方法与 V 形坡口相似。

(四)仰位置焊缝的焊接

仰焊时,熔滴过渡主要依靠电弧吹力和电磁力及熔化金属的表面张力,应选用较小直径焊条和焊接电流。

1.不开坡口对接仰焊

板厚为 4 mm 时,可采用不开坡口仰焊,见图 7-12,采用直线往复法运条。

2.开坡口对接仰焊

板厚≥6 mm 时,应采用开坡口多层焊或多层多道焊。第一层采用直线形、锯齿形或直线往返形运条法;第二层可采用月牙形或锯齿形运条法。多层多道焊时可采用直线形或直线往复形运条法,盖面层可采用锯齿形或月牙形运条法。

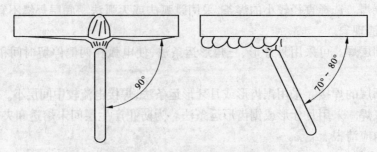

图 7-12　不开坡口对接仰焊

3.角接的仰焊

角接的仰焊要比对接仰焊容易掌握,焊脚 $K \leqslant 6$ mm,采用单层焊;焊脚 $K \geqslant 6$ mm,采用多层焊或多层多道焊。第一层焊接时,宜采用直线形或直线往复形运条法;第二层焊接时,采用斜圆形或斜三角形运条法。

(五)管道环缝的焊接

管道环缝与板件焊接位置相比有以下特点:

(1)管子直径小,焊缝为单面焊。

(2)管道环缝多为水平固定管环缝,焊接过程中焊条角度变化较大,而焊接电流大小不变,增加焊接操作的困难。

(3)管道环缝的空间位置及施工中的组装型式较复杂,包括转动管焊缝,翻动管焊缝,垂直固定管焊缝,水平固定管焊缝,立位、平位、仰位的法兰口焊缝,承插口焊缝和三通焊缝等。

转动管焊缝处于水平或上弧位置,操作较容易;翻动管焊缝处于水平和立位两个位置,焊接与平位、立位相似;垂直固定焊缝与横位置焊缝相似,但操作时焊条必须沿管圆周转 360°。难度较大的是水平固定管环缝的焊接。

1.V 形坡口对接环缝的焊接

(1)焊口的组对及定位焊。为保证焊缝焊透,管壁厚 $\geqslant 4$ mm 时,应开 V 形或 U 形坡口。组对前应保证焊口两侧 20～30 mm 内清洁,组对间隙一般是底层焊条直径的 3/4,或等于焊条直径。固定点焊的位置、数量和长度,可根据管径厚度及在空间的受力情况而定,以保证施焊不变形。

(2)水平固定管环缝的焊接。以管子的垂直中心线将环形焊缝分成两个对称的半圆形焊口,按照仰→立→平的顺序进行焊接。起点在仰位,终点在平位,起弧和收尾都应超过中心线 10 mm 左右。

2.固定三通管的焊接

管道施工中,三通管的焊接按空间位置可分为平位、立位、横位和仰位四种形式。

(1)平位三通的焊接。它是上坡立焊与斜横焊的组合,分四段进行焊接。底层焊从中心线前 5～10 mm 处开始,采用直线往复形运条方法;中间层和盖面层可采用多道焊或多层焊。

(2)立位三通的焊接。立位三通将焊缝分成两段,从仰位的中心开始,逐步过渡到下坡立角焊→立焊→上坡立角焊到平角焊结束。

(3)横位三通的焊接。横位三通也是将焊缝分成两段,从仰位的中心开始,逐步过渡到上平焊中心结束,可采用直线往复运条法或斜三角形及锯齿形运条法。

(4)仰位三通的焊接。它是仰角焊和立焊、横焊的组合,分四段进行焊接。

五、单面焊双面成形操作方法

单面焊双面成形主要是指打底焊道的焊接操作方法,可采用灭弧焊法和连弧焊法。

(1)灭弧焊法。分为一点击穿法和两点击穿法两种。通过控制燃弧与熄弧时间,控制熔池温度和熔池形状及熔孔大小,其特点如下:①熔池容易控制;②适应性强;③易出现气孔、缩孔等焊接缺欠。

(2)连弧焊法。采用锯齿形或月牙形运条法,通过运条方式控制熔池的温度和形状及熔孔的大小。其特点如下:①短弧焊接,熔池保护好,适合于焊接低合金高强钢和不锈钢等;②装配质量要求高;③容易产生烧穿、未焊透等焊接缺欠。

第二节 手工钨极氩弧焊

一、氩弧焊的特点及应用

氩弧焊是以氩气作为保护气体的一种电弧焊方法。它利用从喷嘴流出的氩气,在电弧及焊接熔池的周围形成连续封闭的气流,保护钨极、焊丝和熔池,避免了空气对熔化金属的侵害。

手工钨极氩弧焊也称非熔化极氩弧焊,即采用高熔点的钨棒作为电极(简称钨极),在氩气流的保护下,依靠不熔化的钨极与焊件之间产生的电弧来熔化基本金属及填充焊丝的一种焊接方法。

手工钨极氩弧焊的焊接方式有两种,一是全氩弧焊接,二是氩弧焊打底。对于铝、铜、钛及其合金的焊接常采用全氩弧焊。

二、氩弧焊焊接工艺参数

手工钨极氩弧焊的焊接工艺参数主要包括焊接电流、焊接速度、电弧长度、钨极直径及形状、气体流量及喷嘴直径等。

(1)焊接电流。电流增大,熔深和焊缝宽度增大,余高减小,易产生烧穿、焊瘤和焊缝背面成形不良等焊接缺欠;电流过小,则易产生未焊透、焊缝成形不良等焊接缺欠。

(2)焊接速度。焊接速度增大,余高和焊缝宽度都相应减小,并影响氩气对熔池的保护,易产生未焊透和气孔等焊接缺欠;若焊接速度太慢则会产生凹陷、烧穿等焊接缺欠。

(3)氩气流量。氩气流量是影响焊缝熔池保护性能的重要因素,氩气流量的大小与焊接速度、电弧长度、喷嘴直径、钨极外伸长度以及接头形状等有关。

随着焊接电流和电弧长度的增大,以及喷嘴直径和钨极外伸长度的增大,则气体流量也要相应增大。否则,氩气保护性能变坏,以致失去保护性能。

(4)电弧长度。电弧长度是指钨极末端到熔池表面的距离。随着电弧长度的增大,电弧电压也增大,焊缝宽度会加宽,而焊透深度减小。当电弧长度太长时,容易产生未焊透,且由于氩气保护不好而产生氧化现象。所以,在保证电极不短路,不影响送丝操作的情况下,应尽量采用短弧焊接。

(5)钨极直径和形状。钨极直径和端部形状对焊接过程稳定性和焊缝成形有很大影响,其选择原则是依据焊件种类、厚度和焊接电流确定。

焊接合金钢及不锈钢时,采用直流正接电源,钨极直径 $2\sim3$ mm;焊接铝及其合金时,采用交流电源,钨极直径应根据焊接电流的大小选择。

钨极端部形状将影响电弧稳定和焊缝成形。钨极端头直径越小,烧损越严重,焊缝窄而深,成形不均匀;端头直径大,易引起电弧飘移。不同形状钨极性能参照表7-5。

表7-5 钨极不同形状性能表(直流)

钨极形状	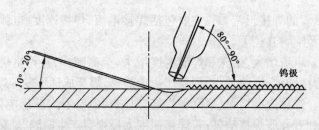		
电弧稳定性	稳定	稳定	不稳定
焊缝成形	焊缝不均	良好	焊缝不均
钨极损耗	大	适中	小

注:表中合适钨极端头尺寸: $L=(2\sim4)D, d=(1/3\sim1/4)D$

三、手工钨极氩弧焊操作技术

(一)焊炬(喷嘴与电极)、焊丝与焊件之间的角度
平焊时的角度见图7-13。

图7-13 平焊时的角度

焊炬角度小,降低了氩气的保护效果;角度过大,操作和添加焊丝比较困难。对某些易氧化的金属,如铝、钛等尽可能使焊炬与工件夹角为 90°。在不影响操作的情况下,应尽量使焊炬和工件平面垂直。

(二)焊炬运动形式

手工钨极氩弧焊一般采用左焊法,焊炬作直线移动。为了保证氩气的保护作用,焊炬移动速度不宜太快,当焊道较宽时,焊炬可作横向移动。常用的焊炬运动方式有直线移动和横向摆动两种。

1.直线移动

(1)直线匀速移动。适用于不锈钢、耐热钢等合金钢的薄件和厚度较大工件的焊接。优点是电弧稳定,避免焊缝重复加热,氩气保护效果好,焊接质量平稳。

(2)直线断续移动。用于中等厚度材料(3~6 mm)或铝及其合金的焊接。在焊接过程中,焊炬按一定的时间间隔停留和前移。

2.横向摆动

根据焊缝的宽度和接头形式的不同,焊炬可作一定幅度的横向摆动,但摆动幅度应尽可能地小,以免破坏氩气的保护效果。

(1)正圆弧形摆动。焊炬划半圆横向摆动,两侧略加停留。适合于较宽焊缝的角焊和对接焊。

(2)斜圆弧形摆动。焊炬划圆弧并斜形横向摆动。适合于不等厚度的角焊和对接焊。

(三)起弧、接头及收弧方法

1.起弧方法

(1)接触引弧法。钨极在引弧板上轻轻接触或划擦引燃电弧。这种方法易使钨极端部烧损,电弧不稳定,若在焊缝上直接引弧,则容易引起夹钨现象,所以不推荐采用接触法引燃电弧。

(2)非接触引弧法。利用氩弧焊机的高频或脉冲电引弧装置引燃电弧,是理想的引弧方法。引弧时,应在坡口内起焊点的前方 1.0 mm 左右进行,引燃电弧后再移至起焊处。

2.接头

接头时应在起焊处的前方 5~10 mm 处引弧,焊缝重叠处可少加焊丝,以保证接头处厚度和宽度一致。

3.收弧

收弧不当,易引起弧坑裂纹、烧穿、缩孔等焊接缺欠,影响焊缝质量。常用的收弧方法有:利用衰减装置逐渐减小焊接电流进行收弧;若焊机无衰减装置,可采用多次熄弧法或减小焊炬与工件夹角或拉长电弧收弧。

(四)填充焊丝方式

填充手工钨极氩弧焊焊丝时,常用两种方式:

(1)断续送丝法。在氩气保护层内,往复断续地将焊丝末端送入 1/3~1/4 熔池处。送入时焊丝不能接触钨极,不能直接送入弧柱内,移出时,焊丝不能脱离气体保护区。适用于电流较小、焊接速度较慢的情况。

(2)连续送丝法。将焊丝插入到熔池某一位置,随着焊丝的送进,电弧同时向前移动,熔池逐渐形成。适用于电流较大、焊接速度快的情况,其焊缝质量好,成形美观,但需要熟练的操作技术。

第三节　埋弧焊

一、埋弧焊的特点与应用范围

(一)埋弧焊的特点

埋弧焊是利用电弧作为热源的焊接方法,焊接时电弧在颗粒状焊剂层下燃烧并完成焊接过程。埋弧焊有自动埋弧焊和手工埋弧焊两种方式,前者的焊丝送进和电弧移动都由专用的焊接小车完成,后者的焊丝送进由机械完成,而电弧移动则由人工手持焊枪移动完成。

1.埋弧焊的优点

与焊条电弧焊相比较,埋弧焊的优点有以下几方面。

1)生产效率高

由于埋弧焊所用焊接电流大,相应的电流密度也大,加上焊剂和熔渣的隔热作用,电弧的熔透能力和焊丝的熔敷速度都大大提高,因为热效率高,熔深大,所以工件的坡口可较小,减少了填充金属量,如板厚 14 mm 以下的工件对接焊时,在不留间隙不开坡口的情况下,可一次焊透成形。另外焊接速度快,以厚度 8~10 mm 的钢板对接焊为例,单丝埋弧焊焊接速度可达 30~50 m/h,而焊条电弧焊的速度则不超过 6~8 m/h。

2)焊缝质量好

(1)因为熔渣的保护,熔化金属不与空气接触,焊缝金属中含氮量降低,而且使熔池金属较慢凝固,液体金属与熔化的焊剂间的冶金反应充分,减少了焊缝中产生气孔、裂纹等缺欠的可能性。焊剂还可以向焊缝金属补充合金元素,提高焊缝金属的力学性能。

(2)焊接工艺参数通过自动调节保持稳定,因此焊接质量对焊工技艺水平的依赖程度可大大降低。

(3)熔深大,未焊透的可能性小。

(4)在有风的环境中焊接时,埋弧焊的保护效果好。

3)劳动条件好

埋弧焊是机械化操作,劳动强度低,没有电弧光的辐射,对焊工身体损伤小。

2.埋弧焊的缺点

(1)由于埋弧焊采用颗粒状焊剂堆积形成保护条件,因此这种焊接方法一般只适用于平焊和角焊位置的焊接,其他焊接位置则需采用特殊装置来保证焊剂对焊缝区的覆盖和防止熔池金属的流淌。

(2)焊接时不能直接观察电弧与坡口的相对位置,如果没有采用焊缝自动跟踪装置,容易焊偏。

(3)埋弧焊使用电流较大,电弧的电场强度较高,电流小于 100 A 时,电弧不稳定,因而不适于焊接厚度小于 1 mm 的薄件。

(二)应用范围

由于埋弧焊熔深大,焊接速度快,机械化操作,生产率高,因而适用于焊接中厚度板的长焊缝。可焊接碳素钢、低合金钢、不锈钢、耐热钢及其复合钢等。在造船、锅炉、化工容器、桥梁、起重机械及冶金机械等制造工业中应用最普遍。

二、埋弧焊操作技术

(一)埋弧焊工艺参数

埋弧焊焊接工艺参数主要有焊接电流、电弧电压、焊接速度、焊丝直径、焊丝伸出长度、焊件自身倾斜角度、电源种类和极性、装配间隙和坡口形式等。

选择埋弧焊焊接工艺参数的原则是:保证电弧稳定燃烧,焊缝形状尺寸符合要求,表面成形光洁平整,焊缝内部无气孔、夹渣、裂纹、未焊透和焊瘤等焊接缺欠。选择方法有查表法、试验法、经验法和计算法等。不论采用何种方法确定的焊接工艺参数,都应在实际施焊中加以修正,达到最佳效果后方可进行焊接。

(二)操作技术

1. 对接直焊缝

对接直焊缝可进行单面焊或双面焊,根据工件厚度可采取单层焊或多层焊,带衬垫或无衬垫。

(1)焊剂垫法。为防止熔渣和熔池金属的泄漏,可采用焊剂垫作为衬垫进行焊接。焊剂垫应与焊件背面贴紧,承受一定均匀的托力,焊接时可选用较大的焊接工艺参数。

(2)焊剂-铜垫法。用焊剂、铜垫板取代焊剂垫,克服了焊剂垫托力不均的现象。同时,在工件与铜垫板之间的焊剂也起到了对熔池背面的保护和渗合金作用,并保证焊缝背面成形。

(3)焊条电弧焊封底法。对无法使用衬垫的焊缝,可采用焊条电弧焊进行封底,然后用埋弧焊盖面。

(4)悬空焊法。一般用于无坡口、无间隙的对接焊缝,不采用任何衬垫,装配间隙要求非常严格。为了保证焊缝焊透,正面焊时应焊透工件厚度的 $40\% \sim 50\%$,反面焊时必须保证 $60\% \sim 70\%$。

(5)多层焊接法。对于较厚的钢板,可采用多层焊接。第一层焊接时,工艺参数不宜太大,既要保证焊透,又要避免裂纹等焊接缺欠,每层焊缝的接头应错开,不可重叠。

2. 对接环焊缝

圆形筒体的对接环焊缝埋弧焊应采用带有调速装置的滚焊胎车。若进行双面焊,应先焊筒体内壁焊缝,再焊筒体外壁焊缝。

3. 角接焊缝

T形接头和搭接接头中的角接焊缝埋弧焊可采用船形焊和斜角焊两种形式。

4. 手工埋弧焊

手工埋弧焊为软管自动焊,采用小直径(焊丝直径≤2 mm)的焊丝,通过软管自动送进熔池,靠手工完成电弧的移动,手工埋弧焊可以焊接一些弯曲和较短的焊缝。

第四节 熔化极气体保护电弧焊

熔化极气体保护电弧焊是采用可熔化的焊丝与被焊工件之间产生的电弧作为热源熔

化焊丝和母材金属,并向焊接区输送保护气体,使焊接电弧、熔滴和熔池免受周围空气的侵入。由于熔化极气体保护焊生产效率高,可进行全位置焊,容易实现机械化和自动化焊接,因此在实际生产中日益被广泛采用。随着现代化工业生产的发展,熔化极气体保护焊在焊接生产中将占据越来越重要的地位。

熔化极气体保护焊包括实心焊丝 CO_2 气体电弧焊、活性气体保护电弧焊、惰性气体保护电弧焊及管状药芯焊丝气体保护电弧焊等。

一、CO_2 气体保护电弧焊

CO_2 气体保护电弧焊是利用 CO_2 气体作为保护气体,依靠焊丝与焊件之间产生的电弧热来熔化金属和焊丝形成焊缝的一种电弧焊方法。

(一)CO_2 气体保护焊的分类

(1)按焊丝直径可分为细丝焊(焊丝直径≤1.2 mm)和粗丝焊(焊丝直径≥1.6 mm)。

(2)按保护气体的纯度可分为纯 CO_2 气体和混合气体。

(3)按操作方法的自动化程度可分为手工焊和自动焊。

(二)CO_2 气体保护焊的特点

(1)生产效率高。由于焊接电流密度较大,焊接速度快,焊后不需清渣,生产效率高。

(2)成本低。电能消耗少,CO_2 气体价格便宜。

(3)焊接应力和变形小。电弧热量集中,工件受热面小,CO_2 气流有较强的冷却作用,焊接变形和应力都较小。

(4)焊接质量高。焊缝含氢量少,抗裂性能好,不易产生气孔,焊缝力学性能良好。

(5)操作简便。明弧焊接,便于观察和操作。

(6)飞溅较大,焊缝成形较差,不能采用交流电源,焊接设备比较复杂。

(三)CO_2 气体保护焊的应用范围

CO_2 气体保护焊主要用于焊接低碳钢及低合金钢等黑色金属,也可用于耐磨零件的堆焊、补焊等,在造船、机车制造、汽车制造、石油化工、工程机械、农机制造等领域应用广泛。

二、CO_2 气体保护焊焊接技术

(一)CO_2 气体保护焊焊接工艺参数

CO_2 气体保护焊的工艺参数主要包括焊丝直径、焊接电流、电弧电压、焊接速度、焊丝伸出长度、气体流量、电源极性及回路电感等。

(1)焊丝直径。焊丝直径根据工件厚度、焊接位置及生产率的要求选择。焊接薄板或中厚板的立、横、仰位置时,多采用1.2 mm以下的焊丝;焊接中厚板或平焊位置时,可采用1.6 mm以上焊丝。焊丝直径的选择参照表7-6。

(2)焊接电流。焊接电流根据工件的厚度、焊丝直径、焊接位置和熔滴过渡形式选择。当采用细焊丝时,短路过渡的焊接电流为50~230 A,大滴过渡(焊丝直径1.2~1.6 mm)的焊接电流为250~500 A。

(3)电弧电压。电弧电压应与焊接电流相配合。短路过渡的电弧电压为 17~24 V；大滴过渡的电弧电压为 26~42 V。

表 7-6　焊丝直径的选择

焊丝直径(mm)	工件厚度(mm)	焊接位置	熔滴过渡形式
0.8	1~3	各种位置	短路过渡
1.0	1.5~6	各种位置	短路过渡
1.2	2~12	各种位置、平焊、角焊	短路或大滴过渡
1.6	6~25	各种位置、平焊、角焊	短路或大滴过渡
≥2.0	>12	平焊、角焊	大滴过渡

(4)焊接速度。在选定的焊丝直径、焊接电流和电弧电压下,熔宽和熔深随着焊接速度的增加而减小。如果焊接速度过快,容易产生咬边和未熔合等缺欠,同时气体保护效果变坏,可能会出现气孔;如果焊接速度过慢,生产率不高,焊接变形增大。

(5)焊丝伸出长度。焊丝伸出长度取决于焊丝直径,一般为焊丝直径的 10 倍左右。

(6)CO_2 气体流量。CO_2 气体流量根据焊接电流、焊接速度、焊丝伸出长度及喷嘴直径等选择。短路过渡的气体流量一般为 8~15 L/min,大滴过渡的为 15~25 L/min。

(7)电源极性。为了减少飞溅,保持电弧的稳定,焊接电源采用直流反接。但在堆焊或补焊时,为了提高熔敷率及降低工件的受热,焊接电源多采用直流正接。

(二)CO_2 气体保护焊手工操作技术

1.引弧与熄弧

CO_2 气体保护焊手工操作时,引弧与熄弧比较频繁,操作不当时容易产生焊接缺欠。由于 CO_2 焊机空载电压较低,引弧比较困难,往往造成焊丝成段爆断,所以引弧前应调整好焊丝伸出长度。采用短路引弧法,焊丝端部的球形头应剪掉。为了保证引弧和熄弧时 CO_2 气体能够保护熔池,可采用提前送气和滞后停气方式,熄弧后,熔池未完全凝固前,不要将焊枪抬起。

2.左焊法和右焊法

可采用左焊法和右焊法两种手工操作方法。

(1)左焊法。采用左焊法喷嘴不会挡住操作者视线,可清楚地看到熔池和焊缝,便于控制焊缝的成形。熔池受电弧的冲击作用较小,焊缝成形美观。

(2)右焊法。采用右焊法气体保护效果较好,但因焊丝指向熔池,电弧对熔池有一定的冲击作用,如果操作不当,会影响焊缝成形。

3.操作技术

(1)平焊。多采用左焊法,焊枪作直线运动,若坡口间隙较大或焊缝较宽时也可作适当的横向摆动,但幅度不宜太大,以免影响气体对熔池的保护。

(2)立焊。有立向上焊和立向下焊两种操作方式。

立向上焊时,焊缝熔深较大,多用于中厚板的焊接。操作时焊枪作三角形摆动,以控制熔宽,改善焊缝成形。

立向下焊时,焊缝成形良好,但熔深较浅,多用于薄板焊接。操作时焊枪可不作横向摆动,但应选择合适的焊接工艺参数。

(3)横焊。多采用右焊法,焊枪作直线运动或小幅度的往复摆动。

(4)仰焊。采用较小的焊接电流,焊枪作小幅度往复摆动或横向摆动,并在坡口两侧停留,防止熔池下淌和焊缝金属凸起。

(三)CO_2 气体保护自动焊

CO_2 气体保护自动焊时,焊丝的送进和焊枪的移动全部是自动完成,可以保证焊接质量和提高生产率,但对工件的坡口尺寸和装配间隙要求较严格。熔滴过渡多采用短路过渡,以减少飞溅,保证焊接过程的稳定性。一般自动焊的焊丝直径不超过 2 mm。

1. 平焊位置自动焊

在水平位置焊接对接焊缝或角焊缝,多采用无衬垫的单面焊,为防止焊缝烧穿也可采用铜垫板。由焊机的行走小车沿焊缝作匀速运动,实现焊接过程。

2. 环缝自动焊

对于圆筒环形工件,CO_2 气体保护自动焊的操作方法有两种:一是焊枪固定,工件旋转,配合滚动转胎,实现自动焊;二是工件固定,利用磁力小车使焊枪作圆周运动,适用于大型管道的焊接。

(四)特种 CO_2 气体保护焊

1. 粗丝 CO_2 气体保护焊

焊丝直径为 3~5 mm。粗丝 CO_2 气体保护焊特点是:熔化系数高,电弧穿透力强,熔深大;与埋弧焊相比,在相同的条件下,有较高的生产率和较低的焊接成本。常用于中厚板工件的水平位置焊接。

粗丝 CO_2 气体保护焊时,虽然采用较大的焊接电流,但电流密度比细丝焊的小,电弧电压也较低。焊接过程中,电弧会深入熔池形成所谓的"潜弧"现象,可减少飞溅,使焊接过程稳定,焊缝成形良好。

2. 药芯焊丝 CO_2 气体保护焊

药芯焊丝 CO_2 气体保护焊具有较好的焊接工艺性能,可选用交流或直流电源,焊接工艺参数调节范围宽,焊接时飞溅小,熔滴呈细粒状,焊缝成形光滑平整。通过调节药芯中的合金剂可焊接各种钢材,可用于不规则的短焊缝和角焊缝的焊接,也适合于全位置焊接。

3. $CO_2 + O_2$ 混合气体保护焊

在 CO_2 气体中加入一定数量的 $O_2(75\% CO_2 + 25\% O_2)$,不仅可以使熔池温度提高 200~300 ℃,增大熔深,减小坡口角度,而且焊接电弧稳定,飞溅小,焊缝成形良好,生产效率高,适合于厚板焊接。

三、熔化极活性气体保护电弧焊

(一)熔化极活性气体保护电弧焊的特点及应用范围

1. 特点

熔化极活性气体保护焊一般为混合气体保护焊,简称 MAG 焊,它是在惰性气体中加

入一定比例的 O_2 气体或 CO_2 气体,或同时加入 O_2 气体和 CO_2 气体。MAG 焊的主要特点如下:

(1)与纯氩气体保护焊相比,电弧稳定性好;

(2)与 CO_2 气体保护焊相比,飞溅小,焊缝成形美观;

(3)根据不同的混合气体比例,可实现不同的熔滴过渡形式,如短路过渡、喷射过渡等;

(4)焊接适应性强,可焊接任意厚度的工件。

2. 应用范围

由于 MAG 焊的电弧气氛具有一定的氧化性,不能焊接活泼金属,如 Al、Mg、Cu 及其合金,所以多用于碳钢和低合金钢的焊接。

(二)气体成分对焊接过程的影响

MAG 焊通常采用的混合气体为 $Ar + O_2$ 或 $Ar + CO_2$,混合气体的成分比例不同,其电弧特性、熔滴过渡形式、飞溅大小以及焊缝成形也不相同。

1. 气体成分对熔滴过渡形式的影响

$Ar + CO_2$ 混合气体中,当 CO_2 成分比例为 20%时,称为"富氩混合气体"。

采用富氩混合气体焊接时,能实现喷射过渡,电弧形态见图 7-14。熔滴喷射过渡时,电弧呈吊钟状,焊丝端头呈尖锥形,大量细小颗粒的熔滴沿着焊丝轴线方向向熔池过渡。

喷射过渡又称为射流过渡,焊接过程中电弧非常稳定,熔滴颗粒非常细小,基本没有飞溅。实现喷射过渡要求焊接电流有一个临界值,即对于一定直径的焊丝,焊接电流超过某一数值之后,才能达到喷射过渡。临界电流值的大小与 CO_2 成分比例有关,如图 7-15 所示,随着 CO_2 的成分增加,临界电流值增大,当 CO_2 成分超过 30%时,很难实现喷射过渡。

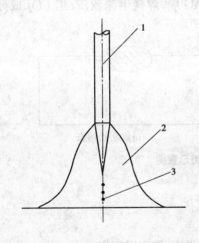

图 7-14 喷射过渡电弧形态示意图

1—焊丝;2—电弧;3—熔滴

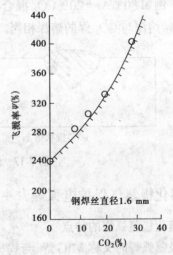

图 7-15 混合气体中 CO_2 的成分比例
对临界电流的影响

2. 气体成分对飞溅的影响

在 CO_2 气体中加入 Ar,随着 Ar 的成分比例增加,飞溅会逐渐减少。例如,CO_2 气体保护焊时(焊接工艺参数:焊丝直径1.2 mm、焊接电流135 A,电弧电压20 V),若采用短路过渡,当Ar的成分比例达到50%时,其飞溅情况已有很大改善,如图7-16所示。

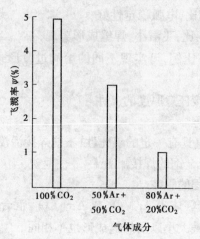

图 7-16　短路过渡时气体成分对飞溅率的影响

Ar+O_2的混合气体保护焊,与纯CO_2气体保护焊相比,飞溅也明显减小。

3. 气体成分对焊缝成形的影响

如前所述,采用富氩混合气体(CO_2含量不超过20%)MAG焊时,可实现喷射过渡,形成指状焊缝,如图7-17(a)所示。当气体成分发生变化,将影响熔滴过渡形态和焊缝成形。如CO_2成分超过20%,熔滴过渡形式由喷射过渡转变为射滴过渡,焊缝形状也由指状转变为盆底状,如图7-17(b)所示。如采用短路过渡,焊接熔深也会随着CO_2成分的增加而增加。例如80%Ar+20%CO_2混合气体MAG焊,焊接熔深较浅;当CO_2成分达到50%时,焊接熔深与CO_2焊的熔深相当。

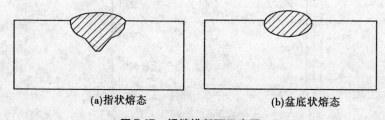

(a)指状熔态　　　　　　　　　　　(b)盆底状熔态

图 7-17　焊缝横断面示意图

四、熔化极氩气保护电弧焊

(一)熔化极氩弧焊的特点

熔化极氩弧焊时又称MIG焊,与钨极氩弧焊相比,具有以下特点:

(1)焊丝作为电极,焊接电流大,热量集中,热效率高,适用于中厚板的焊接;

(2)熔滴呈喷射过渡形式,熔深大,电弧稳定,飞溅小,焊缝成形好;

(3)采用直流反接焊接电源;

(4)容易实现自动化焊接。

(二)熔化极氩弧焊的熔滴过渡

熔化极氩弧焊的熔滴过渡形式为喷射过渡。实践证明,当熔化极氩弧焊的焊接电流增大到一定数值时,熔滴的过渡形式会发生突变,由原来的粗滴过渡转化为喷射过渡,发生这个转变的焊接电流值称为"临界焊接电流"。临界焊接电流的大小与焊丝材料和焊丝直径有关,见表7-7。

表7-7 焊丝的临界电流

焊丝直径 (mm)	焊丝的临界电流(A)			
	铝合金	铜	不锈钢(18−8Ti)	碳钢
1.2	95～105	120～140	190～210	230～250
1.6	120～140	150～170	220～240	260～280
2	135～260	180～210	260～280	300～320
2.5	190～220	230～260	320～330	350～370

(三)熔化极氩弧焊焊接工艺

(1)焊前仔细清理焊丝和焊件坡口表面的水分和油污等。

(2)选择合理焊接工艺参数。熔化极氩弧焊焊接工艺参数包括焊接电流、电弧电压、焊接速度、焊丝直径、焊丝干伸长度、氩气流量等。为了获得喷射过渡的形式,要求焊接电流大于临界电流,否则电弧不稳定,焊缝成形差,但焊接电流过大则会引起飞溅。电弧电压的选择应与焊接电流相配合,如果电弧电压小于临界焊接电流时的电弧电压,即使焊接电流再大,也得不到喷射过渡。

(3)喷射过渡熔化极氩弧焊时的焊接工艺参数见表7-8、表7-9。

五、药芯焊丝气体保护电弧焊

药芯焊丝气体保护电弧焊示意如图7-18所示。

(一)药芯焊丝气体保护电弧焊特点

药芯焊丝是将焊剂包裹在焊丝芯部经轧制而成。由于焊剂中含有造渣剂、合金剂、脱氧剂、稳弧剂等成分,所以它具有气保护和渣保护的优点,可获得质量优良的焊缝。

药芯焊丝气体保护电弧焊的优点是:①采用气渣联合保护,焊缝成形美观,电弧稳定性好,飞溅少且颗粒细小;②焊丝熔敷速度快,熔敷效率(为85%～90%)和生产率都较高(生产率比手工焊高3倍);③通过调整焊剂的成分与比例可提供所要求的焊缝金属化学成分。

药芯焊丝气体保护电弧焊的缺点是:①焊丝制造过程复杂;②送丝较实心焊丝困难,需要采用降低送丝压力的送丝机构;③焊丝外表容易锈蚀、焊剂易吸潮,因此需要加强对焊丝的保管。

药芯焊丝气体保护电弧焊既适用于半自动焊,又适用于自动焊,常采用半自动焊焊接碳钢、低合金钢、不锈钢和铸铁。与熔化极气体保护相比,可采用较短的焊丝伸出长度和较大的焊接电流。与焊条电弧焊相比,焊接角焊缝时可得到较大的焊脚。

(二)药芯焊丝气体保护电弧焊工艺参数

药芯焊丝气体保护电弧焊的工艺参数主要有焊接电流、电弧电压、焊接速度、焊丝伸

表 7-8 铝合金、喷射过渡 MIG 焊的焊接工艺参数

板厚(mm)	坡口简图	焊接位置	焊接顺序	焊接规范			焊丝		氩气流量(L/min)	说明
				焊接电流(A)	电弧电压(V)	焊接速度(mm/min)	直径(mm)	送丝速度(mm/min)		
6	$b=0\sim2\ mm$ $\alpha=60°$	水平、立、横	1	200~250	24~27	400~500	1.6	5.9~7.7	20~24	使用垫板
		仰	1~2(背)	170~190	23~26	600~700		5.0~5.6		
8	$b=0\sim2\ mm$ $\alpha=60°$	水平、立、横	1 2	240~290	25~28	450~600	1.6	7.3~8.9	20~24	使用垫板 仰焊时增加焊道数
		仰	1 2 1~4(背)	190~210	24~28	600~700		5.6~6.3		
12	$b=1\sim3\ mm$ $\alpha_1=60°\sim90°$ $\alpha_2=60°\sim90°$	水平、立、横	3(背)1 2	230~300	25~28	400~700	1.6 或 2.4	7.0~3.9 3.1~4.1	20~28	仰焊时增加焊道数
		仰	3 1~8(背)	190~230	24~28	300~450	1.6	5.6~7.0	20~24	

续表 7-8

板厚 (mm)	坡口简图	焊接位置	焊接顺序	焊接规范			焊丝		氩气流量 (L/min)	说明
				焊接电流 (A)	电弧电压 (V)	焊接速度 (mm/min)	直径 (mm)	送丝速度 (mm/min)		
16	b=1~3 mm $\alpha_1=90°$ $\alpha_2=90°$	水平横	4道	310~350	30~36	300~400	2.4	4.3~4.8	24~30	焊道数可适当增加或减少；正反两面可交替焊接，以减少变形
		立	4道	250~320	25~28	150~300	1.6	6.6~7.7		
		仰	10~12道	230~250	25~28	400~500	1.6	7.0~7.7		
25	b=1~3 mm $\alpha_1=60°~90°$ $\alpha_2=60°~90°$	水平横	6~7道	310~350	26~30	400~600	2.4	4.3~4.8	24~30	焊道数可适当增加或减少；正反两面可交替焊接，以减少变形
		立	6道	220~250	25~28	150~300	1.6	6.6~7.7		
		仰	约15道	240~270	25~28	400~500	1.6	7.3~7.8		

表 7-9 不锈钢喷射过渡 MIG 焊的焊接工艺参数

板厚 (mm)	坡口简图	焊接位置	层数	焊接规范 焊接电流 (A)	电弧电压 (V)	焊接速度 (mm/min)	焊丝 直径 (mm)	送丝速度 (mm/min)	氩气流量 (L/min)	说明
3	0~2 mm	平 立	1	200~240 180~220	22~25 22~25	400~550 350~500	1.6	3.5~4.5 3~4	14~18	永久垫板
6	0~2 mm	平 立	2 (1:1)	220~260 200~240	23~26 22~25	300~500 250~450	1.6	4~5 3.5~4.5	14~18	
12	0~2 mm / 0~2 mm	平 立	5(4:1) 6(5:1)	240~280 220~260	24~27 23~26	200~350 200~400	1.6	4.5~6.5 4~5	14~18	
22	$\frac{2}{3}b$ $\frac{1}{3}b$ 0~1 mm	平 立	11(7:1) 14(10:4)	240~280 200~240	24~27 22~25	200~350 200~400	1.6	4.5~6.5 3.5~4.5	14~18	
28	2~3 mm / 0~2 mm	平 立	18(9:9) 22(11:11)	280~340 240~300	26~30 24~28	150~300 150~300	1.6	5~7 4.5~7	18~22	

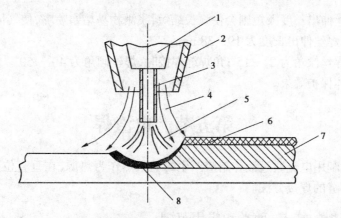

图 7-18 药芯焊丝气体保护电弧焊示意图

1—导电嘴;2—喷嘴;3—药芯焊丝;4—CO_2 气体;5—电弧;6—熔渣;7—焊缝;8—熔池

出长度、保护气体流量和焊丝位置等。

1. 焊接电流和电弧电压

由于药芯焊丝中的焊剂成分改变了电弧特性,因此可以采用直流或交流电源。通常采用直流平特性电源。

当其他工艺参数不变时,焊接电流与送丝速度成正比。如图 7-19 所示。

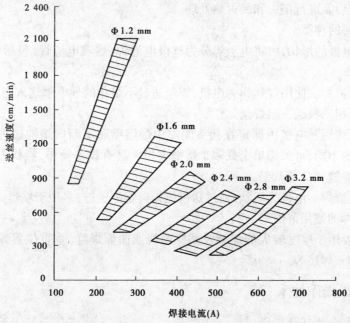

图 7-19 用 CO_2 气体保护焊焊接低碳钢时送丝速度与焊接电流的关系曲线

当焊接电流变化时,电弧电压也相应改变,以保持电弧电压与焊接电流的最佳匹配关系。

2. 焊丝伸出长度和焊丝倾角

焊丝伸出长度对电弧的稳定性、熔深、熔敷速度和电弧能量等均有影响。对于给定的送丝速度,焊丝伸出长度随焊接电流的增加而减小。焊丝伸出长度太长会使电弧不稳且飞溅增大;焊丝伸出长度太短则会使弧长缩短,飞溅物易堵塞喷嘴,使气体保护不良,易产生气孔。一般焊丝伸出长度为 19~38 mm。

平焊时,焊丝倾角为 2°~15°;角焊缝焊接时,焊丝倾角为 40°~50°。如果焊丝倾角太大,会降低气体保护效果。

第五节　电渣焊

电渣焊是利用电流通过液体熔渣产生的电阻热作为热源,在垂直位置将工件和填充金属熔合成焊缝的焊接方法。

一、电渣焊的特点、种类和应用范围

(一)特点

(1)适宜在垂直位置焊接,焊缝金属不易产生气孔和夹渣。

(2)大厚度焊缝可一次焊成,生产率高,材料消耗少。

(3)焊缝成形系数调节范围大,防止产生焊缝热裂纹。

(4)渣池对被焊工件有较好的预热作用,冷裂纹倾向较小。

(5)焊缝和热影响区在高温停留时间较长,易产生晶粒粗大的过热组织,焊接接头冲击韧性较差,焊后需进行正火和回火热处理。

(二)电渣焊的种类

根据采用电极的形状,可将电渣焊分为丝极电渣焊、熔嘴电渣焊(包括管极电渣焊)、板极电渣焊等。

(1)丝极电渣焊。使用焊丝作为电极,焊丝通过不熔化的导电嘴送入熔池。焊接较厚工件时,可以采用二根或三根焊丝。

(2)熔嘴电渣焊。电极由固定在接头间隙中的熔嘴和不断向熔池送进的焊丝组成。根据焊件厚度的不同,可采用单个或多个熔嘴电极。具有设备简单、操作方便的优点,适合于焊接对接焊缝和 T 形焊缝。

(3)板极电渣焊。电极为板状,通过送进机构向熔池送进,多用于堆焊。

(三)电渣焊的适用范围

电渣焊主要用于厚度较大的焊缝及某些曲线或曲面焊缝,垂直位置焊接的焊缝,堆焊、高碳钢或铸铁焊接等。

二、电渣焊操作技术

电渣焊过程分为三个阶段。

(一) 焊前准备

工件的加工及装配,工卡具及焊接设备调试等。

(二)焊接

(1)引弧造渣过程。焊丝伸出长度 40~50 mm;引燃电弧后,应逐步形成熔渣。引弧造渣阶段的电弧电压和焊接电流比正常焊接时的要稍高些。

(2)正常焊接过程。测量渣池深度,按照工艺参数要求进行控制,以保证稳定的造渣过程。调整焊丝(熔嘴),使其始终处于间隙中心位置,检查水冷滑块的出水温度及流量。

(三)结束

焊接结束时,应逐渐降低焊接电流和电弧电压,或设置引出板。如果突然停止焊接,渣池温度下降太快,易在焊缝中产生裂纹和缩孔等缺欠。

三、电渣焊工艺参数

(1)焊接电流。焊接电流与送丝速度成正比关系,可用送丝速度来确定焊接电流。

(2)电弧电压。根据接头形式确定。

(3)焊丝直径和焊丝根数。焊丝直径或熔嘴板厚度及宽度、焊丝根数或熔嘴和管极的数量及焊丝伸出长度、焊丝的摆动幅度和速度根据工件的厚度和装配间隙确定。

(4)渣池深度。根据送丝速度(焊接电流)确定渣池的深度。

第六节　螺柱焊

一、螺柱焊的特点及应用范围

将金属螺柱或类似的其他紧固件焊于工件上的方法称为螺柱焊。它是焊接紧固件的一种快速方法,不仅效率高而且通过专用设备对焊接接头质量进行有效的控制,从而获得全断面熔合的接头,保证了焊接接头力学性能。目前广泛应用的螺柱焊方法为电弧螺柱焊和电容放电螺柱焊,其应用范围如下:

(1)在造船或机车制造中用于将木板固定在钢架或盖板上的螺柱焊接;

(2)在槽车、储罐或其他容器中用于固定特殊衬里的紧固件焊接;

(3)锅炉管子上紧固隔热炉衬用销钉焊接;

(4)大型锅炉空气预热器检查孔盖用螺柱焊接;

(5)冶金热风炉体固定炉衬用销钉焊接;

(6)重型汽车上固定管线用夹子或螺柱焊接;

(7)电力变压器端盖上各种螺柱的焊接;

(8)大型钢结构 T 形钉的焊接;

(9)固定小器具的手柄、支脚用螺柱焊接。

电容放电螺柱焊常用于焊接标牌、电子仪表盘、汽车仪表盘等薄件上的紧固件。本节主要介绍电弧螺柱焊。

二、电弧螺柱焊

(一)焊接过程

电弧螺柱焊是电弧焊方法的一种特殊应用。焊接时,在螺柱与工件间引燃电弧,使螺柱端面与工件表面被加热到熔化状态,达到适宜的温度时,将螺柱挤压到熔池中去,使两者融合形成焊缝。依靠预加在螺柱引弧端的焊剂和陶瓷保护圈来保护熔融金属。焊接设备通常包括直流焊接电源、焊接时间控制器和螺柱焊枪,如图 7-20 所示。

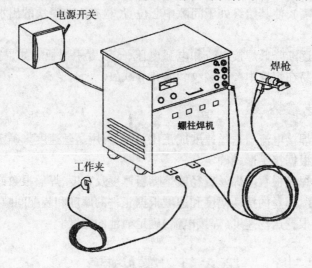

图 7-20　电弧螺柱焊装置

电弧螺柱焊的操作步骤如下。

1.焊前准备

依据被焊螺柱尺寸调整好电流和燃弧时间;将待焊螺柱装入螺柱焊枪夹头中,并将相配的陶瓷保护圈装入瓷圈夹头中;调整螺柱伸出瓷圈的长度和提弧长度,调整焊机电压输出,确认设备能够正常运行后,准备工作完成。

2.焊接顺序

电弧螺柱焊焊接顺序如图 7-21 所示。

(1)将焊枪置于工件上(见图 7-21(a));

(2)施加预压力使焊枪内的弹簧压缩,直到螺柱与陶瓷保护圈同时贴紧工件表面(见图 7-21(b));

(3)扣压焊枪上的开关,接通焊接回路,螺柱被自动提升,在螺柱与工件之间引燃电弧(见图 7-21(c));

(4)螺柱处于提升位置时,电弧扩展到整个螺柱端面,电弧热使端面少量熔化,同时使工件表面熔化形成熔池(见图-21(d));

(5)电弧按预定时间熄灭,弹簧压力快速地将螺柱熔化端压入熔池,焊接回路断开(见图 7-21(e));

(6)稍停片刻,将焊枪从焊好的螺柱上抽起,打碎并除去保护套圈(见图 7-21(f))。

(二)螺柱和保护套圈

螺柱可以做成不同的式样和尺寸。横断面为方形的紧固件则做成楔形的,以便于引弧和对焊接表面均匀加热,最短长度约为 20 mm。

在焊接钢制螺柱时,需加铝做助焊剂,用以脱氧和稳定电弧。一般将焊剂固定在螺柱焊接端的中心或敷于螺柱焊接端的表面。直径小于 6 mm 的螺柱,除有特殊要求外,一般不需助焊剂。

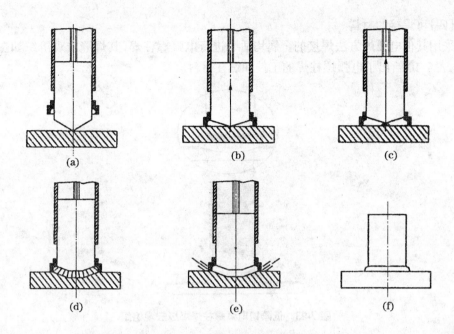

图 7-21　电弧螺柱焊接顺序(箭头表示螺柱运动方向)

电弧螺柱焊时需使用保护套圈,其作用如下:

(1)使电弧热量集中于焊接区域;

(2)防止空气侵入焊接区;

(3)防止熔化金属流失,有利于焊缝成形。

套圈有消耗性和永久性两种基本形式。消耗性套圈应用较广泛,用陶瓷材料制成,易于打碎去除。

(三)焊接时间和电流的选定

输入的焊接能量足够大是保证获得优质电弧螺柱焊接头的基本条件。而输入焊接区域的总能量与焊接电流、焊接时间和焊接电弧电压有关。由于电弧电压取决于电弧长度或螺柱提离工件的距离,一旦调整好距离,电弧电压基本不变,所以焊接电流和焊接时间决定输入能量。一般根据螺柱横断面尺寸选择焊接电流和焊接时间。

低碳钢螺柱的焊接电流和焊接时间范围如图 7-22 所示。

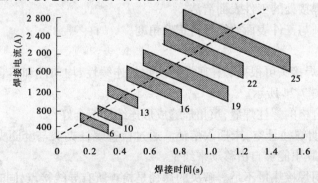

图 7-22　低碳钢电弧螺柱焊的焊接电流和焊接时间范围

（四）可焊接的材料

采用其他电弧焊方法焊接的金属均适于进行电弧螺柱焊,其焊缝宏观组织如图 7-23 所示,表 7-10 给出了电弧螺柱焊的工件和螺柱材料。

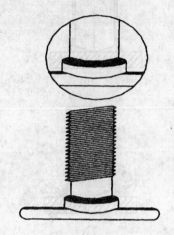

图 7-23　低碳钢电弧螺柱焊焊缝宏观组织

表 7-10　工件和螺柱材料的组合

工件材料	螺柱材料
低碳钢	(a)低碳钢 (b)奥氏体不锈钢
奥氏体不锈钢	(a)低碳钢 (b)奥氏体不锈钢
铝合金	铝合金

三、质量控制和检验

（一）质量控制

(1)正确调整设备参数(焊接电流及焊接时间,提弧高度,套圈位置及螺柱伸出量)。

(2)采取正确的电源极性,保证地线与工件连接牢固。

(3)保证螺柱焊接处的工件表面清洁。

(4)螺柱轴线须与工件表面始终保持正确角度。

（二）质量检验

钢螺柱的电弧焊接头可根据螺柱底端周围物的连续性、均匀性和熔合状况来判断焊缝是否有缺陷,如图 7-24 所示。

图 7-24(a)为合格的螺柱焊缝,填角焊缝成形连续且熔合好。

图 7-24(b)表明螺柱悬空,未插入熔池。通过检查螺柱夹头与套圈夹头的同心度和保证螺柱在焊接过程中能够自由移动来纠正。

图 7-24(c)表明焊接热量不足。解决的途径是检查所有导线接点,同时增加电流或焊接时间给定值,也可适当调整电弧长度。

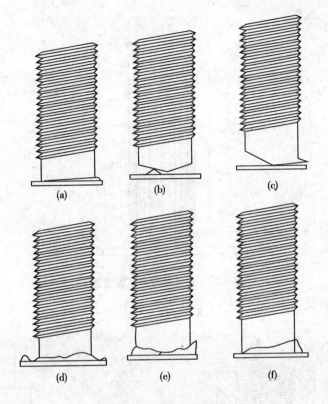

图 7-24　电弧螺柱焊缝

(a)合格；(b)、(c)、(d)、(e)、(f)不合格

图 7-24(d)表明热能量过高。可降低焊接电流或焊接时间。

图 7-24(e)表明螺柱倾斜，只有局部填角焊缝。矫正焊枪工作位置，使其与焊接表面垂直。

图 7-24(f)表明接头一侧填角缝堆积而另一侧无填角焊缝。这是由于电弧偏吹所致，通过改变地线位置解决。

铝螺柱的电弧焊接头不能仅用焊缝外部成形状况来判断焊缝的质量，外观检查只能了解焊缝是否完全熔合或存在咬边情况，而判断焊缝的质量需要进行力学性能试验。

力学性能试验可在焊接工艺评定试样上进行，以确定最佳的焊接工艺参数。可通过锤击试验或弯曲试验及扭转试验进行，在不能扭转时也可以采用拉伸试验。

锤击和弯曲试验的验收规则，是以每个螺柱焊缝和热影响区都没有肉眼可见的开裂为合格。

锤击试验简单易行，应用较普遍。锤头质量根据产品要求确定。弯曲试验时用套管套住弯曲螺柱，见图 7-25 所示。例如铝螺柱焊缝，当螺柱弯曲后与原始轴线的夹角等于或大于 15°而不断裂或焊缝未开裂，则为合格。

螺柱焊缝进行扭矩拉力检验时，应根据产品要求确定螺柱数量和施加的扭矩大小。直螺纹螺柱可采用图 7-26 所示的装置。用扭矩扳手施加预定载荷，以测定接头是否达到了强度要求；或扳至螺柱破坏，测定接头的破坏载荷。螺柱为 T 形钉时，可采用图 7-27 所

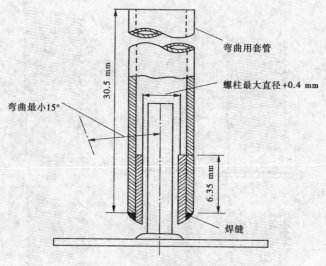

图 7-25　螺柱焊弯曲试验装置

弯曲用套管

螺柱最大直径 +0.4 mm

弯曲最小15°

焊缝

示的夹具进行拉伸试验。

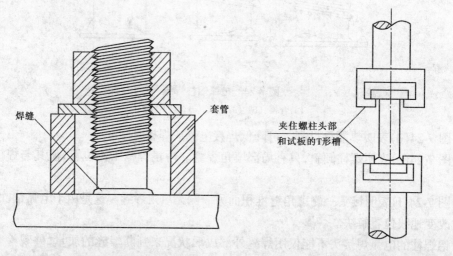

焊缝　　　　套管

图 7-26　螺柱焊缝扭矩拉力试验装置

夹住螺柱头部和试板的T形槽

图 7-27　螺柱焊缝直接拉伸试验装置

第七节　长输管道焊接技术

一、概述

长输管道工程是一项现场焊接安装工程,这种焊接是在复杂的气候和地域条件以及不稳定的机械负荷和环境作用下进行的,这对焊接技术提出了更高的要求。目前国内外所采用的主要焊接工艺方法有:纤维素型焊条或低氢型焊条手工下向焊,半自动自保护焊或气体保护焊,以及全自动保护焊或气体保护焊。世界各国还发展了许多其他特种管道现场连接技术,其中包括爆炸焊、电子束焊、激光焊、闪光对接、摩擦焊、旋转焊、活性气体保护锻焊等。

目前我国已具有成熟的纤维素型焊条和低氢型焊条手工下向焊技术,正在普及半自动气体保护焊、药芯焊丝自动保护焊技术,全自动气体保护焊焊接技术已在"西气东输"等管道工程中得到应用。

(一)手工下向焊技术的应用与发展

手工下向焊焊接工艺是 20 世纪 80 年代中期逐步发展起来的一种手工电弧焊焊接工艺方法,其焊接特点是:在管道水平放置固定不动的情况下,焊接热源从顶部中心开始垂直向下焊接,一直到底部中心。其焊接部位的先后顺序是:平焊、立平焊、立焊、仰立焊、仰焊。

手工下向焊焊接工艺采用下向焊专用焊条,下向焊专用焊条以其独特的药皮配方设计,与传统向上焊焊条相比,具有电弧吹力大、焊缝质量好、易于单面焊双面成形、熔敷速度快、熔敷率高等优点,被广泛用于大口径长输管道工程建设中,以"陕京输气管线"为代表的早期长输管道焊接均采用此技术。随着输送压力的不断提高,油气管道钢管强度的不断增加,X52、X56、X60、X65、X70 等管线专用钢管被广泛采用,手工下向焊焊接工艺经历了全纤维素型下向焊—混合型下向焊—复合型下向焊这一发展进程。

1.纤维素型下向焊

纤维素型下向焊焊条中含有 25%～40% 的有机物,具有很强的造气功能,在增加保护气的同时增加了电弧吹力,保证了管接头焊缝 3～6 点位置向熔池稳定过渡,易于单面焊双面成形。该工艺主要用于输油管道及输气管道打底焊。

2.混合型下向焊

混合型下向焊是指用纤维素型焊条根焊、热焊,低氢型焊条填充、盖面的手工下向焊焊接工艺,主要用于输气管道及高强度级别管道的焊接。

高强度级别的钢材的碳当量值一般较大,具有一定的淬硬倾向而管线钢的现场焊接采用纤维素焊条电弧焊时,容易导致大量氢的渗入,同时焊接热输入低,冷却速度较快,容易产生高强度低韧性的低温转变产物,增加了冷裂纹的敏感性。因此,用纤维素焊条焊接强度级别较高的管线钢时,钢管冷裂纹敏感性很大。

为了防止在强度级别较高的管线钢焊缝及其热影响区周围产生氢致裂纹,一是要严格控制根部焊道的含氢量,即通过预热、后热或缓冷来降低冷却速度,给氢的扩散逸出提供充分的机会;二是采用气体保护焊或低氢型下向焊条,减少氢的渗入。

低氢型焊条由于焊缝金属中含氢量和含氧量较低,在相同条件下,其抗冷裂性能和韧性均较纤维素焊条好,并且焊缝金属具有良好的综合力学性能。但是低氢型焊条具有电弧吹力偏小、焊接操作不便、焊接速度慢等缺点,因此在强度级别较高的管线钢焊接中采用了纤维素型焊条和低氢型焊条混合的下向焊。

3.复合型下向焊焊接技术

复合型下向焊是指根焊、热焊采用下向焊,填充、盖面采用上向焊的焊接工艺,主要用于壁厚较大的管道焊接。与传统的向上焊相比,由于下向焊热输入低,熔深较浅,焊肉较薄,随着钢管壁厚的增加,焊道层数也迅速增加,焊接时间和劳动强度随之加大,下向焊难以发挥其焊接速度快、效率高的特点,而根焊、热焊采用下向焊,填充焊与盖面焊采用向上焊的复合下向焊技术可达到优质高效的效果。

(二)半自动下向焊焊接技术

半自动焊接工艺具有高效、优质、经济及易于掌握等特点,在长输管道建设中发展迅速,可分为药芯焊丝自保护半自动下向焊和活性气体保护半自动下向焊。

1.药芯焊丝自保护半自动焊技术

药芯焊丝自保护半自动焊是目前最成熟的长输管道半自动下向焊工艺,其特点为适于全位置焊接,具有质量好、效率高、综合成本低等优点。该工艺通常用于管道的填充、盖面。

2.CO_2 气体保护半自动下向焊技术

CO_2 气体保护半自动下向焊为 STT 型 CO_2 半自动下向焊,采用波形控制技术,保证焊接电弧稳定燃烧,有效控制焊缝成形,是一种优质高效下向焊打底新工艺。

(三)自动焊技术

管道自动气体保护焊具有焊接速度快、焊接质量稳定等优点,在长输管道施工中主要有下列四种:

(1)STT 半自动根焊,自动焊填充盖面;

(2)STT 半自动根焊(配可自动调节管口间隙的内对口器),自动焊填充盖面;

(3)自动焊根焊(配带衬垫的气动内对口器),自动焊填充盖面;

(4)内焊机根焊(配带内焊机的气动内对口器),自动焊填充盖面。

这四种焊接工艺的主要区别在于根焊。STT 半自动根焊上面已讲述;STT 自动焊根焊对的管道组对的质量要求非常高,需配可自动调节管口间隙的内对口器;外自动焊根焊大都属于气体保护,为保证成形良好,常要配带衬垫内对口器,且根焊的背面成形需采用铜衬垫,易产生渗铜现象;内焊机根焊可实现多个焊头(一般 4~8 个)同时根焊,从而较大幅度地提高根焊速度,但价格昂贵,适用范围较窄。

填充盖面焊采用外自动焊机,焊接方式多为下向焊,也有采用向上焊的,保护气体为100%的 CO_2 或 CO_2 与 Ar 混合气体。

二、手工下向焊基本操作技术

(一)焊前准备

(1)管材。X52~X60 系列螺旋埋弧焊钢管或 L320~L415 系列螺旋埋弧焊钢管,管径 406.4~529 mm,壁厚 6.4~10 mm。

(2)焊材。AWS E6010、E7010、E8018 等下向焊条。

(3)焊接电源。美国 Miller BigBlue 502D 活动焊机、XMT456 多功能焊机、山大奥太 ZD7-500 型逆变焊机。

(4)坡口形式。带钝边 V 形坡口,机械加工制成,坡口角度 $\alpha = 60° \pm 5°$,钝边为 1.6 mm ± 0.4 mm。

(5)试件清理。试件组对前,采用角向砂轮机及钢丝刷将坡口表面及坡口两侧 20 mm 范围内的内外壁上的铁锈、油污、水等污物清除干净,并将管端 10 mm 范围内的螺旋焊缝余高打磨至与母材平齐,呈 30°仰角平缓过渡。

(6)装配组对。试件采用 U 形卡点焊方式装配组对,当焊接完成后将 U 形卡除去。U 形卡点焊间距一般为 150~200 mm,如图 7-28 所示。间距过大,焊接时收缩变形较大,起不到定位作用。

管口螺旋焊缝间距应错开 100 mm 以上,错边量应不大于 1.6 mm,对口间隙为 1.6 mm±0.4 mm,如图 7-29 所示。

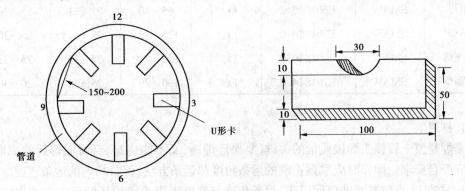

图 7-28 U形卡及U形卡间距示意图 (单位:mm)

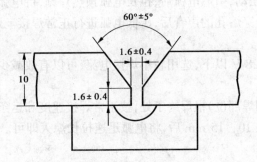

图 7-29 装配组对示意图 (单位:mm)

(二)焊接工艺参数

全纤维素型焊条手工下向焊焊接工艺参数见表 7-11。纤维素型焊条根焊、热焊,低氢型焊条填充、盖面手工向下焊工艺焊接工艺参数见表 7-12。

表 7-11 全纤维素型焊条手工下向焊焊接工艺参数

焊接层次	焊接方法	填充金属	电源极性	焊接电流 (A)	电弧电压 (V)	焊接速度 (cm/min)
根焊	SMAW	E6010Φ3.2	DC⁻	65~80	21~30	15~20
热焊	SMAW	E7010Φ4.0	DC⁺	125~135	22~31	25~30
填充焊	SMAW	E7010Φ4.0	DC⁺	130~145	22~31	23~28
盖面焊	SMAW	E7010Φ4.0	DC⁺	120~130	24~32	15~25

(三)水平固定位置(5G)操作技术

水平固定位置代号为 5G,为水平固定位置的环形焊缝。由于管径较大,为减小受热不均引起的热收缩,由两名焊工分两个半周同时对称施焊。前半周依顺时针方向自 12 点位置始,经 3 点至 6 点半止;后半周自 12 点位置始,经 9 点至 6 点终。

表 7-12　纤维素型焊条根焊、热焊、低氢型焊条填充、盖面焊接工艺参数

焊接层次	焊接方法	填充金属	电源极性	焊接电流 (A)	电弧电压 (V)	焊接速度 (cm/min)
根焊	SMAW	E6010Φ3.2	DC⁻	65~80	21~31	15~20
热焊	SMAW	E7010Φ4.0	DC⁺	125~135	22~31	25~30
填充焊	SMAW	E8018Φ4.0	DC⁺	195~210	25~35	25~35
盖面焊	SMAW	E7018Φ4.0	DC⁺	190~205	25~35	20~30

1. 根焊

根焊是整个管接头焊接质量的关键,要保证焊透,又不能烧穿,且背面焊缝的成形和余高应符合要求。操作时应掌握正确的运条角度和运条方法,保持均匀的运条速度。

从时钟 12 点位置两坡口间引弧,焊条角度与管壁垂直或向焊接的反方向稍作倾斜,焊条与焊缝两侧成 90°夹角。

根焊运条一般不摆动,引燃电弧后,拉长电弧预热片刻,待电弧稳定后,将电弧下压至坡口根部,听到电弧击穿熔孔的声音后,压低电弧进行正常焊接。焊接时不同位置焊条角度变化如图 7-30 所示。

电弧电压控制在 28 V 以下,选用较小焊接电流,可以有效减少内咬边、车辙线及气孔等焊接缺欠的产生。

时钟 6 点位置(仰焊部位)根焊终了处,按正常焊接速度和运条角度焊接,封口处稍作停留,再继续向前运条 10~15 mm 后,将电弧迅速拉长熄灭即可。

2. 热焊

热焊的目的是加固根部焊道,并补充热量,使焊缝保持较高的温度,防止产生冷裂纹等缺欠。根焊结束后应立即进行热焊,间隔时间不宜超过 5 min,层间温度不低于 100 ℃。焊条垂直于管子轴线,采用直线往复运条,弧长为 2~3 mm,焊接不同位置的焊条角度变化如图 7-31 所示。

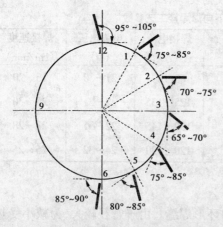

图 7-30　根焊焊条角度变化示意图

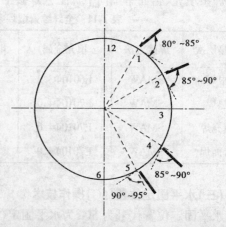

图 7-31　焊接不同位置的焊条角度变化

3.填充焊

填充焊的目的是填满焊道,保证坡口两侧熔合良好,但不能破坏坡口棱角,给盖面焊打下良好基础。焊接时不同位置焊条角度变化同热焊层。

填充焊时焊条可作轻微的横向摆动,摆动幅度及频率以熔池与坡口边缘熔合良好为宜。在5点钟至7点钟的仰焊位置,运条幅度不易过大,并尽量压低电弧,防止铁水下坠和产生气孔等缺欠。填充层应比坡口面低 0.5~1.0 mm。

4.立填焊

填充焊道完成后,在2点钟至4点钟、8点钟至10点钟的立焊位置,若填充焊道表面距坡口表面相差超过 1.5 mm,为避免盖面焊后的焊缝表面低于母材,需要增加一道立填焊。

立填焊通常不作横向摆动,带着熔池下行,以获得微凸或平的填充焊道。立填焊起弧后应一次焊完,不得断弧,以免接头时产生密集气孔。

立填焊完成后,其焊缝表面应与母材表面基本平齐。

5.盖面焊

盖面焊时可采用焊条的横向摆动来改善焊道边缘的熔合情况,摆动幅度以控制熔池每侧比坡口增宽 1 mm 左右为宜,弧长控制在 2~3 mm 范围内。在5点钟至6点钟、7点钟至6点钟的仰焊位置,运条方式由轻微摆动改为划圈动作,摆动幅度不易过大。

(四)斜45°固定位置(6G)操作技术

6G位置是将焊口按斜45°位置固定,自上而下进行焊接,如图7-32所示。

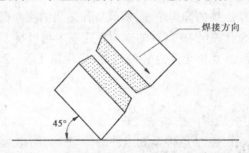

图7-32 6G焊缝位置示意图

6G位置的焊接工艺和操作要领与5G位置基本相同,不同的是6G位置根焊时,上坡口温度高于下坡口温度,因此坡口上部易产生内咬边现象,而坡口下部则产生未熔合和夹渣等焊接缺欠。施焊时应注意控制上坡口温度,既保证上坡口铁水充足饱满,又保证下坡口铁水不下坠。盖面焊时,焊条可作轻微斜拉,摆动运条,一次盖面成形比较困难,可采用盖面排焊。

三、药芯焊丝半自动下向焊基本操作技术

(一)焊接工艺参数

纤维素型焊条手工下向焊根焊,药芯焊丝半自动下向焊热焊、填充焊、盖面焊的焊接工艺参数见表7-13。

表 7-13　药芯焊丝半自动下向焊焊接工艺参数

焊接层次	焊接方法	填充金属	电源极性	焊接电流 (A)	电弧电压 (V)	送丝速度 (cm/min)	焊接速度 (cm/min)	干伸长 (mm)
根焊	SMAW	E6010 Φ4.0	DC⁻	90~110	23~28		15~20	
热焊	FCAW	NR207 Φ2.0	DC⁻	220~230	18~20	190~230	30~35	19~21
填充焊	FCAW	NR207 Φ2.0	DC	220~230	18~20	190~230	25~30	19~21
填充焊	FCAW	NR207 Φ2.0	DC	220~230	18~20	190~230	25~30	19~21
盖面焊	FCAW	NR207 Φ2.0	DC	210~220	19~21	80~200	23~28	19~22

(二)基本操作技术

1.根焊

为避免根焊道在半自动热焊时发生烧穿现象,采用直径为 4.0 mm 的焊条进行根焊。

2.热焊

热焊时,焊丝可不作摆动或作小幅横向摆动,在 4 点钟到 6 点钟、8 点钟到 6 点钟位置应适当横向摆动,以避免在仰焊部位产生过凸的焊道。

起弧前应将药芯焊丝折断 10~20 mm,避免"小球效应"的产生。焊接过程中,如果发生根焊缝烧穿,不宜采用药芯焊丝修补,否则会产生密集气孔。一旦发现烧穿现象,应立即停止焊接,将烧穿处修磨成缓坡过渡,按根焊工艺要求用纤维素焊条对烧穿处进行补焊,待补焊处温度降至 100~120 ℃时,采用药芯焊丝继续施焊。

3.填充焊

填充层在 5 点钟至 7 点钟的仰焊位置,焊丝应作适当的横向摆动,以获得平或微凸的焊道。2 点钟至 4 点钟、8 点钟至 10 点钟的立焊缝应基本与母材平齐,必要时应增加一道立填焊;10 点钟至 2 点钟、5 点钟至 7 点钟的焊缝,应保留 1.5~2.5 mm 的坡口余量,有利于盖面焊缝成形。

4.盖面焊

盖面焊时,可采用轻微的横向摆动来改善焊道边缘的熔合情况,使电弧始终保持在熔池的前端。在 5 点钟至 6 点钟、7 点钟至 6 点钟的仰焊位置可增大焊丝干伸长,用电弧推动熔池前行,以获得较薄的焊层,避免仰焊部位余高超高;并适当增大焊丝的横向摆动幅度,在坡口两侧稍加停顿,避免点状单边未熔合的情况出现。

习　题

一、名词解释

1.氩弧焊　2.焊接速度　3.CO_2 气体保护电弧焊　4.电渣焊　5.螺柱焊

二、判断题

1.低碳钢气焊应采用碳化焰。　　　　　　　　　　　　　　　　　　　（　）

2.焊接电流增大,焊缝熔透深度和焊缝宽度增大,而余高减小。　　　　（　）

3.电渣焊主要适用于厚度较大的焊缝和某些曲线和曲面焊缝。　　　　（　）

4.熔化极氩弧焊又称 TIG 焊。　　　　　　　　　　　　　　　　　　（　）

5. 熔化极氩弧焊可采用直流或交流电源。 （　　）

6. CO_2 气体保护焊比较明显的缺点是飞溅大。 （　　）

7. CO_2 气体保护焊时应先通气后引弧。 （　　）

8. 电渣焊时,焊件一律不开坡口。 （　　）

9. CO_2 气体保护焊生产率高的原因是可以采用较粗的焊丝,因而相应使用了较大电流的缘故。 （　　）

10. 药芯焊丝 CO_2 气体保护焊属于气体保护焊。 （　　）

三、选择题

1. 手工钨极氩弧焊焊接速度增大时,焊缝的余高以及焊缝宽度都相应（　　）。随着电弧长度的增大,电弧电压（　　）,焊缝宽度会（　　）,而焊透深度（　　）。
　　A. 增大　　　　　　　　B. 减小　　　　　　　　C. 不变

2. 目前用来焊接铝及铝合金的方法中,较好的是（　　）。
　　A. 手弧焊　　　　　B. 埋弧焊　　　　C. CO_2 气体保护焊　　D. 氩弧焊

3. 钨极氩弧焊时,氩气的流量大小决定于（　　）。
　　A. 焊件厚度　　　　　　　　　　B. 焊丝直径
　　C. 喷嘴直径　　　　　　　　　　D. 焊接速度

4. 钨极氩弧焊引弧前必须提前送气,其目的是（　　）。
　　A. 减少钨极烧损　　　　　　　　B. 保护焊接区域
　　C. 消除高频的有害影响　　　　　D. 提高焊接生产率

5. 钨极氩弧焊喷嘴常用的材料是（　　）。
　　A. 铝合金　　　　B. 不锈钢　　　　C. 陶瓷　　　　D. 铜

6. 钨极氩弧焊采用直流小电流焊接时,钨极可以磨成（　　）。
　　A. 尖锥形　　　　B. 圆珠形　　　　C. 圆台形　　　　D. 平底形

7. 细丝 CO_2 气体保护焊时,熔滴应采用（　　）过渡形式。
　　A. 短路　　　　B. 颗粒状　　　　C. 喷射　　　　D. 滴状

8. 药芯焊丝 CO_2 气体保护焊属于（　　）。
　　A. 气保护　　　B. 气渣联合保护　　C. 渣保护　　D. 自动隔氧保护

9. 钨极氩弧焊的代表符号是（　　）。
　　A. TIG　　　　B. MIG　　　　C. MAG　　　　D. PMIG

10. 熔化极氩弧焊的特点是（　　）。
　　A. 不能焊铜及铜合金　　　　　　B. 用钨极作电极
　　C. 可采用高密度电流　　　　　　D. 焊件变形比 TIG 焊大

11. 氩气和氧气的混合气体用于焊接低碳钢及合金钢时,氧气的含量可达（　　）。
　　A. 10%　　　　B. 20%　　　　C. 30%　　　　D. 35%

四、填空题

1. 焊条电弧焊引弧一般有＿＿＿＿＿和＿＿＿＿＿两种。

2. 根据采用电极的形状和是否固定,电渣焊主要分为＿＿＿、＿＿＿、＿＿＿。

3. 焊条运动的三个方向的基本动作是_____、_____、_____。

4. 常用的焊缝收尾方法有_____、_____、_____。

5. 单面焊双面成形主要是指打底焊道的焊接操作方法,可采用_____和_____焊法。

6. 焊条电弧焊的焊接参数通常包括_____、_____、_____、_____、_____和_____等内容。

7. CO_2 气体保护焊时,所用 CO_2 气体的纯度不得低于_____。

8. CO_2 气体保护焊时,为了减少飞溅,保持电弧的稳定,焊接电源采用_____。

9. 电渣焊焊接过程中,有时发现成型滑块从焊件边缘被挤开的现象,这是由于熔渣的_____过大造成的。

10. 电渣焊时,当滑块与焊件贴合不紧密时,应用_____堵塞。

11. 电渣焊采用的热源是_____。

12. _____螺柱焊常用于焊接标牌、电子仪表盘、汽车仪表盘等薄件上的紧固件。

13. 目前长输管道国内外所采用的主要焊接工艺方法有:_____、_____,以及_____。

五、问答题

1. 锅炉、压力容器、压力管道常用的焊接方法有哪些?

2. 焊条电弧焊的特点有哪几方面?

3. 简述焊条电弧焊的收弧方法。

4. 手工钨极氩弧焊的特点是什么?

5. 简述埋弧焊的工作原理和特点。

6. 简述 CO_2 气体保护焊的特点及应用范围。

7. 电渣焊有什么特点?

8. 简述手工下向焊焊接工艺方法。

第八章 焊缝与接头形式及其表示方法

第一节 焊缝形式与接头形式

一、焊缝形式

焊缝是指焊件经焊接后形成的结合部分,它是构成焊接接头的主体。

根据用途不同,焊缝可分为定位焊缝、承载焊缝、非承载焊缝和密封焊缝;根据位置和方向不同,可分为连续焊缝、断续焊缝、纵向焊缝、横向焊缝、环形焊缝、螺旋形焊缝等。

焊缝形式主要是指由坡口和接头的结构形式而形成的焊缝连接方式。一般可分为对接焊缝和角焊缝、塞焊缝、端接焊缝、点焊缝(缝焊缝)。

(一)对接焊缝

对接焊缝是在焊件的坡口面间或一焊件的坡口面与另一焊件表面间焊接的焊缝。对接焊缝可以在平板之间、管子之间、管与板之间焊接形成。此类焊缝多用在结构的主要受力部位。

(二)角焊缝

角焊缝是沿两直交或近直交焊件的交线所焊接的焊缝。

角焊缝同样可以在板之间、管之间及管与板之间形成。

(三)塞焊缝

塞焊缝是两焊件相叠,其中一块开有圆孔,然后在圆孔中焊接所形成的填满圆孔的焊缝。

此类焊缝如果在一薄一厚的两种材质的钢板上焊接成形,可做为复合板材使用。

如果开的孔比较大,或开成其他形状的孔;焊接时不填满开孔,只焊其边缘,即形成角焊缝形式。

(四)端接焊缝

端接焊缝是两焊件重叠或张开 0°~30°角在其端部焊接形成的焊缝。

二、接头形式

焊接接头形式主要是由相焊的两焊件相对位置所决定的。可分为对接接头、T形接头、十字接头、搭接接头、角接接头、端接头、套管接头、卷边接头等。焊缝与接头形式如表 8-1 所示。

表 8-1　焊缝与接头形式

序号	简图	坡口形式	接头形式	焊缝形式	序号	简图	坡口形式	接头形式	焊缝形式
1		I形	对接接头	对接焊缝	14		单边V形(带钝边)	对接接头	对接和角接的组合焊缝
2		I形	对接接头	对接焊缝	15		单边V形(带钝边)	对接接头	对接和角接的组合焊缝
3		I形(有间隙带垫板)	对接接头	对接焊缝	16		单边V形	T形接头	对接焊缝
4		I形	对接接头	对接焊缝(双面焊)	17		I形	T形接头	角焊缝
5		V形(带钝边)	对接接头	对接焊缝	18		K形	T形接头	对接焊缝
6		V形(带垫板)	对接接头	对接焊缝	19		K形	T形接头	对接和角接的组合焊缝
7		V形(带钝边)	对接接头	对接焊缝(有根部焊道)	20		K形(带钝边)	T形接头	对接焊缝
8		X形(带钝边)	对接接头	对接焊缝	21		单边V形	T形接头	对接焊缝
9		V形(带钝边)	对接接头	对接焊缝和角焊缝	22		K形	十字接头	对接焊缝
10		X形(带钝边)	对接接头	对接焊缝	23		I形	十字接头	角焊缝
11		I形	对接接头	角焊缝	24		I形	搭接接头	角焊缝
12		单边V形(带钝边)	对接接头	对接焊缝	25		—	塞焊搭接接头	塞焊缝
13		单边V形(带钝边、厚板削薄)	对接接头	对接焊缝	26		—	槽焊搭接接头	角焊缝

· 108 ·

序号	简 图	坡口形式	接头形式	焊缝形式	序号	简 图	坡口形式	接头形式	焊缝形式
27		单边V形(带钝边)	角接接头	对接焊缝	35		U形(带钝边)	对接接头	对接焊缝
28	>30° <150°	—	角接接头	角焊缝	36		双U形(带钝边)	对接接头	对接焊缝
29		—	角接接头	角焊缝	37	A B	J形(带钝边)	T形接头(A)对接接头(B)	对接焊缝
30		—	角接接头	角焊缝	38	A B	双J形	T形接头(A)对接接头(B)	对接焊缝
31	0°~30°	—	端接接头	端接焊缝	39			锁底接头	对接焊缝
32		—	套管接头	角焊缝	40			喇叭形	
33		—	斜对接接头	对接焊缝	41		—	点焊搭接接头	点焊缝
34		—	卷边接头	对接焊缝	42		—	缝焊搭接接头	缝焊缝

(一)对接接头

对接接头是两焊件端面相对平行的接头。

在对接接头中,还有两种较为特殊的形式,一是斜对接接头,这种接头的焊缝在焊件平面上倾斜布置(一般为 45°),这种焊缝一般在型材对接时,为改善受力状况而采用;二是锁底对接接头,这种接头是带垫板对接形式的改变,便于安装。

(二)角接接头

角接接头是两焊件端面间构成大于 30°、小于 135°夹角的接头。

(三)T 形接头

T 形接头是一焊件端面与另一焊件表面构成直角或近似直角的接头。

(四)十字接头

十字接头是三个焊件装配成"十字"形成的接头。

(五)搭接接头

搭接接头是两焊件部分重叠构成的接头。

(六)端接接头

端接接头是两焊件重叠放置或两焊件表面之间的夹角不大于30°构成的端部接头。

(七)卷边接头

卷边接头是焊件端部预先卷边的接头,焊后卷边只是部分熔化的接头。

(八)套管接头

套管接头是将一根直径稍大的短管套于需要被连接的两根管子的端部构成的接头。

从上述焊缝形式和接头形式上可以看出,同是对接焊缝形式,可以是对接接头,也可以是T形接头或十字接头形式;同是角焊缝形式,有对接接头、十字接头、搭接接头、套管接头等不同的接头形式。

焊缝接头的设计,主要是根据工作条件、结构状况确定接头形式、坡口形式和尺寸以及焊缝尺寸。

接头形式一般根据焊缝在结构中的受力状态及部位选择。对接接头和对接焊缝能承受较大的静载荷和动载荷,在结构中是常用的接头和焊缝形式;T形接头在焊接结构中也是较常用的,但是整个接头承受载荷、特别是承受动载荷的能力较对接接头差,一般在受力部位的T形接头多采用对接焊缝形式;角接接头一般用在不太重要的焊接结构或连接焊缝中;搭接接头强度较低,在锅炉压力容器的主体焊接接头中不准采用。卷边接头一般应用在薄板焊件上,可不填加焊接材料;其他一些接头一般在特殊情况下使用。

第二节　焊缝代号

焊缝代号是把在图样上用技术制图方法所表示的焊缝的基本形式和尺寸采用一些符号来表示的方法,不但能明确地表示所要说明的焊缝形式、坡口尺寸,而且能表示出焊接方法,同时不使图样增加过多的注解。焊缝代号的表示符号可以表示出以下一些内容:①所焊焊缝的位置;②焊缝横截面形状(坡口形状)及坡口尺寸;③焊缝表面形状特征;④表示焊缝某些特征或其他要求。

一、焊缝符号

(一)基本符号

基本符号是表示焊缝横截面(坡口)形状的符号,如表8-2所示。

(二)辅助符号

辅助符号是表示焊缝表面形状特征的符号,如表8-3所示。不需确切说明焊缝的表面形状时,一般可不用辅助符号。

辅助符号应用示例如表8-4所示。

(三)补充符号

补充符号是为了补充说明焊缝的某些特征而采用的符号,如表8-5所示。

补充符号的应用示例如表8-6所示。

表 8-2　基本符号

序号	名称	示意图	符号
1	卷边焊缝 （卷边完全熔化）		 八
2	I 形焊缝		‖
3	V 形焊缝		∨
4	单边 V 形焊缝		∨
5	带钝边 V 形焊缝		Y
6	带钝边单边 V 形焊缝		 ⊬
7	带钝边 U 形焊缝		 Y
8	带钝边 J 形焊缝		 ⊬
9	封底焊缝	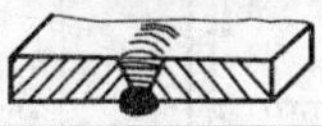	⌣
10	角焊缝		◿

表 8-3　辅助符号

序号	名称	示意图	符号	说明
1	平面符号		—	焊缝表面齐平 （一般通过加工）
2	凹面符号	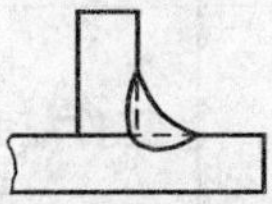	⌒	焊缝表面凹陷
3	凸面符号		⌢	焊缝表面凸起

表 8-4　辅助符号的应用示例

名称	示意图	符号
平面 V 形对接焊缝		▽
凸面 X 形对接焊缝		⨝
凹面角焊缝		◣
平面封底 V 形焊缝		⩔

表 8-5　补充符号

序号	名称	示意图	符号	说明
1	带垫板符号		▭	表示焊缝底部有垫板
2	三面焊缝符号		⊏	表示三面带有焊缝
3	周围焊缝符号		○	表示环绕工件周围焊缝
4	现场符号		◤	表示在现场或工地上进行焊接
5	尾部符号		<	可参照 GB 5185 标注焊缝工艺方法等内容

表 8-6　补充符号应用示例

示意图	标注示例	说明
		表示 V 形焊缝的背面底部有垫板
		工件三面带有焊缝,焊接方法为手工电弧焊
		表示在现场沿工件周围施焊

· 112 ·

二、符号在图样上的表示方法

完整的焊缝代号表示方法除了基本符号、辅助符号、补充符号以外,还包括指引线、尺寸符号及数据。

(一)指引线

指引线一般由带有箭头的指引线(即箭头线)和两条基准线(一条为实线,另一条为虚线)两部分组成,如图 8-1 所示。

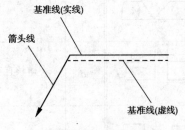

图 8-1　指引线

(二)在图样上符号的表示方法

(1)箭头线指向图样上的焊缝位置,在图上不好标注时,箭头线可弯折一次。

(2)基本符号标在基准线中部位置。如果箭头线指向焊缝开坡口一侧(单面坡口),则基本符号画在基准线实线一侧;如果箭头线指向焊缝开坡口的背面(单面坡口),则基本符号画在基准线虚线一侧;如果是双面坡口的焊缝,基准线可不加虚线。

(3)焊缝尺寸及数据的标注原则如图 8-2 所示;焊缝尺寸符号如表 8-7 所示。焊缝横截面上的尺寸标在基本符号的左侧;焊缝长度方向标在基本符号的右侧;坡口角度、坡口面角度、根部间隙等尺寸标在基本符号的上侧或下侧;相同焊缝数量符号及焊接方法标在尾部;当需要标注的尺寸数据较多又不易分辨时,可在数据前面增加相应的尺寸符号。在箭头线方向发生变化时,上述原则不变。

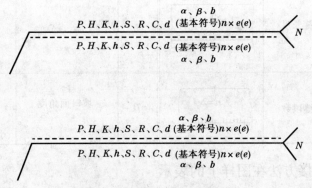

图 8-2　焊缝尺寸的标注原则

表 8-7　焊缝尺寸符号

符号	名称	示意图	符号	名称	示意图
δ	工件厚度		e	焊缝间距	
α	坡口角度		k	焊角尺寸	
b	根部间隙		d	熔核直径	
p	钝边厚度		S	焊缝有效厚度	
c	焊缝宽度		N	相同焊缝数量符号	
R	根部半径		H	坡口深度	
l	焊缝长度		h	余　高	
n	焊缝段数		β	坡口面角度	

三、常用焊接方法在图样上的表示

(1)各种焊接方法采用数字代号时,标注在指引线的尾部。

常用焊接方法和数字代号如表 8-8 所示。

表 8-8 焊接方法的数字代号

类别	代号	焊接方法
1		电弧焊
	111	手弧焊
	12	埋弧焊
	121	丝极埋弧焊
	122	带极埋弧焊
	13	熔化极气体保护电弧焊
	131	MIG 焊:熔化极惰性气体保护焊(含熔化极氩弧焊)
	135	MAG 焊:熔化极非惰性气体保护层(含二氧化碳气体保护焊)
	14	非熔化极气体保护焊
	141	TIG 焊:钨极惰性气体保护焊(含钨极氩弧焊)
	15	等离子弧焊
2		电阻焊
	25	电阻对焊
3		气焊
	311	氧—乙炔焊
4		压焊
	42	摩擦焊
7		其他焊接方法
9		钎焊

(2)如果是组合焊接方法,可用"/"分开,左侧数字表示正面(或盖面)的焊接方法,右侧数字表示背面(或打底)焊接方法,如图 8-3 所示。

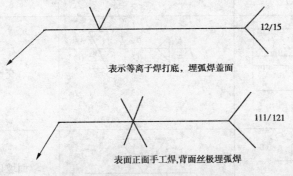

图 8-3 在图样上组合焊接方法的表示

第三节　焊缝的图样识别

一、在图样上识别焊缝的原则

在图样上识别焊缝的原则如下：

(1)根据箭头线的指引方向了解焊缝在焊件上的位置。

(2)看图样上焊件的结构形式识别出接头形式。

(3)通过基本符号可以识别焊缝(即焊的坡口)形式。

(4)在基本符号的上(下)方有坡口角度及对接间隙。

二、焊缝的图样识别示例

焊缝图样识别示例如表 8-9 所示。

表 8-9　焊缝图样识别示例

焊缝形式	图样代号	说明
		单面坡口对接焊缝
		不开坡口,双面对接焊缝
		单边角焊缝
		交错双面角焊缝
		单面坡口带垫板对接焊缝 要求焊缝表面平

焊缝形式	图样代号	说明
		单面坡口带封底对接焊缝
		对称 X 型坡口双面对接焊缝
		不对称 X 型坡口双面对接焊缝

习 题

一、名词解释

1.对接焊缝　2.角焊缝　3.焊缝代号　4.坡口

二、判断题

1.在结构中最常用的接头和焊缝形式是对接接头和对接焊缝。　　　（　）

2.在锅炉压力容器的主体焊接接头中不准采用搭接接头。　　　　　（　）

3.钝边的作用是防止接头根部焊穿。　　　　　　　　　　　　　　（　）

4.凡是不等厚度钢板对接焊时,厚板均应进行削薄处理。　　　　　（　）

5.留钝边的目的是防止接头根部烧穿。　　　　　　　　　　　　　（　）

三、选择题

1.一般在受力部位的 T 形接头多采用(　　)焊缝形式。

　　A.对接　　　　　　B.角接　　　　　　C.T 形　　　　　　D.搭接

2.在锅炉压力容器的主体焊接接头中不准采用(　　)接头。

　　A.T 形　　　　　　B.十字　　　　　　C.卷边　　　　　　D.搭接

3.综合机械性能最好的接头是(　　)。

A.对接接头　　　　B.角接接头　　　　C.T型接头　　　　D.搭接接头

4.焊接接头(　　)的作用是保护焊透。

A.根部预留钝边　　B.根部预留间隙　　C.根部放垫板　　D.钝边应大些

5.下列坡口形式比较容易加工的是(　　)。

A.V形　　　　　　B.U形　　　　　　C.双U形　　　　　D.X形

6.焊接接头是指(　　)。

A.焊缝　　　　　　　　　　　　　　B.焊缝和热影响区

C.焊缝和熔合区　　　　　　　　　　D.焊缝、熔合区和热影响区

7.在(　　)中,由熔化的母材和填充金属组成的部分叫焊缝。

A.熔合区　　　　　B.热影响区　　　　C.焊接接头　　　　D.正火区

8.超出母材表面连线上面的那部分焊缝金属的最大高度叫做(　　)。

A.钝边　　　　　　B.间隙　　　　　　C.余高　　　　　　D.坡口角度

9.在下面几个符号中,封底焊缝的符号为(　　)。

A.○　　　　　　　B.▭　　　　　　　C.⌒　　　　　　　D.⌣

10.在焊缝基本符号的上侧或下侧应标注(　　)

A.钝边　　　　　　B.焊件厚度　　　　C.焊缝长度　　　　D.坡口角度

四.填空题

1.焊缝的基本符号是表示＿＿＿＿＿的符号。辅助符号表示＿＿＿＿＿＿＿的符号。补充符号是＿＿＿＿＿＿＿＿＿＿＿＿＿＿＿＿的符号。

2.填写以下焊缝尺寸符号的含义:

δ ＿＿＿＿　α ＿＿＿　b ＿＿＿　p ＿＿＿＿　c ＿＿＿＿　R ＿＿＿

l ＿＿＿　e ＿＿＿　S ＿＿＿　H ＿＿＿　h ＿＿＿＿　β ＿＿＿

3.焊缝代号能表示焊缝的＿＿＿＿＿＿＿＿＿、＿＿＿＿＿＿＿＿＿、＿＿＿＿＿＿＿＿＿。

4.不同厚度的钢板对接,进行环缝焊接时,应对厚板进行＿＿＿＿＿＿＿＿。

5.在焊接接头的横截面上,母材或前道焊缝熔化的深度叫做＿＿＿＿＿＿＿。

五.问答题

1.焊缝形式主要有哪几种?

2.焊接接头形式主要有哪几种?

3.请说明以下补充符号的含义。

▭　　　　　　　○　　　　　　　⚑

4.说明下面焊缝标注符号的意义。

5.开坡口的目的是什么?

第九章　焊接接头组织和性能及其影响因素

第一节　概　述

焊接过程是指从焊接开始到焊接结束形成优良(合格)接头的整个过程。焊接质量正是由焊接全过程形成的,焊接质量要依靠焊接工艺和焊接操作来保证。焊接工艺是焊接过程中的一整套技术规定,其中包括焊前准备、焊接材料、焊接设备、焊接方法、焊接顺序、焊接操作的最佳选择以及焊接处理等。焊接操作正是按照给定的焊接工艺完成焊接过程的各种动作。焊接质量是指焊接接头的质量,不能把焊接接头理解为焊缝,焊缝仅是焊接接头的一个部分,即焊件经焊接后所形成的结合部分。正确地说,焊接接头由焊缝金属、熔合区和热影响区三部分组成,如图9-1所示。

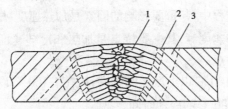

图9-1　焊接接头组成示意图

1—焊缝金属;2—熔合区 ;3—热影响区

(1)焊缝金属。由熔化的母材和填充金属组成。

(2)熔合区。焊缝金属与未熔化的母材之交界处。

(3)热影响区。紧靠焊缝金属的母材,焊接过程中,被电弧加热,其组织和性能发生变化的部位。

由于在焊接过程中焊接接头的上述三个部位受热状况不同,所以它们的化学成分、组织和性能存在着较大的差异。因此,焊接接头具有组织和性能极不均匀的特点。

焊接接头组织和性能的不均匀性主要与母材的钢种和焊接材料有关,同时也与接头形式、焊接方法、焊接参数和焊后热处理有极为重要的关系。

另外,焊接接头还容易产生各种焊接缺陷,存在焊接残余应力和应力集中等,这些都对焊接接头性能有很大的影响。

第二节　焊接热循环

焊接时焊件在加热和冷却过程中温度随时间的变化称为焊接热循环。焊件上不同位置处所经历的热循环是不同的。离焊缝越近的位置,被加热的温度越高;反之,越远的位置,被加热的温度越低。图 9-2 是热影响区靠近焊缝的某个点的热循环曲线。在焊接热循环作用下,焊接接头的组织发生变化,焊件产生应力和变形。所以,焊接热循环对焊接接头的性能及应力和变形有很大影响。

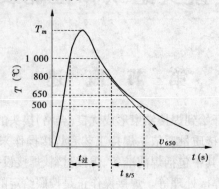

图 9-2 焊接热循环

一、焊接热循环的特点

在整个焊接热循环过程中,起重要影响的因素是加热速度、最高加热温度(T_m)、在高温加热停留时间以及冷却速度等,其主要特点是加热和冷却速度都很快。一般可用两个指标反映焊接热循环的特点:

(1)加热。加热到 1 100 ℃ 以上区域的宽度,或在 1 100 ℃ 以上停留的时间 $t_过$。

(2)冷却。800 ℃→500 ℃ 的冷却时间 $t_{8/5}$。

焊缝和热影响区的组织和性能,不仅与加热过程中达到的最高温度及高温停留时间有关,而且与焊后冷却速度的快慢有直接关系。在 1 100 ℃ 以上停留的时间越长,过热区越宽,晶粒粗化越严重,金属的塑性和韧性就越差。当钢材具有一定淬硬倾向时,冷却速度过快,可能形成淬硬组织,容易产生焊接裂纹。用 800 ℃→500 ℃ 的冷却时间 $t_{8/5}$ 可以反映出这方面的情况。此外,还常用 650 ℃ 时的冷却速度 v_{650} 或 800 ℃→300 ℃ 的冷却时间 $t_{8/3}$ 来衡量。

二、影响焊接热循环的因素

影响焊接热循环的主要因素有:焊接参数和热输入,预热和层间温度,板厚,接头形式以及材料本身的导热性能等。

(一)焊接参数和热输入

电弧焊时的焊接参数如焊接电流、电弧电压和焊接速度等,对焊接热循环有很大影响。焊接电流与电弧电压的乘积就是电弧的功率,当其他条件不变时,电弧功率越大,加热范围越大。在同样大小的电弧功率下,焊接速度不同,热循环过程也不同,焊接速度快时,加热时间短,加热范围窄,冷却得快;焊接速度慢时则相反。

热输入综合考虑了焊接电流、电弧电压和焊接速度对热循环的影响。热输入 q 是单位长度焊缝内输入的焊接热量,可用下式表示:

$$q = \frac{IU}{v}$$

式中 I——焊接电流,A;

U——电弧电压,V;

v——焊接速度,mm/s;

q——热输入,J/mm。

热输入对焊接热循环有很大影响。当热输入增大时,焊接热影响区宽度增大,加热到1 100 ℃以上温度的区域增宽,在1 100 ℃以上停留的时间增长。同时,800 ℃→500 ℃的冷却时间延长,在650 ℃时的冷却速度减慢。表9-1中列出了2种热输入时的加热和冷却情况。热输入从2 000 J/mm增加到3 840 J/mm时,在1 100 ℃以上停留的时间从5 s增加到16.5 s,而650 ℃时的冷却速度从14 ℃/s降低到4.4 ℃/s。

表 9-1 热输入和预热温度对焊接热循环的影响

热输入(J/mm)	预热温度(℃)	1 100 ℃以上停留时间(s)	650 ℃时的冷却速度(℃/s)
2 000	27	5	14
3 840	27	16.5	4.4
2 000	260	5	4.4
3 840	260	17	4.4

不同焊接方法的热输入范围也有很大差别,表9-2中列举了几种焊接方法在典型焊接参数下的热输入。可以看出,埋弧焊时热输入最大,焊条电弧焊次之,手工钨极氩弧焊的热输入最小。

表 9-2 不同焊接方法时的热输入

焊接方法	焊接电流 (A)	电弧电压 (V)	焊接速度 (mm/s)	热输入 (J/mm)
焊条电弧焊	180	24	2.5	1 720
手工钨极氩弧焊	160	11	2.5	700
埋弧焊	700	38	6.6	3 190

生产中根据钢材成分等,在保证焊缝成形良好的前提下,适当调节焊接参数,以合适的热输入焊接,可以保证焊接接头具有良好性能。工件装配点固焊接时,由于点固焊缝长度短,截面积小,冷却速度快,较易开裂,一般应采用较大焊接电流,较慢焊接速度进行点固焊接,可以防止开裂。采用这种措施,除增大点固焊缝的截面积外,也增大了焊接热输入,使650 ℃时的冷却速度降低,减小了焊缝和热影响区的淬硬程度,从而减小了裂纹倾向。虽然增大热输入可以降低焊后冷却速度,但热输入增大会使热影响区增宽,使1 100 ℃以上停留时间增长,对于焊接接头的塑性和韧性是不利的。因此,焊接低温钢和强度等级较高的低合金钢,应严格控制热输入,才能保证焊接接头的性能。经验表明,碳当量大于0.4%的

低合金钢,热输入就应加以控制。

(二)预热和层间温度

焊接有淬硬倾向的钢材时,往往焊前需要预热。预热的主要目的是为了降低焊缝和热影响区的冷却速度,减小淬硬倾向,防止冷裂纹。合理的预热还可以改善焊接接头的塑性,减小焊后残余应力。

从表9-1可以看出,热输入同样为2 000 J/mm时,不预热焊接的650 ℃的冷却速度为14 ℃/s,预热260 ℃后焊接,冷却速度可以降低到4.4 ℃/s。与此同时,在1 100 ℃以上停留时间保证不变,预热与不预热一样都是5 s。说明预热可以降低冷却速度,但又基本上不增加1 100 ℃以上停留时间。预热对焊接热循环的这种有利影响是十分理想的。所以,焊接具有淬硬倾向的钢材时,降低冷却速度、减小淬硬倾向的主要工艺措施是进行预热,而不是增大热输入。

层间温度是指多层多道时,后一层(道)焊缝焊接前,前层(道)焊缝的最低温度。对于要求预热焊接的钢材,一般层间温度应等于或略高于预热温度。控制层间温度也是为了降低冷却速度,并可促使扩散氢逸出焊接区,有利于防止产生裂纹。对于某些钢材,如低温钢等,为了防止晶粒长大,性能恶化,也应控制层间温度不宜过高。

(三)其他因素的影响

除热输入、预热温度和层间温度对焊接循环有很大影响外,板厚、接头形式和材料的导热性等也有影响。

板厚增大时,冷却速度增大,高温停留时间减小。角焊缝比对接焊缝的冷却速度大,例如,当板厚均为12 mm,角焊缝的冷却速度是对接焊缝的3～4倍。

第三节 焊缝金属的组织和性能

焊接过程中,当热源移动离开熔池以后,熔池金属便开始冷却凝固形成焊缝。焊接熔池从液态向固态的转变过程称为焊接熔池的一次结晶。焊接熔池凝固以后,焊缝金属从高温冷却到室温还会发生固态相变,产生不同的组织。焊缝金属的固态相变过程称为焊缝金属的二次结晶,焊接过程中的许多缺欠,如气孔、裂纹和夹渣等都是在熔池的一次结晶过程中产生的。

一、焊缝金属的一次结晶组织特征

焊接熔池中的液体金属在凝固时,通常首先在熔池边缘熔合区母材晶料上,沿着与散热相反的方向以柱状形态向焊接熔池中心生长,直到相互阻碍时停止,即焊缝金属晶粒为柱状晶。但在一定条件下,焊缝中心也会出现等轴晶。熔合区母材晶粒表面上成长的柱状晶如图9-3所示。

二、焊缝中的偏析

由于焊缝金属的结晶冷却速度很快,通常使焊接熔池中液体金属的一次结晶都是在不平衡的冷却条件下进行的,在每一结晶温度下,固相金属的成分来不及趋于一致,而在

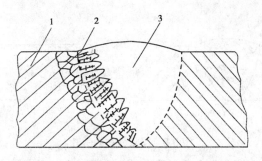

图 9-3 熔合区母材晶粒表面上成长的柱状晶

1—母材;2—熔合区;3—焊缝金属

相当大的程度上保持着由于结晶先后而产生的成分不均匀性,这种合金元素分布不均匀的现象称为偏析现象。焊缝中的偏析有以下三种。

(一)显微偏析

熔池结晶时,最先结晶的结晶中心的金属最纯,而后结晶的部分含合金元素和杂质略高,最后结晶的部分,即晶粒的外端和前端,含合金元素和杂质就更高。因此,在一个晶粒内部和晶粒之间的化学成分是不均匀的,这种现象称为显微偏析。

对于高碳钢和合金钢,因其结晶区间大,显微偏析现象就严重,常常会因此引起热裂纹,所以焊后常需进行扩散及细化晶粒的热处理,以消除显微偏析现象。

(二)区域偏析

熔池结晶时,由于柱状晶体的不断长大和推移,会把杂质"赶"向熔池中心,这样熔池中心的杂质含量比其他部位高,这种现象称为区域偏析。

焊缝的断面形状对区域偏析的分布有很大的影响,焊缝形状系数小即窄而深的焊缝各柱状晶在焊缝中心相交,如图 9-4(a)所示,因此便有较多的低熔点共晶和杂质聚集在焊缝中心,形成一个脆弱面,这时在焊缝中心极易产生热裂纹。焊缝形状系数大即宽而浅的低熔点共晶和杂质便聚集在焊缝的上部,如图 9-4(b)所示,这种焊缝便具有较高的抗热裂纹能力。

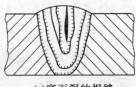
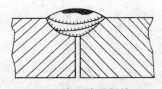

(a)窄而深的焊缝   (b)宽而浅的焊缝

图 9-4 焊缝形状与杂质分布的关系

(三)层状偏析

焊接熔池始终是处于气流和熔滴金属的脉动作用下,所以无论是金属的流动或是热量供应和传递都具有脉动的性质。这就可能使晶体的成长速度出现周期性的增加和减少,就会出现结晶前沿液体金属中杂质浓度的波动,形成周期性的偏析现象,称为层状偏析。

层状偏析常集中了一些有害的元素,因而缺欠也往往出现在偏析层中。图 9-5 是由层状偏析所造成的气孔。

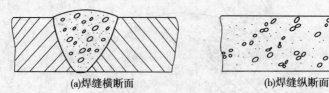

(a)焊缝横断面   (b)焊缝纵断面

图9-5   层状分布的气孔

　　焊接时,由于熔池连续存在杂质的聚集,以及断弧点的熔池中搅拌不够强烈等因素,常在弧坑外含有较多量的杂质,出现较为严重的"弧坑"偏析现象。弧坑偏析容易在弧坑处引起裂纹,即"弧坑"裂纹。

三、焊缝金属中的气体及其影响

(一) 焊缝金属中的氢

　　焊缝中的氢主要来自焊条和焊剂中吸附的水分,空气及焊件坡口表面的水蒸气、铁锈和油污等。它们在电弧高温作用下,分解出原子态氢而溶入到焊接熔池中。

　　氢在铁中的溶解度如图9-6所示,熔融的液态金属对氢的溶解度是很高的。当电弧离开,温度下降,溶解度降低。熔池结晶时,氢的溶解度突然下降,使氢在焊缝中处于过饱和状态。一部分氢原子转变为氢分子向外逸出。由于焊接时冷却速度很大,当氢来不及逸出时,便留在焊缝内形成气孔。另一部分氢原子溶解于焊缝金属中,称为固溶氢,其余的称为扩散氢。当温度进一步下降,固溶氢减少,扩散氢增加。由于氢原子半径很小,在常温时也能在金属晶格中自由扩散,因此过饱和状态的扩散氢,一部分扩散至焊缝金属的外表面而外逸到大气中,另一部分扩散到焊缝金属内部的空隙中而浓集起来,还有一部分则扩散到熔合区和热影响区。

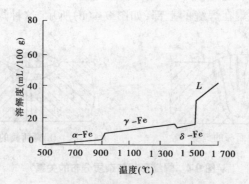

图9-6   氢在铁中的溶解度

　　残存在焊缝金属中的氢会形成氢气孔和白点,更严重的是造成氢脆,使焊缝金属的塑性明显下降。在一定的条件下,氢是产生冷裂纹的主要原因之一。

(二) 焊缝中的氧

　　焊缝中的氧主要来源于大气、焊条、焊剂和钢材中的氧及氧化物。

　　氧在金属中的溶解和逸出,与氢的情况大同小异。高温时,氧在铁中的溶解度很大,随着温度的降低,氧的溶解度急剧减小。通常焊缝中的含氧量远远超过室温时的溶解度,而超过固溶限度的氧多以氧化铁夹杂物和硅酸盐夹杂物的形式存在于焊缝金属中,使焊缝金属的强度和塑性下降;焊缝金属中的氧易形成不溶于金属的一氧化碳和水蒸气,结晶过程中来不及逸出,就会产生气孔;氧易引起飞溅,影响焊接过程的稳定性。

(三)焊缝中的氮

焊缝金属中的氮主要来源于大气和原材料。焊接时,若熔池保护不好,会从大气中吸收较多的氮。氮在铁中的溶解度随着温度的降低而减少,从液相向固相转变时,溶解度急剧下降,室温时,溶解度很低。

焊接时,由于熔池的冷却速度很大,迅速凝固,超过溶解度的氮来不及逸出熔池,也会形成气孔。

对于低碳钢,由于不含能与氮形成稳定氮化物的元素,室温下经过一段时间,过饱和的氮以 Fe_4N 形式析出,Fe_4N 呈针状,是一种硬而脆的化合物,使焊缝金属的强度提高,塑性和韧性急剧下降,使焊缝脆化,这种现象称为时效脆性。

对于低合金钢和合金钢焊缝,由于含有铬、钨、铝、钒、钛和铌等元素,这些元素与氮的亲和力强,能形成非常稳定的氮化物,这些稳定的氮化物,将以弥散状态分布于焊缝中,不仅消除了时效脆性,而且具有细化晶粒的作用,并可提高钢的强度、塑性和韧性。

四、焊缝中的夹杂物

熔池在结晶过程中凝固较快,一些非金属夹杂物在结晶过程中来不及浮出而残留在焊缝内部,形成夹渣。

焊缝中的夹杂物主要有氧化物,如 SiO_2、MnO、TiO 和 Al_2O_3 等。一般多以硅酸盐的形式存在,是在焊缝中引起热裂纹的原因之一。另外还有硫化物,如 MnS 和 FeS,FeS 也是焊缝形成热裂纹的主要因素之一。

五、焊缝金属的二次结晶组织和性能

焊缝金属冷却到室温时,二次结晶组织主要取决于填充金属的化学成分,对于低碳钢来说,焊缝金属组织为铁素体和珠光体。由于焊缝的冷却速度很大,有时可能产生魏氏组织。而晶粒的粗细与焊缝金属的性能有很大关系,粗大柱状晶的塑性和韧性差,细小柱状晶的塑性和韧性好。

第四节　熔合区和热影响区的组织和性能

一、熔合区的组织和性能

焊接接头中,焊缝向热影响区过渡的区域称为熔合区。温度在液相线和固相线之间,是一个很窄的区域,其化学成分与组织有很大的不均匀性,靠近母材一侧为过热组织,晶粒粗大,塑性和韧性下降,成为焊接接头中的薄弱环节。

对于异种焊接,熔合区来不及进行碳和合金元素的互相扩散,成分和组织的差异就更

大,产生不利的组织带。

二、热影响区的组织和性能

热影响区的组织和性能与所焊母材的钢种和焊接热循环有关。不同钢种在不同的焊接热循环作用下,热影响区的组织有很大差别,对性能的影响也不相同。

(一) 不易淬火钢的热影响区的组织和性能

图 9-7(a)为焊接接头上各点在焊接过程中被加热到的最高温度分布,图 9-7(b)为铁碳平衡图,其纵坐标均为温度坐标,所以把图中(a)、(b)对照起来,就可以判断焊接接头的热影响区上各点在焊接加热时发生的变化和冷却到室温时的组织。

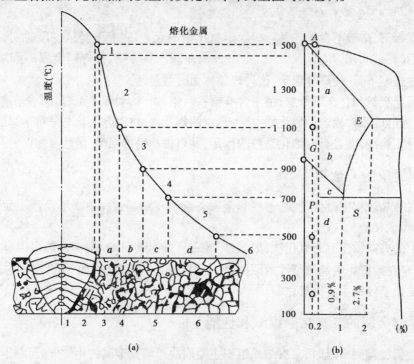

图 9-7 不易淬火钢的热影响区

a—过热区;b—正火区;c—不完全重结晶区;d—再结晶区

以含碳量为 0.2% 的低碳钢为例,可以把热影响区分为过热区、正火区、不完全重结晶区和再结晶区。

(1)过热区。加热温度在 1 100 ℃ 到固相线之间,由于加热温度大大超过了相变温度,奥氏体晶粒急剧长大,冷却时,成为晶粒粗大的过热组织即晶粒粗大的铁素体和珠光体,其塑性和韧性大大降低。

(2)正火区。加热温度在 A_{c3} 以上至 1 100 ℃,高温时为晶粒细小的奥氏体,冷却时得到细小晶粒的铁素体和珠光体,其机械性能略高于母材。

(3)不完全重结晶区。加热温度在 $A_{c1} \sim A_{c3}$ 之间,高温时为奥氏体和铁素体,冷却时为细小晶粒的铁素体和珠光体及粗大晶粒的铁素体。所以在这个区的组织中,其晶粒粗细不均匀,其性能与母材没有显著的差别。

(4)再结晶区。加热温度在 450℃～A_{c1} 之间,对于焊前经过冷塑性变形的母材,由于冷塑性变形而破碎的晶粒发生了再结晶,重新成长为完整的晶粒,使金属的塑性稍有改善。

(二)易淬火钢热影响区的性能

对于含碳或合金元素较多的高强钢,焊后有淬火倾向,热影响区将出现马氏体组织,其硬度高,脆性大,焊后易产生冷裂纹。

不易淬火钢和易淬火钢,焊后热影响区的组织对照情况如图 9-8 所示。

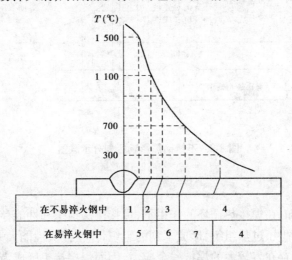

图 9-8 合金钢的热影响区
1—过热区;2—正火区;3—不完全重结晶区;4—母材;
5—淬火区;6—不完全淬火区;7—回火区

易淬火钢热影响区的组织可分为:淬火区、不完全淬火区和回火区。

(1)淬火区。加热温度在 A_{c3} 以上,焊后冷却时得到马氏体,性能为硬而脆,容易产生裂纹。

(2)不完全淬火区。加热温度在 A_{c1}～A_{c3} 之间,焊后冷却时得到马氏体和铁素体组织,故称为不完全淬火区。

(3)回火区。加热温度在 A_{c1} 以下,其组织与焊前母材的状况有关:①焊前母材为退火状态,焊后组织不变;②焊前母材为淬火状态,焊后得到回火组织;③焊前母材为调质状态,组织和性能决定于焊前的回火温度。

(三)奥氏体不锈钢热影响区的性能

奥氏体不锈钢热影响区分为过热区和敏化区,如图 9-9 所示。

(1)过热区。加热温度在 1 100 ℃到固相线之间,加热时晶粒长大了,冷却后为晶粒粗大的奥氏体,其塑性和韧性下降。

(2)敏化区。加热温度在 450～850 ℃之间,在该温度区间,停留一定时间后,奥氏体不锈钢中的碳和铬在晶粒上形成碳化铬,使奥氏体晶界处局部贫铬,因此奥氏体不锈钢丧

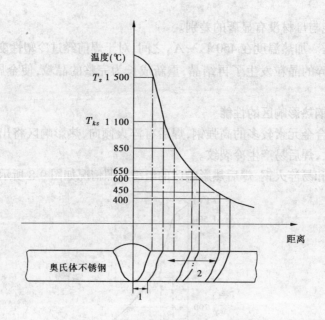

图9-9 不锈钢热影响区划分示意图
1—过热区;2—敏化区

失抗晶间腐蚀能力。

由以上分析可知,在焊接热循环的作用下,焊接接头组织和性能存在着极大的不均匀性,由于在接头区产生了过热组织,形成不利的组织带,使接头性能大大下降,加之该区容易产生焊接缺欠,并存在着较大的焊接残余应力,因而焊接接头区成为焊接结构中的一个薄弱环节。

第五节 影响焊接接头性能的因素

各种产品使用的工作条件和环境不同,要求其焊接接头也应具有相应的性能,这些性能主要有常温、高温和低温下的强度、塑性、韧性、疲劳性能、抗腐蚀性能和抗氧化性能等。

一、焊接材料的选择

对于低碳钢和低合金高强钢按等强原则选择焊接材料。

对于强度级别高或接头刚性大的结构,应选用抗裂性能好的低氢型焊接材料。

对于不等强度级别钢的焊接,应选用与低强度等级相匹配的低氢型焊接材料。

对于耐热钢和不锈钢,为保证焊缝具有与母材接近的高温性能和抗腐蚀性能,其选择的焊接材料的化学成分应与母材大致相同。

对于碳钢和奥氏体不锈钢的异种钢焊接,应选用奥氏体不锈钢焊接材料。

二、焊接方法的选择

产品制造过程中,常用的焊接方法有焊条电弧焊、埋弧焊、CO_2 气体保护焊和钨极氩弧焊等。不同的焊接方法有其不同的特点,因而对焊接接头的性能产生不同的影响,应用范围也不相同。

(一)焊条电弧焊

焊条电弧焊采用气渣联合保护,热输入不大,合金元素烧损较少,热影响区较窄,焊接接头性能较好。

(二)埋弧焊

埋弧焊采用气渣联合保护,热输入较焊条电弧焊大,故合金元素烧损较多,焊缝金属较粗大,焊接接头性能较好。因为是自动焊,所以生产效率高,质量好。

(三)CO_2 气体保护焊

CO_2 气体保护焊的保护气体为氧化性气体,对合金元素的烧损较多,所以必须采用含硅和锰合金元素较多的专用焊丝,如 H08Mn2Si,以弥补合金元素的烧损,否则焊缝将会出现气孔。由于 CO_2 气体同时对焊接热影响区有冷却作用,故焊接热影响区窄,焊接接头性能好,尤其是接头的抗裂性能好。由于是明弧焊,飞溅大,劳动条件差。

(四)手工钨极氩弧焊

手工钨极氩弧焊采用了氩气保护,合金元素基本没有烧损,焊缝结晶组织较细,热影响区最窄,接头性能好,尤其是单面焊双面成形好,所以主要用于锅炉和压力容器单面焊双面成形的打底焊接和焊道的焊接。

在选择焊接方法时,应根据其对焊接接头性能的影响和其他要求综合考虑。

三、熔合比

熔化的母材在焊缝金属中所占的比例叫熔合比。如图 9-10 所示。

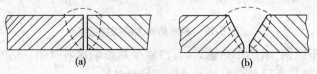

(a)   (b)

图 9-10　熔合比

图 9-10(a)为熔化的母材在焊缝金属中所占的比例大,为熔合比大。

图 9-10(b)为熔化的母材在焊缝金属中所占的比例小,为熔合比小。

同种材料的焊接,熔合比对焊接接头的性能影响不大。

异种钢的焊接,应严格控制熔合比,如图 9-11 所示为 16MnR 钢与奥氏体不锈钢焊接,选用奥氏体不锈钢焊条,由于 16MnR 侧熔化的母材对焊缝金属中铬、镍合金元素有稀释作用,使熔合区产生硬、脆的马氏体带。焊接接头在碳钢一侧的熔合区处往往会产生裂纹,所以要严格控制碳钢一侧的熔合比。

四、焊接参数

热输入综合体现了焊接参数对接头性能的影响。

当采用大热输入,即采用大焊接电流、慢速度焊接时,由于焊接熔池大而深,焊缝金属厚,从而形成深而窄的焊缝,如图 9-12(a)所示。焊缝金属得到粗大的柱状晶,焊缝中心区

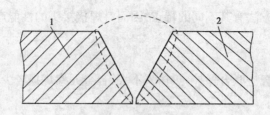

图 9-11　异种钢焊接
1—16MnR；2—奥氏体不锈钢

域偏析严重,焊接接头的过热区宽,晶粒粗大,焊接接头的塑性和韧性差。

当采用小热输入,即在满足工艺和操作要求的条件下,采用小焊接电流、快速度焊接,则焊接熔池小而浅,焊缝金属薄,形成宽而浅的焊缝,如图 9-12(b)所示。焊缝金属得到细小的柱状晶,焊缝中的偏析程度小而分散,焊接接头过热区窄,降低了晶粒长大程度,焊接接头性能较好。

对于易淬火钢,若采用小热输入,由于焊接冷却速度快,过热区容易产生粗大的马氏体组织,导致该区塑性和韧性下降,在焊接应力和扩散氢的作用下,易产生冷裂纹。因此需要采用焊前预热、控制层间温度和焊后缓冷等工艺措施,避免过热区产生淬硬组织,防止产生冷裂纹。

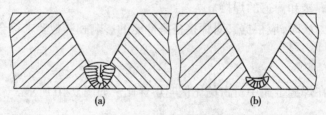

图 9-12　不同热输入的焊接接头

对于奥氏体不锈钢,采用小热输入,可以减少热影响区在 $450\sim850$ ℃敏化温度区间的停留时间,使焊接接头保持良好的抗晶间腐蚀性能。

五、操作方法

综上所述,焊接时宜采用小热输入,即小焊接电流、快焊接速度,以获得细小的结晶组织,减小偏析程度,避免出现粗大的过热组织,提高焊接接头的力学性能和抗裂性。

厚板焊接时,应采用多层多道焊,不仅能够改善焊接接头的性能,而且由于后焊焊道对先焊焊道及其热影响区进行再加热(见图 9-13),使再加热区的组织和性能发生变化。如过热区的晶粒被细化,焊缝金属的柱状晶变为细小的等轴晶,其塑性和韧性得到改善。

六、焊后热处理

焊后热处理的目的是消除焊接残余应力和改善焊接接头性能。

(一)消除应力热处理

焊后加热到 $600\sim650$ ℃范围内,保温一定时间,消除焊接残余应力,以保证结构在使用时安全可靠。

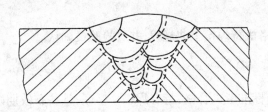

图 9-13　多层多道焊再加热的作用

(二)改善性能热处理

对于易淬火钢,焊后进行高温回火热处理,以消除淬硬组织,并得到回火组织,从而改善焊接接头的综合性能,提高高温性能。

对于奥氏体不锈钢,可在焊后进行固溶化或稳定化热处理,从而提高抗晶间腐蚀性能。

第六节　焊接接头的质量控制

焊接接头的质量,对产品和设备的寿命和安全运行起着关键作用。对焊接接头的质量控制,主要是对焊接材料、焊接工艺、焊工技能和焊接检验等方面进行控制。

一、焊接材料

焊接材料主要包括焊条、焊丝、焊剂和保护气体等。

(一)焊接材料的复验

焊接材料必须要具有正确、齐全的出厂合格证和炉批号。制造厂家要尽量定点采购,并按规定进行抽样复验。复验报告应齐全、正确,以备检查。

(二)入、出库手续

焊材入库和出库手续应齐全。

(三)焊材保管

焊材在库内要分类码放,按有关规定严格控制库房的温度和湿度,并认真做好温度和湿度记录。

(四)焊材发放

发放手续应齐全,焊条和焊剂应按工艺进行烘干,并按工程编号,根据焊接工艺规定的材质、规格和数量发放。

(五)焊材使用

焊材要专用,并有检验员确认。

二、焊接工艺

(一)焊接试验

产品的焊接工艺,应通过焊接工艺评定合格,制定相应的焊接工艺规程或焊接作业指导书。

(二)检验

产品施焊时应严格执行焊接工艺规程,并有检验员确认。

三、焊工技能

(1)焊工应按相应标准考试合格,持有焊工合格证,且在有效期以内。

(2)焊工合格证必须具有与焊工所施焊的焊缝相对应的合格项目。

(3)在产品规定的位置上,记录施焊焊工的钢印号码。

四、焊接检验

检验是实现焊接质量控制和焊缝质量的关键。

(1)焊接材料是焊接工艺和焊工技能的关键环节,应有检验员认可。

(2)焊接工艺规定的检验项目如焊缝表面质量要求、无损检测、焊缝力学性能等应达到合格要求。

(3)产品焊接试板试验。当产品焊接试板试验的各项指标均合格,说明该压力容器的焊缝质量合格。

习　题

一、名词解释

1.热影响区　2.熔合区　3.焊接热循环　4.偏析现象　5.熔合比　6.热输入　7.一次结晶

二、判断题

1.焊接接头是由焊缝金属和熔合区组成的金属部分。　　　　　　　　　　　　　　（　　）

2.低碳钢、低合金钢的焊接和不锈钢的焊接应按照相同的原则。　　　　　　　　　（　　）

3.采用小的热输入焊接,可以获得细小的结晶组织,减小偏析程度,避免出现粗大的过热组织,提高焊接接头的力学性能和抗裂性能。　　　　　　　　　　　　　　　（　　）

4.焊接过程中的许多缺欠,如气孔、裂纹和夹渣等都是在熔池的二次结晶过程中产生的。　　　　　　　　　　　　　　　　　　　　　　　　　　　　　　　　　　（　　）

5.焊接具有淬硬倾向的钢材时,降低冷却速度减小淬硬倾向的主要工艺措施是增大热输入。　　　　　　　　　　　　　　　　　　　　　　　　　　　　　　　　　　　（　　）

6.焊缝中心形成的热裂纹,往往是区域偏析的结果。　　　　　　　　　　　　　　（　　）

7.焊接接头热影响区组织主要取决于热输入,过大的热输入造成晶粒粗大和脆化焊接接头的韧性。　　　　　　　　　　　　　　　　　　　　　　　　　　　　　　　（　　）

8.焊接熔池一次结晶时,晶体的成长方向总是和散热方向一致。　　　　　　　　　（　　）

9.焊接热影响区宽度的大小与焊件工艺参数无关。　　　　　　　　　　　　　　　（　　）

10.低碳钢焊缝金属冷却速度越快,硬度越大,这是因为组织中珠光体含量增加的结果。　　　　　　　　　　　　　　　　　　　　　　　　　　　　　　　　　　　　（　　）

11.合金钢由于合金元素较多,焊接时,焊缝中的显微偏析现象严重。　　　　　　　（　　）

12.焊接区中的氮绝大部分来自空气。   (   )

三、选择题

1.在典型焊接参数下,下列哪种焊接方法热输入最大。(   )
    A.手工电弧焊   B.埋弧焊   C.手工钨极氩弧焊   D.CO_2气体保护焊
2.高碳钢和合金钢在焊接过程中易产生(   )。
    A.显微偏析   B.区域偏析   C.层状偏析   D.弧坑偏析
3.在一个晶粒内部和晶粒之间的化学成分是不均匀的,这种现象称为(   )。
    A.显微偏析   B.区域偏析   C.层状偏析   D.弧坑偏析
4.焊接接头中,(   )过渡的区域叫熔合区。
    A.焊缝向熔合线   B.焊缝向热影响区
    C.焊缝向焊接区   D.焊缝向正火区
5.不易淬火钢焊接热影响区中综合性能最好的区域是(   )。
    A.过热区   B.正火区   C.部分相变区   D.再结晶区
6.在(   )中,由熔化的母材和填充金属组成的部分叫焊缝。
    A.熔合区   B.热影响区   C.焊接接头   D.正火区
7.低碳钢焊缝二次结晶后的组织是(   )。
    A.奥氏体加铁素体   B.铁素体加珠光体
    C.渗碳体加奥氏体   D.渗碳体加珠光体
8.焊缝金属二次结晶后的组织性能与(   )有关。
    A.冷却速度   B.冷却方式   C.冷却介质   D.不确定
9.焊缝金属中的偏析、夹渣、气孔等是在焊接熔池(   )过程中产生的。
    A.一次结晶   B.二次结晶   C.三次结晶
10.(   )样的焊缝容易形成热裂纹。
    A.窄而浅   B.窄而深   C.宽而浅   D.宽而深
11.不易淬火钢的(   )区为热影响区中的薄弱区域。
    A.正火   B.过热   C.再结晶   D.部分相变

四、填空题

1.在整个焊接热循环过程中,起重要影响的因素是_____、_____、_____以及_____。
2.焊缝中的气体主要有_____、_____、_____。
3.焊缝中的夹杂物主要有_____和_____,是焊缝形成_____的主要因素之一。
4.焊接接头是由_____、_____和_____三部分组成。
5.焊接过程中,焊接熔池从液态向固态的转变过程称为焊接熔池的_____。焊接熔池凝固以后,焊缝金属的固态相变过程称为焊缝金属的_____。
6.易淬火钢热影响区的组织可分为_____、_____和_____。
7.焊接接头的性能主要包括_____、_____、_____、_____和_____等。
8.预热的主要目的是为了降低_____和_____的冷却速度,减小淬硬倾向,防止冷裂纹。

9.熔化的母材在焊缝金属中所占的比例叫_____。

10.电弧焊时的焊接参数如_____、_____和_____对焊接热循环有很大影响。

11.低碳钢焊缝金属二次结晶的组织为_____和_____。

12.焊后热处理的目的是消除_____和改善_____。

13.对焊接接头的质量控制,主要是对_____、_____、_____和_____等方面进行控制。

五、问答题

1.影响焊接热循环的因素有哪些?

2.什么叫焊缝金属的一次结晶? 一次结晶的组织特征是什么?

3.焊缝中有哪几种偏析现象?

4.什么是焊缝金属的二次结晶? 二次结晶的组织和性能之间有什么关系?

5.请说明不易淬火钢的热影响区的组织和性能。

6.影响焊接接头性能的因素主要有哪些?

7.焊后热处理的目的是什么?

第十章 焊接变形与焊接应力

第一节 焊接应力与焊接变形产生的原因

一、应力与变形概述

假设有一钢制杆件，在其两端施加大小为 P 的拉力，这时，杆件将因拉力 P 的作用而伸长 $\Delta L = L_1 - L$，即产生变形，如图 10-1(a)、10-1(b) 所示；同时杆件内将出现与外力 P 相平衡的内力 N 来抵抗这一变形，如图 10-1(c) 所示，若沿任一横截面 m—m 处假想地将杆件分为两段，建立任意一段的平衡方程，就可以求得内力 N 与外力 P 大小相等，方向相反。通常用应力的大小，即物体单位截面上所出现内力的大小来表示外力作用的大小。应力常用 σ 表示，单位为 MPa。

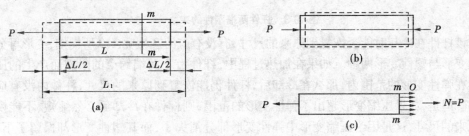

图 10-1 钢制杆件应力与变形示意图

材料相同而截面积不同的物体，施加同样大小的外力，所产生的变形量也不相同。截面积越小的物体变形越大；截面积越大的物体变形越小。这是因为，当施加同样大小的外力时，截面积越小的物体其单位截面上所产生的内力越大，即应力越大；而截面积越大的物体其单位截面上所产生的内力越小，即应力越小。也就是说，变形的大小是由外力所引起的，施加的外力越大，所引起的应力越大，变形也就越大。

但是，应力并不都是由外力引起的。比如温度应力就是在没有外力作用的条件下，由不均匀的加热或冷却过程造成的，因此温度应力是内应力。

二、均匀加热与冷却条件下的应力与变形

假设有一在支点上的钢制杆件，其两端有三种不同的约束状态，现分析这三种情况下对杆件进行均匀加热与冷却时的应力与变形。

第一种情况，杆件两端无任何约束，如图 10-2 所示。加热时，杆件必然由于受热膨胀而变粗伸长，伸长量取决于加热温度，温度越高，变形越大。在冷却过程中，杆件由于冷却收缩而恢复到原来的尺寸。由于在受热膨胀和冷却收缩过程中，杆件的变形均未受到任

何约束,所以杆件必将完全恢复到原来的尺寸,杆件内没有产生任何应力和变形。

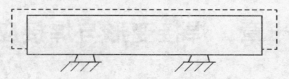

图 10-2　杆件两端无约束

　　第二种情况,杆件两端的刚性约束只限制杆件的伸长变形,对其收缩变形没有约束作用。当对杆件进行加热时,由于受热膨胀,杆件要伸长。但由于两端约束的限制,杆件的伸长变形不能自由进行,相当于在其两端施加了压力,杆件将产生压缩变形,同时,杆件中将产生压应力,如图 10-3(a)所示。

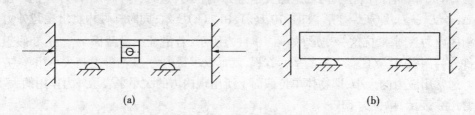

(a)　　　　　　　　　　　　　　　(b)

图 10-3　杆件两端刚性约束之一

　　该杆件在冷却时能否恢复到原来的尺寸,有没有应力产生呢? 众所周知,变形可分为弹性变形与塑性变形两种。如果在加热过程中,杆件由于两端约束的限制而产生的压缩变形在弹性变形的范围内,那么在冷却后,杆件仍能恢复到原来的尺寸,杆件内没有应力存在。但是,如果压缩变形超出了弹性变形的范围,则杆件在冷却后必然缩短,不能恢复到原来的尺寸,这是因为压缩变形中弹性变形部分消失了,而其塑性变形却保留了下来,此时杆件中也没有应力存在。见图 10-3(b)所示。

　　综上所述,在这种约束情况下,杆件在冷却后有可能缩短,但不会有应力产生。杆件是否缩短,取决于在加热过程是否产生压缩塑性变形。

　　第三种情况,杆件两端的刚性约束既限制杆件的伸长,也限制杆件的收缩。加热时杆件的伸长变形由于两端约束的限制不能自由进行,杆件将产生压缩变形,同时杆件内产生压应力,见图 10-4(a)所示。

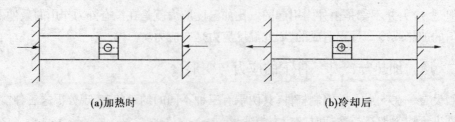

(a)加热时　　　　　　　　　　　　　(b)冷却后

图 10-4　杆件两端刚性约束之二

　　所不同的是当杆件完全恢复到原来的温度状态以后,杆件所产生的应力与变形情况。如果加热时产生的压缩变形属于弹性变形,那么冷却后杆件既不产生变形,也不产生应力。如果压缩变形中有塑性变形,则杆件冷却后必然要变短,但由于两端刚性约束的限制,将本已变短的杆件"拉"长,使之在冷却过程中始终保持原来的尺寸。显然,冷却后杆件虽无变形产生,但却有拉应力产生,如图10-4(b)所示(图中用"⊕"表示拉应力)。极端的情况是,如果冷却后所产生的拉应力大于杆件材料的强度极限,杆件将被拉断。

三、焊接应力与焊接变形产生的原因

上面分析讨论了在均匀加热与冷却条件下,杆件的应力与变形的各种不同情况。但是,在实际焊接过程中,这样的理想条件是不存在的。焊接热过程有热源温度高、热源连续移动、温度场的温度梯度大,焊件的加热和冷却速度快、不均匀等几个特点,因此焊件的焊接应力和焊接变形都是在不均匀的热作用条件下产生的。虽然其基本规律与上面讨论的情况相同,但是影响焊接应力与焊接变形的因素更多,情况更为复杂。下面具体地分析一下焊接应力与焊接变形产生的原因。

(一)纵向焊接应力与焊接变形产生的原因

设有一平板对接接头用电弧焊方法进行焊接。在电弧加热的过程中,焊件中越靠近焊缝的金属温度越高,远离焊缝,则温度迅速降低,其温度分布如图10-5所示。假想地将焊件分割成许多互不相连的小板条,则各板条由于受热必然要膨胀伸长,而各个板条的加热温度不同,所以伸长量也不一样。位于焊缝上的板条伸长量最大,远离焊缝的板条伸长量逐渐减小。由于各板条互不相连,各自可以进行自由变形,所以在加热过程中将形成如图10-5(a)所示的阶梯形端面。然而,实际焊件是由这些假想的板条所组成的整体,不同区域、处于不同温度状态的金属在变形过程中必然相互制约。焊缝附近温度较高,伸长较大的部分受两侧温度较低、伸长较小的金属的限制而被压缩并产生压应力;两侧金属则由于受到焊缝附近温度较高、伸长较大的金属的作用而被拉伸并产生拉应力。因此,焊件端面只能向前平移到介于最大伸长和最小伸长之间的某个位置,如图10-5(a)中虚线 aa 所示。

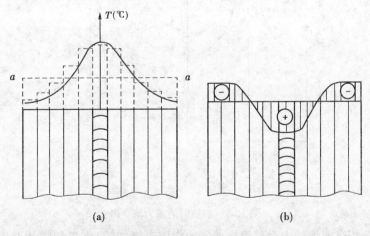

图 10-5　纵向焊接应力

我们知道,金属的强度是随温度的变化而变化的,对于碳钢来说,当加热温度超过700 ℃时,其屈服极限几乎为零,对变形没有任何抗力。因此,焊缝及焊缝附近加热温度

超过700℃的金属,由于其伸长受到两侧金属的阻碍而产生的压缩变形全部为塑性变形,其他部分金属的变形,超过弹性变形范围的为塑性变形,其余为弹性变形。这种塑性变形的产生,正是造成焊件在冷却后产生焊接残余应力与焊接残余变形的原因。

在冷却过程中,焊件中应力与变形情况正好与上面相反。这些假想的板条在冷却时都要产生收缩变形,如果允许自由收缩的话,由于焊缝及其附近区域的金属在加热过程中伸长受到阻碍而产生了压缩塑性变形,所以在冷却时,这个区域的板条将比焊缝两侧其他区域的板条收缩的更短。但实际上这是不可能的。各板条紧密相连,在变形时互相限制,最后使焊件的端面平移到介于收缩量最大和收缩量最小的假想板条间的某个位置,造成了焊件的纵向收缩变形。同时在焊件中造成如图10-5(b)所示的内应力状态,中间焊缝附近由于被拉伸而产生拉压力,两侧金属由于被压缩而产生压应力。这时焊件已经恢复到了原始的温度状态,所以这种应力就是焊接残余应力,这种变形就是焊接残余变形。

(二)横向焊接应力与焊接变形的产生原因

仍以平板对接接头的焊接为例,来说明横向焊接应力与焊缝变形的产生原因。

1. 由纵向变形引起的横向应力与变形

平板对接接头在焊接过程中,由于焊接热源的加热作用,焊件将会产生伸长变形。这时,如果假想地将焊件沿焊缝中心分成两半,离焊缝近的金属由于加热温度较高伸长量较大,而离焊缝远的金属由于加热温度较低伸长量较小,焊件的两部分将变成如图10-6(a)中虚线所示的状态。但实际上焊件是由这两部分组成的整体,两个部分在变形过程中必然互相限制,于是在焊件中造成了如图10-6(b)所示的应力状态:靠近焊缝两端部分的金属由于受到中间部分金属的拉伸而产生拉应力;中间部分的金属则由于受到两端部分金属的压缩而产生压应力。

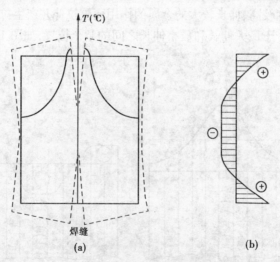

焊缝

(a)   (b)

图 10-6 加热时的应力与变形

从前面分析纵向焊接应力与焊接变形的成因已经知道,靠近焊缝的金属由于在加热过程中产生了压缩塑性变形,所以当假想地将焊件分成两半后,焊件冷却后将变成如图10-7(a)中虚线所示的形状。但实际上由于它们之间的相互限制,造成焊件在冷却后中间受拉应力、两端受压应力的焊接残余应力状态如图 10-7(b)所示,同时焊件产生了横向收缩残余变形。

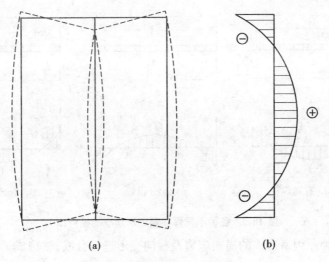

图 10-7　冷却时的应力与变形

2.由焊缝冷却先后不同引起的横向应力与变形

在焊接一条焊缝时,总有先焊后焊之分。先焊的部分先冷却,后焊的部分后冷却,因此先冷却的部分将限制后冷却部分的收缩变形。现以下面的例子来说明这个问题。

对接接头在装配时,按图 10-8 所示的顺序进行点焊。由于 1、2 两点首先点焊,所以当点焊 3 点时,已经冷却的 1、2 两点将对 3 点的收缩造成约束,使该点承受拉应力,2 点承受压应力。这时,三个焊点的应力状态就像以 2 点为支点的杠杆系统,所以 1 点也将承受拉应力,否则拉应力与压应力就不能平衡。在这种横向应力的作用下,焊件将产生横向收缩。

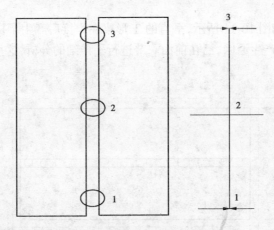

图 10-8　焊缝冷却造成的应力与变形

上面所分析的情况,实际上就是焊接直接焊缝时由于冷却先后不同所造成的横向应力与变形情况。显然,当焊接顺序改变时,这种横向应力状态也将发生变化。图 10-9 是几种不同焊接顺序条件下由于冷却先后不同所造成的横向应力状态。在各种条件下都有横向收缩变形产生。

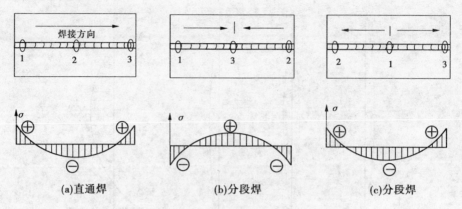

（a）直通焊   （b）分段焊   （c）分段焊

图 10-9 各种不同焊接顺序所造成的横向压力

将以上两种原因所造成的横向应力及横向变形进行合成，就构成了焊件总的横向应力及横向变形。

第二节 焊接变形及其控制

一、焊接变形的分类

按焊接变形的表现形式，可以将其大致分为以下七类：

（1）纵向收缩变形。焊后，焊件沿焊缝长度方向产生的收缩，如图 10-10 中的 ΔL。

（2）横向收缩变形。焊后，焊件在垂直于焊缝长度方向上所产生的收缩，如图 10-10 中的 ΔB。

（3）弯曲变形。如图 10-11 所示，平直的 T 形梁在焊接后产生了挠度。

以上三种变形的产生原因，已在前面一节进行了详细的分析，这里不再重复。

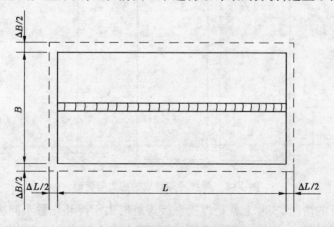

图 10-10 纵向收缩与横向收缩

(a)由焊缝的纵向收缩引起的挠曲

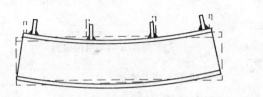

(b)由焊缝横向收缩引起的挠曲

图 10-11　弯曲变形

(4)角变形。如图 10-12 所示,焊前接头两侧的钢板位于同一平面内,焊后产生了以焊缝为顶点的夹角。在上一节讨论焊接应力与焊接变形的产生原因时,都是假设应力与变形在厚度方向上是均匀的,但实际上,焊接面由于加热温度较高,冷却时所产生的收缩变形比较大,而背面的收缩变形则比较小。角变形正是由厚度方向上不均匀的横向收缩变形引起的。

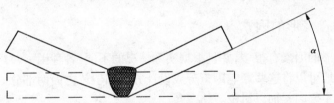

图 10-12　角变形

(5)波浪变形。如图 10-13 所示,焊件在焊后凸凹不平,呈波浪状。这种变形常见于薄板焊接结构中。一般沿焊缝方向,焊缝及其附近区域的内应力为拉应力,两侧区域为压应力,由于板薄,刚性较差,所以当这种压应力超过一定水平后,就会造成焊件的波浪变形。

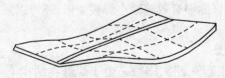

图 10-13　波浪变形

(6)错边变形。如图 10-14 所示,接头两侧的焊件在焊接过程中产生了长度方向和厚度方向上的变形不一致。可能引起错边变形的原因比较多,如装配不善,接头两侧焊件的约束程度不同,两侧焊件的刚性不同,两侧材料的膨胀系数不同,以及电弧偏离焊缝中心造成对两侧焊件的不均匀加热等 。

(7)扭曲变形。如图 10-15 所示,装配时平直的工字梁在焊后产生了扭曲,使焊件呈

螺旋形 。扭曲变形的产生,主要是由于不均匀的角变形所造成的。沿焊缝的焊接方向,角变形逐渐增大。再加上不合理的焊接顺序和焊接方向等,就可能引起焊件产生扭曲变形。

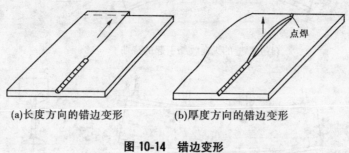

(a)长度方向的错边变形   (b)厚度方向的错边变形

图 10-14　错边变形

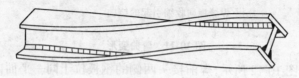

图 10-15　扭曲变形

　　在实际焊接结构中所遇到的焊接变形,常常是几种形式同时出现,相互影响,而不是仅出现一种形式的变形。例如焊接薄板对接接头时,就可能同时出现纵向收缩变形、横向收缩变形、角变形和波浪变形等。

二、影响焊接变形的因素

　　影响焊接变形的因素有很多,并且根据实际情况的不同,各种因素对焊接变形的影响也不一样。概括地可以将这些影响因素分成设计方面和工艺方面两部分。下面仅就一些影响焊接变形的主要因素加以讨论。

(一)影响焊接变形的设计因素

1.焊缝长度与数量

　　焊接变形是由于结构采用了焊接方法进行金属零部件的连接而造成的,焊缝越长、数量越多,热源在焊接过程中对焊件的热作用就越大,接头区域金属在加热过程中的压缩塑性变形也越大,因此焊件在冷却后不但变形增大,还有可能使变形形式变得复杂。减小焊缝长度,减少焊缝数量,不仅能够有效地减小焊接变形,还可以减小结构的焊接应力,缩短结构的焊接制造周期。

2.焊缝在结构中的布置

　　焊接结构的整体弯曲变形,绝大多数是由于焊缝在结构上的不对称布置所造成的。例如,当用钢板焊接 T 形梁时,由于焊缝全都位于梁的中性轴的下方,焊后整个梁上拱,产生如图 10-16 所示的弯曲变形。一些比较大的焊接结构,一般在中性轴两侧都有许多焊缝,这些焊缝的数量、长短、坡口形式及各自距中性轴的距离各不相同,焊后结构就有可能产生整体的弯曲变形。

3.结构刚性

　　结构的刚性越大,对变形的抗力越大。受同样的外力作用,刚性大的结构变形小,刚

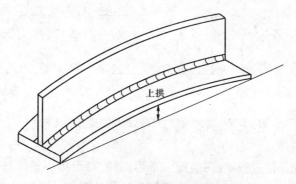

图 10-16　T 形梁焊后的弯曲变形

性小的结构变形大。结构刚性的大小主要取决于材料的力学性能,结构截面的几何形状和几何尺寸,以及结构的整体尺寸等。在同样的外力作用条件下,厚板产生的拉伸与压缩变形就比薄板小,这是因为厚板的刚性比较大。对于弯曲变形,工字梁结构就比 T 形梁结构的刚性大,而封闭形截面的箱形梁刚性最大(见图 10-17),因而在同样的外力条件下,箱形梁的弯曲变形最小。同样的结构,长度越小刚性越大,因此变形也就越小。

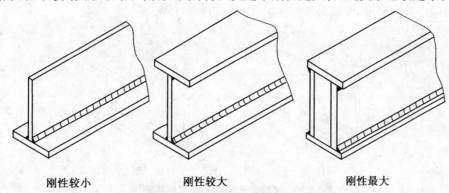

刚性较小　　　　　　　刚性较大　　　　　　　刚性最大

图 10-17　不同结构形式梁的刚性比较

(二)影响焊接变形的工艺因素

1. 焊接方法

焊接变形是由于在焊接过程中热源对焊件不均匀的热作用而造成的。因此,加热温度越高,加热面积越大,则焊件的变形就越大。比如,由于气焊的加热面积比手工焊大,所以气焊的焊接变形就比手工焊大;而 CO_2 气体保护焊则由于焊丝熔化率高、焊接速度快,对焊件的作用小,再加上保护气体的冷却作用,所以其焊接变形比手工焊还要小。

2. 装配间隙与坡口形式

装配间隙越大,坡口截面需要填充的面积越大,则填充金属量也越大,因而冷却时的收缩量也越大,焊件在焊后产生的焊接变形也就越大。如同样厚度的焊件,当采用电渣焊方法进行焊接时,所产生的焊接变形就要比手工焊或埋弧自动焊时大,因为电渣焊的坡口(装配间隙)大,填充金属量大。图 10-18 是几种常用典型坡口形式焊接变形量大小的比较。当然,这也与下面将要讨论的焊接层数、道数和热输入有关。

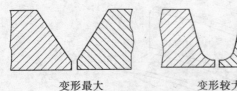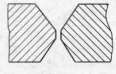

| 变形最大 | 变形较大 | 变形最小 |

图 10-18　常用典型坡口形式焊接变形的比较

3.装配和焊接顺序

通常结构在装配焊接过程中,每装配一个零部件,每焊接一条焊缝,其刚性都有相应的增加,所以结构整体的刚性要比其单个零部件的刚性要大。不同的装配和焊接顺序会使结构在焊接过程中具有不同的刚性,因而在焊后产生不同的变形。比如,当用钢板焊接工字梁时,可采用两种不同的装焊顺序:一种是先将腹板与一块翼板装焊成 T 形梁,然后再在 T 形梁上装焊另一翼板成为工字梁,如图 10-19(a)所示;另一种是先整体装配成工字梁,然后焊接,如图 10-19(b)所示。显然,按第一种装焊方法,工字梁就会产生较大的弯曲变形,而采用第二种方法就比较合理。因此,对于截面对称,焊缝布置也对称的简单结构,为减小弯曲变形,应该首先整体装配,然后再进行焊接。

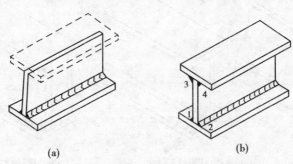

图 10-19　工字梁的两种不同的焊接顺序

但是,并不是说所有的焊接结构都要按先总装后焊接的顺序,或者说采用这种顺序就一定能够获得控制焊接变形的最佳效果。比如上面讲到的工字梁的焊接,就是先整体装配,如果焊接时按图 10-19(b)所示的焊接顺序焊接四条角焊缝,那么焊后还会产生上拱弯曲变形。采用 1→4→2→3 的顺序进行焊接时,就可以更有效地减小梁的弯曲变形。

焊接方向对焊接变形也有很大影响。仍以工字梁的焊接为例。整体装配后的工字梁,按照 1→4→2→3 的顺序进行焊接时,如果相邻的两条角焊缝 1、2 和 3、4 沿两个不同的方向进行焊接,焊后工字梁就会产生如图 10-20 所示的扭曲变形。改变焊接方向,沿同一方向焊接两条相邻的角焊缝,就可以避免梁在焊后产生扭曲变形。

4.热输入

从上节对焊接变形的产生原因的分析可知,接头金属在焊接热源加热过程中产生的压缩塑性变形越大,焊件在冷却后产生的焊接变形就越大。由于热输入与这种压缩塑性变形成正比,即热输入越大,接头金属在焊接加热过程中的压缩塑性变形也越大,所以热输入越大,焊接变形就越大。比如,尺寸相同、刚性拘束条件相同的焊件,当采用埋弧自动焊方法进行焊接时,由于其热输入一般比手工焊大,所以其变形就比手工焊大。

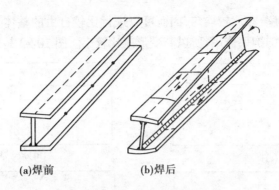

(a)焊前   (b)焊后

图 10-20　工字梁的扭曲变形

5.焊接层数与道数

当接头既可以单道焊又可以多层多道焊时,单道焊的焊接变形就比多层多道焊大。这是因为单道焊时熔敷金属是一次将坡口填满的,因此接头金属在收缩时是在整个厚度上同时进行的。而多层多道焊时,已冷却的先焊熔敷金属使得接头的刚性增大,随后焊接时,焊件收缩变形受到的拘束增大。因此,随着焊接层数、道数的增加,后焊焊道引起的变形越来越小。焊件最后的焊接变形主要是由先焊焊道所造成的。所以多层多道焊的焊接变形比单道焊小。电渣焊焊接变形比较大的原因除了与其特有的坡口形式有关外,也与其整个坡口一次焊满的工艺特点有关。

6.多层多道焊的焊接顺序

为了防止角变形,中厚板平板对接接头有时选择对称的坡口形式,如 X 形坡口。但当焊接顺序不当时,仍有可能产生较大的角变形。图 10-21 是 X 形坡口接头多层多道焊时,焊接顺序对角变形的影响。按照图 10-21(a)所示的顺序进行焊接时,就会产生很大的角变形,因为每焊一道都会有角变形产生,每一道所产生的角变形都是在上一道所产生的角变形的基础上进行的,因此当先将接头的一面焊满所产生的角变形就是所有这些角变形的叠加。尽管在焊接另一面时也要产生相反方向的角变形,但因为这时接头的刚性已经增大,后一面焊接时所产生的角变形只能部分地减小前一面的角变形,而不能与之完全抵消。当板比较厚时,接头由于一侧已经焊满而变得刚性很大,焊接另一面时可能根本就不能产生反方向的角变形,甚至还会造成后焊面焊缝金属由于承受超过其强度极限的拉应力而开裂。如果采用图 10-21(b)所示的焊接顺序在接头两面交替进行焊接,则两面焊接时所产生的角变形可以相互抵消,最后接头仅产生很小的角变形。

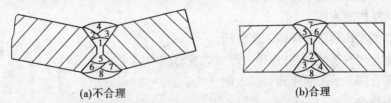

(a)不合理   (b)合理

图 10-21　焊接顺序对角变形的影响

另外,对于一些普通的焊接结构,采用分段焊、跳焊及退焊等方法,也可以获得比较好的控制焊接变形的效果。这是因为与直通焊相比,采用这些方法焊接时,热源对焊件的热作用减小,焊件的温度分布比较均匀,因而可以进行比较自由的整体变形,同时先焊部分对后焊部分有比较大的拘束作用,所以其变形就比较小。图 10-22 是这些方法的示意图。

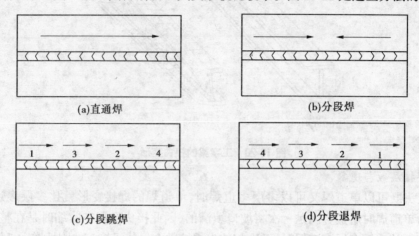

图 10-22　几种减小焊接变形的施焊方法

此外,母材的热物理性能对焊接变形也有一定的影响。不同的金属材料具有不同的线膨胀系数,也就是说,在同样的加热温度条件下所产生的变形大小不同。比如,碳钢、不锈钢和铝的线膨胀系数依次增大,所以在同样的条件下,铝焊件的焊接变形最大,不锈钢的变形次之,碳钢焊件的变形最小。

以上是一些影响焊接变形的主要因素,但是还有一些因素对焊接变形有影响,如预热。预热的主要目的是防止淬硬倾向较大的钢种或刚性较大的结构,在焊接过程中由于产生淬硬组织或较大的拘束应力而产生裂纹。但预热也会增大结构的焊接变形:一方面,预热时焊件的原始温度提高,相当于增加了热输入,使得接头区域金属的塑性变形区增大,因而焊件的焊接变形增大;另一方面,预热缩小了焊件各部分在焊接过程中的温度差异,温度趋于均匀化,使得塑性区的压缩塑性变形量反而减小,焊件的焊接变形减小。

三、控制焊接变形的措施

针对上述影响焊接变形的主要因素,可以采取以下措施控制焊接变形:
(1)减小焊缝长度,减少焊缝数量。
(2)合理布置焊缝在结构中的位置。
(3)增大结构的刚性。
(4)选择变形比较小的焊接工艺方法。
(5)确定合理的装配间隙,选择合理的焊缝形式和尺寸。
(6)选择合理的装配顺序和焊接方向。
(7)减小热输入。
(8)尽可能采用多层多道焊方法,并合理地安排其焊接顺序。
(9)采用反变形法。即事先估计好焊件焊接变形的方向和大小,然后在装配时预先人为地给予一个相反方向的变形,使之与焊接变形相抵消。例如,为了防止对接接头的角变形,可以在焊前预先将接头处垫高,如图 10-23(a)所示;为防止工字梁翼板产生焊接角变形,可以在装配前将翼板预压出一个反向的角度,如图 10-23(b)所示。在薄壳容器上焊接凸缘时,如果不采取措施控制变形,焊后容器壳体往往在凸缘处产生塌陷,如图 10-24(a)所示。为防止这种变形,可以预先将壳体与凸缘相焊的接头处向外顶,使之外凸,如图 10-24(b)所示。总之,采取反变形法后,可以使焊件在焊后基本保持图纸所要求的形状和尺寸。

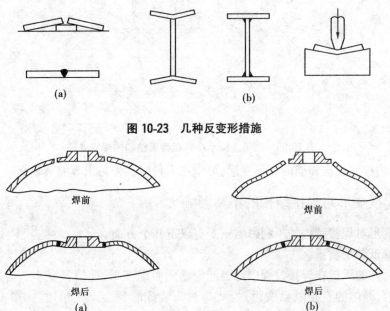

图 10-23　几种反变形措施

图 10-24　薄壳结构凸缘焊接的反变形

(10)采用刚性固定法。焊前将焊件加以刚性拘束,使焊件在焊接过程中不能自由变形,从而达到控制焊接变形的目的。图 10-25 是实际生产中应用这种方法控制焊接变形的几个例子。

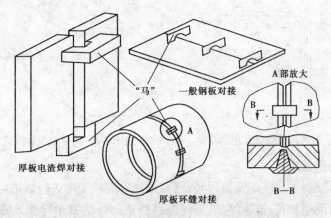

图 10-25　钢板对接焊时加"马"刚性固定

(11)采用散热法。散热法又称强迫冷却法,焊接时用水或水冷铜垫将接头区的热量迅速散去,以限制焊件的受热面积,减小塑性变形区,从而控制焊接变形。这种方法不适用于淬硬倾向比较大的材料。图 10-26 是采用散热法防止薄板结构产生焊接变形的实例。

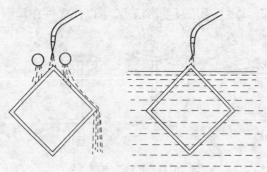

图 10-26　采用直接水冷防止薄板结构的焊接变形

此外,为控制纵向和横向收缩变形,可以在下料时预先留出收缩余量。

四、焊接变形对焊接结构的不利影响

焊接变形对焊接结构的不利影响主要有以下几个方面。

(一)降低装配质量

容器筒体的纵缝在焊接过程中都要产生横向收缩变形,使筒径变小。当这种收缩变形比较大时,筒体的直径就会变得过小,与封头装配时就会产生错边,如图 10-27 所示。同样,筒体纵缝的角变形会使筒体与筒体间及筒体与封头间在装配时产生错边(见图 10-28),而筒体纵缝的纵向收缩变形使得筒节间装配时无法保证合理的装配间隙(见图 10-29)。这些都会对装配及以后的焊接施工造成困难,严重地影响焊接质量。

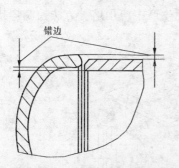

图 10-27　封头与筒体装配时的错边

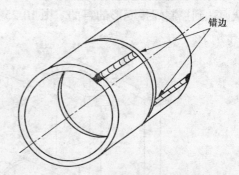

图 10-28　筒体与筒体装配时的错边

(二)增加制造成本

当焊接变形使得工件装配变得困难,就需要先对焊接变形进行矫正后再组装,这样就使得产品的制造周期加长,成本增加,同时使得矫正部位的材料性能下降。比如,矫正筒体纵缝的角变形时(见图 10-30),接头必然有部分金属要产生塑性变形而造成加工硬化,使得该区域金属的塑性降低。对于复杂的焊接变形,矫正的工作量可能比焊接的工作量还大,有时根本无法矫正,造成废品。

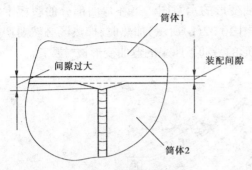

图 10-29 筒体间装配间隙不均匀

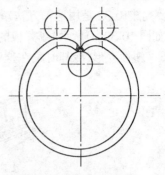

图 10-30 筒体纵缝角变形的机械矫正

(三)降低结构的承载能力

在焊接变形部位,如角变形、错边变形等,一般都存在较大的应力集中。在外力的作用下,这些部位会产生更大的应力集中和附加弯曲应力,严重时会导致接头脆断,造成整个结构的破坏。

五、矫正焊接变形的方法

矫正焊接变形的常用方法主要有机械矫正法和火焰加热矫正法。

(一)机械矫正法

机械矫正法就是用外力使焊件产生与焊接变形方向相反的塑性变形,使之与焊接变形相互抵消,从而达到矫正焊接变形的目的。图 10-31 是机械矫正工字梁焊接弯曲变形的情况:利用机械加压机构使梁产生与焊接弯曲变形方向相反的弯曲变形。但是如果这种变形是弹性的,那么当撤去外力后梁必然反弹并恢复焊后的弯曲形状,起不到矫正的作用,只有在加压过程中发生塑性变形,才能达到减小焊接变形的目的。因此,在矫正过程中施加的压力应从小到大逐渐增加,直至变形被完全矫正为止。

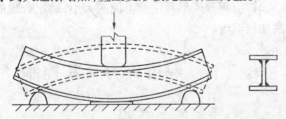

图 10-31 工字梁弯曲变形的机械矫正

由于用机械矫正法矫正焊接变形时变形处金属要承受很大的塑性变形,因此比较适用于塑性好的材料。对于脆性材料应用这种方法时必须慎重。脆性材料本身塑性就很差,再加上变形处一般都存在着严重的应力集中,因此接头有可能在矫形时开裂,造成返修甚至报废。

(二)火焰加热矫正法

火焰加热矫正法就是用火焰对变形结构尺寸较长的部分进行加热,利用加热时产生的压缩塑性变形和冷却时产生的收缩变形,使之与尺寸较短的部分相适应,从而达到矫正焊接变形的目的。可用下面两个例子来说明这种方法的实际应用。

图 10-32 是用这种方法矫正 T 形梁弯曲变形的示意图。当在弯曲部分的腹板上缘（如图 10-32(a)所示）或翼板的一侧边缘（如图 10-32(b)所示）加热时，加热区必然要产生压缩塑性变形，冷却时梁在这些区域收缩变形的带动下原来的弯曲变形被"拉"直。

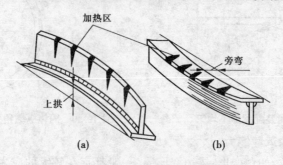

图 10-32　T 形梁弯曲变形的火焰加热矫正

图 10-33 是用这种方法矫正薄板波浪变形的示意图。加热点选在产生波浪的部位。为防止这些部位在加热时进一步外拱，可在加热的同时对图 10-33(b)的这些部位加压，也可以在加热点周围喷水冷却以限制加热的范围，加强对加热点金属的拘束作用。

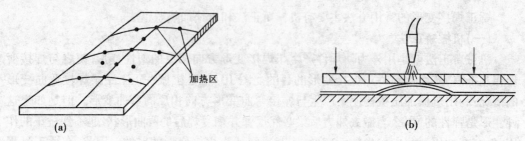

图 10-33　薄板波浪变形的火焰加热矫正

应用这种矫正方法时，应根据变形程度及范围的大小，确定合理的加热位置及加热点数量，并掌握好各点的加热温度。

第三节　焊接应力及其控制

一、焊接应力的分类

按照焊接应力在结构中的作用方向，可将焊接应力分成以下三类：

(1)线应力。应力在焊件中只沿一个方向发生，如焊接薄板对接焊缝和在工件表面堆焊时，产生的纵向应力（见图 10-34），也称单向应力。

(2)平面应力。应力存在于焊件中一个平面内的不同方向上，如焊接中厚板对接接头时，既有沿焊缝方向的纵向应力产生，也有沿垂直于焊缝方向的横向应力产生（见图 10-35），两个方向的应力在同一平面内，也称双向应力。

(3)体积应力。应力在焊件中沿空间三个方向发生，如焊接厚板对接接头时，不但有

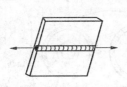

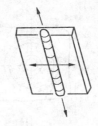

图 10-34 线应力   图 10-35 平面应力

纵向应力和横向应力产生,沿厚度方向也有焊接应力存在,这种应力状态就叫做体积应力,如图 10-36(a)所示,也称三向应力,在焊接结构中三个方向焊缝的交叉处就有这种体积应力存在,如图 10-36(b)所示。

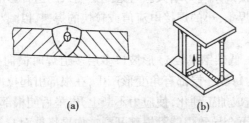

(a)   (b)

图 10-36 体积应力

二、影响焊接应力的因素

与影响焊接变形的因素相同,影响焊接应力的因素概括地分为设计和工艺两个方面。

(一)设计因素

1. 结构刚性

一般结构刚性越大,则对变形的抗力越大,焊接应力也就越大。降低刚性,就可以通过变形使应力得以松弛,焊后结构的残余应力就比较小。

2. 焊缝布置

如果焊缝的布置过于集中,就可能使每条焊缝的残余应力相互叠加,在结构中造成峰值很大的大面积拉应力区。当有交叉焊缝时(不论是丁字交叉或十字交叉),就可能在交叉处一定范围内造成复杂的应力状态,这些都会对结构的运行造成十分不利的影响。因此设计时应尽量避免交叉焊缝,使焊缝分散布置或相隔一定距离,比如容器接管与容器筒体的焊缝应与筒体纵缝、环缝及相邻接管的焊缝相距 $3t$(t 为容器壁厚)以上且不小于 100 mm,如图 10-37 所示。

3. 焊缝尺寸和数量

很显然,焊缝数量越多,尺寸越大,结构的焊接残余应力也就越大;同时还会使拉应力区面积扩大,峰值增大,使应力的分布状态变得复杂。因此应尽可能地减少焊缝数量,确定合理的焊缝尺寸。

(二)工艺方面

1. 热输入

焊接时热源对焊件的热作用都是局部的,因此热输入越大则这种局部热作用的影响

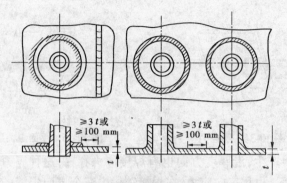

图 10-37　容器接管焊缝

和范围就越大,使得焊接残余应力增大。考虑到热输入的这种影响,应根据焊接结构的具体情况,采用小直径的焊条,小的焊接电流值或较快的焊速,以减小结构的焊接残余应力。

　　2.板厚及坡口形式

　　图 10-38 是 80 mm 低碳钢厚板 U 形坡口多层多道焊时横向拉应力区的拉应力在厚度上的分布情况。因为每焊一层都有角变形产生,在根部引起拉伸塑性变形;多次塑性变形的累积就会在根部造成加工硬化,使应力不断上升,最后使根部的应力值远远大于材料的屈服极限,严重时甚至会导致焊缝沿根部开裂。如果将单面 U 形坡口改为双面 U 形坡口并采用双面对称焊接,则将在 U 形坡口根部造成压应力(见图 10-39),从而可以避免焊接裂纹。

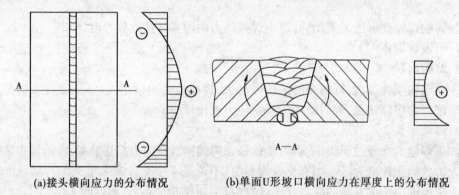

(a)接头横向应力的分布情况　　　　(b)单面U形坡口横向应力在厚度上的分布情况

图 10-38　U 形坡口多层焊时横向拉应力的分布

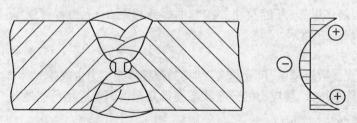

图 10-39　双面 U 形坡口横向应力在厚度上的分布情况

3.焊接顺序和焊接方向

焊接顺序对结构残余应力的影响是很大的。当焊接顺序改变时,结构在焊接过程中的刚性也随之而变。如果在焊接过程中焊缝能够比较自由地收缩,则焊后的残余应力就比较小;反之则会由于收缩变形受到阻碍而产生较大的残余应力。因此,在安排焊接顺序时,应先焊在工作时受力最大的焊缝(在图 10-40 中,先焊工字梁工作时受力最大的翼缘对接焊缝 1),或按收缩量的大小先焊收缩量大的焊缝(在图 10-41 中,先焊双工字钢结构中收缩量最大的盖板对接焊缝 1),或者使每条焊缝在焊接时都能比较自由地收缩(在图 10-42 中,拼板时先焊错开的短焊缝 1 和 2,后焊直通的长焊缝 3。如果采用相反的顺序,即先焊 3,再焊 1 和 2,则由于短焊缝收缩时受限制而造成很大的拉应力)。

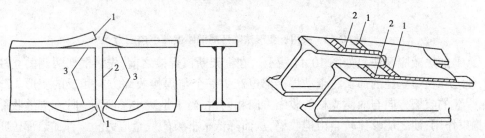

图 10-40 按受力大小确定焊接顺序   图 10-41 按收缩量大小确定焊接顺序
1,2—对接焊缝;3—角焊缝

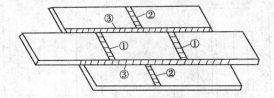

图 10-42 按焊缝布置确定焊接次序

至于焊接方向的影响,在第一节中已经讨论了焊接方向不同时横向应力的变化情况,这里不再重复。

三、减小焊接应力的措施

采取以下措施可以减小结构的焊接残余应力。

(1)分散布置焊缝,或使相邻焊缝间相距一定距离。

(2)尽量减少焊缝数量,确定合理的焊缝尺寸。

(3)减小热输入。

(4)根据板厚和具体结构选择合理的坡口形式。

(5)降低局部刚性。如图 10-43 所示,采用了反变形法后,由于增加了自由度,焊缝可以比较自由地收缩,这样不但可以控制结构的残余变形,而且还可以减小结构的残余应力。

(6)确定合理的焊接顺序。

(7)锤击或辗压焊缝区。焊缝及其附近区域一般都因收缩受阻而成为拉应力区,通过锤击或辗压这个区域就可使之伸长并发生塑性变形,从而降低结构的残余应力。

(8)预热。

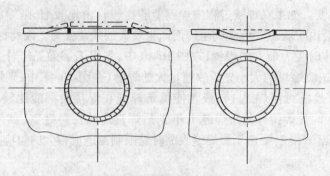

图 10-43　采用反变形法降低局部刚度减小内应力

(9)加热减应区法。如图 10-44 所示。在框架断口焊接之前,先对框架两侧的立柱加热,使之伸长。立柱的伸长将带动焊接部位产生一个与焊接收缩方向相反的变形。冷却时,焊缝的收缩方向与两侧立柱的收缩方向相同,相当于是减小了两侧立柱在焊缝收缩时的拘束作用,使之能够比较自由地收缩,从而降低了框架的残余应力。这种加热部位叫做"减应区"。采用这种方法焊接一些刚性比较大的结构,如轮辐、轮缘(如图 10-45(a)、(b)所示)或补焊灰口铸铁,都可以取得比较好的降低焊接应力的效果。

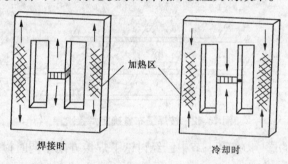

图 10-44　框架断口焊接

四、焊接应力对结构的不利影响

(一)对结构在制造过程中的不利影响

焊接应力的存在有可能使结构在制造过程中产生各种焊接裂纹。在一定水平的焊接应力作用下,焊缝和热影响区金属在经受焊接热循环的过程中可能会产生热裂纹;对于一些需要进行焊后热处理的结构,焊接残余应力可能导致再热裂纹的产生;在焊接残余应力、淬硬组织和焊缝金属中扩散氢的联合作用下,接头还可能产生冷裂纹。

(二)对结构在使用过程中的不利影响

1.降低结构的承载能力,缩短使用寿命

在工作载荷的作用下,由于残余应力的存在,焊接接头不但要承受结构的工作应力,还要承受残余应力,因此接头承受的实际应力要比工作应力大。换句话说,要使结构安全运行,就必须降低其工作载荷。

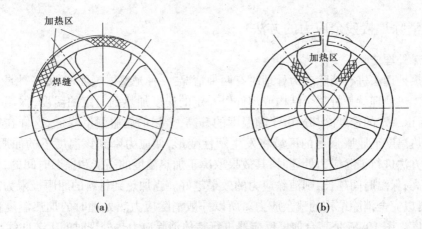

图 10-45 轮辐、轮缘断口焊接

一般对于在工作温度下塑性比较好的材料,当结构承受静载荷或低周疲劳载荷时,残余拉伸应力对结构的承受能力和使用寿命没有明显影响,但是对于在工作温度下塑性比较差的材料,拉伸残余应力的存在将使结构的承载能力下降,使用寿命缩短,甚至导致低应力脆断。即使塑性比较好的材料,如果接头处于结构的应力集中部位或刚性拘束较大的部位,或焊接接头有缺欠,残余拉伸应力的存在也是十分危险的。

2. 消耗材料的塑性

当焊接应力超过材料的屈服极限时,材料就会发生塑性变形,使其塑性受到消耗;同时在塑性变形时还会产生加工硬化现象而使材料变脆。在有体积应力存在时,即使是塑性比较好的材料,其塑性变形能力也将降低并因此而变脆。

3. 加速应力腐蚀开裂

对于某些材料的焊接接头,在拉应力和腐蚀介质的共同作用下会产生应力腐蚀开裂。焊接残余应力的存在将加速这个过程。

4. 在结构使用中造成变形

某些残余应力较大的结构经过长期使用,尤其是在低周疲劳载荷作用下,由于应力逐渐松弛而会产生一定程度的变形。

5. 加速蠕变

对于锅炉和一些高温容器,焊接残余应力有加速蠕变的作用,降低材料在高温下长期工作时的强度和对塑性变形的抗力。

6. 影响结构的尺寸稳定

对于一些需要在焊后进行机械加工的焊接结构,由于焊接残余应力重新分布而使结构产生新的变形,影响焊件的加工精度和使用过程中的尺寸稳定性。

由于以上种种原因,对于一些在低温、高温高压条件下工作的结构、盛装腐蚀性介质的容器以及塑性较差的高强钢焊接结构和拘束较大的焊接结构,如锅炉和石油化工容器等重要结构,在焊后必须采取措施以消除焊接残余应力。

五、消除焊接残余应力的方法

(一)热处理法

采用热处理法进行消除应力处理时有两种情况:一种是整体热处理,另一种是局部热处理。整体热处理就是将整个结构或焊件以一定的速度加热到一定的温度,保温一定的时间,然后以一定的速度冷却。由于随温度的升高,金属的屈服强度降低,这样在残余应力超过加热温度下屈服强度的区域将发生塑性变形,使应力降到该温度下的屈服强度。采用这种方法进行消除应力处理时,其效果取决于加热温度的高低和保温时间的长短:加热温度越高,保温时间越长,则消除应力的效果越好。当加热到材料的屈服极限为零的温度时,就可以完全消除结构的残余应力。所以一般消除应力热处理时的加热温度都接近于这个温度。图 10-46 是某台加氢反应器进行整体消除应力热处理时的工艺曲线。

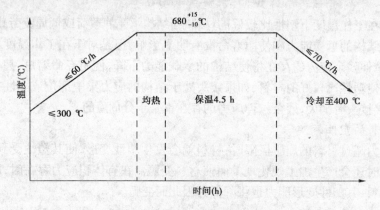

图 10-46 消除应力热处理工艺曲线

如果结构的几何尺寸很大,或受条件限制不能进行整体热处理时,可采用局部热处理的方法进行消除应力处理,其原理与整体热处理是相同的。局部热处理的优点是设备简单,容易进行,但其效果不如整体热处理好。局部热处理只能降低残余应力的峰值,使应力的分布比较平缓,但不能完全消除残余应力。

(二)机械拉伸法

焊接残余应力的产生,是由于焊缝及其附近区域在焊接过程中的压缩塑性变形引起的,因此可以在焊后对焊缝进行机械拉伸,使焊缝及其附近区域产生与压缩塑性变形方向相反的拉伸塑性变形,以达到消除焊接残余应力的目的。外加载荷越大,应力消除得越彻底。当外载荷使焊件截面全面屈服时,残余应力可以完全消除。用机械拉伸法消除焊接残余应力,对于一些钢制压力容器有着特别的意义,因为容器在进行水压试验时,其试验压力均大于设计压力,即有一个过载系数,这样,在进行水压试验的同时也对焊缝进行了机械拉伸,从而通过水压试验消除了部分焊接残余应力。

(三)温差拉伸法

温差拉伸法又称低温消除应力法,其基本原理与机械拉伸法相同,即利用拉伸塑性变形抵消焊接时所产生的压缩塑性变形,从而达到消除焊接残余应力的目的。不同的是机械拉伸法是通过外加载荷来实现的,而温差拉伸法则是通过对结构的局部加热所造成的温差对焊缝进行拉伸的。它的具体做法通常是在焊缝两侧适当距离各用一个适当宽度的氧—乙炔焰炬沿焊缝方向进行加热,在焰炬后面一定距离用带有排孔的水管喷水冷却加热区,焰炬和水管喷头以相同的速度向前移动。加热的结构造成了一个两侧温度高(峰值温度约为 200 ℃)、焊缝区温度低(约为 100 ℃)的温度场,如图 10-47 所示。两侧金属由于膨胀伸长,同时对温度较低的焊缝区进行拉伸。如果参数选择的恰当,利用温差拉伸法可以取得较好的消除残余应力的效果。这种方法适合焊缝规则、厚度不太大的板壳结构。

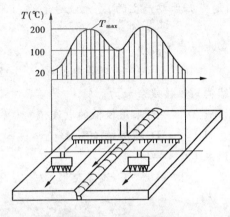

图 10-47 温差拉伸法

另外,还可以用振动法消除焊接残余应力,其原理是对拉应力区施加一定大小的变动载荷,经过多次循环加载后,使该区域发生塑性变形,应力逐渐降低。由于锅炉及压力容器制造中很少用这种方法进行消除焊接残余应力处理,这里就不再对该法进行详细的讨论。

习 题

一、名词解释

1.应力 2.线应力 3.平面应力 4.体积应力 5.反变形法

二、判断题

1.应力都是由外力引起的。   ( )

2.焊接结构的整体弯曲变形,绝大多数都是由于焊缝在结构上的不对称布置所造成的。

                                                           ( )

3.减小焊缝长度和数量,能够减小焊接变形和结构的焊接应力。   ( )

4.埋弧焊时产生的焊接变形大于电渣焊。   ( )

5.热输入越大,焊接变形就越大。   ( )

6.多层多道焊的焊接变形比单道焊大。   ( )

7.塑性好的材料比塑性差的材料更适用于机械矫正法矫正焊接变形。 ( )

8.采用热处理的方法消除应力处理时,加热温度越高,保温时间越长,则消除应力的效果
   越好。   ( )

9.薄板结构中很容易产生波浪变形。   ( )

10.焊接残余应力能降低所有构件的静载强度。   ( )

11. 为了减少应力,应该先焊结构中收缩量最小的焊缝。 （　　）
12. 易淬火钢可用散热法来减小焊接残余变形。 （　　）
13. 焊件上的残余应力都是压应力。 （　　）
14. 焊接的变形是随着结构刚性的增加而增大。 （　　）
15. 采用刚性固定法后,焊件不会产生残余变形。 （　　）
16. 在同样厚度和焊接条件下,U形坡口的变形比V形大。 （　　）
17. 焊接应力和变形在焊接时是必然要产生的,是无法避免的。 （　　）

三、选择题

1.以下哪种焊接方法引起的焊接变形最小。（　　）
　　A.气焊　　　　B. CO_2气体保护焊　　C.焊条电弧焊　　　　D. 埋弧焊

2.以下哪种方法可以减小结构的焊接残余应力。（　　）
　　A.采用大直径的焊条　　　　　B.采用较低的电流值
　　C.采用较慢的焊速　　　　　　D.增加结构刚性

3.薄板焊接结构中很容易产生（　　）。
　　A. 弯曲变形　　B.角变形　　　　C.波浪变形　　　　D.扭曲变形

4.厚板焊接时会产生（　　）。
　　A.单向应力　　B.二向应力　　　C.三向应力　　　　D.平面应力

5.对于中厚板为了减少焊件变形,应该选择（　　）坡口。
　　A.V形　　　　B.X形　　　　　C.单边V形　　　　D. Y形

6.轮辐焊补时,降低焊接残余应力常用的方法是（　　）。
　　A. 采用反接法　B.加热减应法　　C.散热法　　　　　D.刚性固定法

7.平板对接焊产生残余应力的根本原因是焊接时（　　）。
　　A.中间加热部分产生塑性变形　　B.中间加热部分产生弹性变形
　　C.两侧金属产生弹性变形　　　　D.焊缝区成分变化

8.焊后由于焊缝的横向收缩使得两连接件间相对角度发生变化的变形叫做（　　）。
　　A.弯曲变形　　B.波浪变形　　　C.横向变形　　　　D.角变形

9.用火焰矫正薄板的局部凹凸变形宜采用（　　）加热方式。
　　A.点状　　　　B.线状　　　　　C.三角形　　　　　D.环形

10.当材料处于（　　）拉伸应力作用下,往往容易发生脆性断裂。
　　A.单向　　　　B.双向　　　　　C.三向　　　　　　D.双向或三向

11.物体由于受到外力的作用,在单位截面积上出现的内力就叫（　　）。
　　A.残余内力　　B.内应力　　　　C.应力　　　　　　D.残余应力

12.焊接热过程是一个不均匀加热的过程,以致在焊接过程中出现应力和变形,焊后便导致焊接结构产生（　　）。
　　A.整体变形　　B.局部变形　　　C.残余应力和残余变形　　D.残余变形

13.（　　）对结构影响较小,同时也易于较正。
　　A.弯曲变形　　B.整体变形　　　C.局部变形　　　　D.波浪变形

14.（　　）是减小焊件的残余变形比较合理的焊接顺序。

A. 先焊受力大的焊缝　　　B. 先焊收缩量大的焊缝

C. 尽可能考虑焊缝长短　　D. 对称焊

15.(　　)对结构影响较小,同时也易于较正。

A. 弯曲变形　　B. 整体变形　　　　C. 局部变形　　　　D. 波浪变形

16.对于长焊缝的焊接,采用分段退焊的目的是(　　)。

A. 提高生产率　　　　　　B. 减少变形

C. 减少应力　　　　　　　D. 为了减少焊缝内部缺陷

17.在焊接生产中常用选择合理的(　　)减少焊接变形的方法。

A. 收缩量　　B. 先焊顺序　　　　C. 后焊顺序　　　　D. 装配焊顺序

18.由于焊接时温度分布(　　)而引起的应力是热应力。

A. 不均匀　　　B. 均匀　　　　　C. 不对称　　　　D. 对称

19.减小焊接残余应力的措施不正确的是(　　)。

A. 采取反变形　　　　　　B. 先焊收缩较小的焊缝

C. 锤击焊缝法　　　　　　D. 对构件预热

20.焊接变形的种类虽多,但基本上都是由于(　　)引起的。

A. 角变形　　　B. 弯曲变形　　　　C. 纵向和横向变形　　D. 波浪变形

四、填空题

1. 变形的大小是由外力所引起的应力的大小来决定的,作用的外力越大,所引起的应力越_____,变形也就越_____。

2. 矫正焊接变形的常用方法主要有_____和_____两种。

3. 纵向收缩变形是焊后焊件沿_____方向产生的收缩。横向收缩变形是焊后焊件在_____方向上所产生的收缩。角变形是由_____引起的。

4. 坡口截面面积越大,焊件在焊后产生的焊接变形也就越_____。

5. 热处理过程的三个步骤是_____、_____、_____。

6. 焊接应力纵向应力是指应力方向_____于焊缝轴线,横向应力其方向_____于焊缝轴线。

7. 消除焊接残余应力的方法有_____、_____、_____、_____。

8. 根据加热区形状的不同,火焰矫正有_____、_____、_____三种方式。

9. 矫正焊接变形的散热法又称_____法,它不适用于具有_____倾向的钢材。

10. 应力在焊件中沿空间三个方向发生,这种应力状态就叫做_____。

五、问答题

1. 简述纵向焊接应力与焊接变形的产生原因。

2. 焊接变形分为哪几类?

3. 控制焊接变形的措施有哪些?

4. 焊接变形对焊接结构有哪些不利的影响?

5. 减小焊接应力的措施有哪些?

6. 焊接应力对结构有哪些不利的影响?

7. 消除焊接残余应力的主要方法有哪些?请分别说明。

第十一章　常用金属材料的焊接

第一节　碳素钢的焊接

一、低碳钢的焊接

低碳钢的焊接应注意的问题有：

(1)预热。低碳钢的可焊性良好,一般不需预热,只有在焊接厚壁工件、刚性过大的工件时,才采取一定的预热措施。

(2)低温焊接。低温焊接时,为了防止焊接裂纹及脆性断裂的产生,工艺上应采取一定的措施。首先是预热,预热温度可参照有关技术标准和技术文件。当施工现场温度低于 0 ℃,母材含碳量较高及壁较厚时,都应考虑预热问题。在低温焊接时,要加大焊接电流,降低焊接速度,连续施焊。

(3)焊后热处理。低碳钢焊件焊后一般不进行热处理,只有在焊件刚性较大及壁较厚时,如低碳钢管在壁厚大于 36 mm 时,焊后才进行热处理,一般做 600～650 ℃ 的退火即可。

(4)沸腾钢的焊接。由于沸腾钢含氧量高,硫、磷等杂质分布很不均匀,所以焊缝金属的热裂纹倾向大。焊接时,要采取防止产生热裂纹的措施并加强检查。施工中应注意,沸腾钢不宜用于承受动载荷或在严寒(-20 ℃以下)条件下工作的重要焊接结构。

低碳钢的焊接材料(焊条)的选用原则是:应保证焊接接头与母材强度相等。具体选用的焊接材料和焊接方法详见表 11-1。

表 11-1　低碳钢焊接的焊条选用

钢号	焊条选用		施焊条件
	一般结构	焊接动载荷、复杂和厚板结构、重要受压容器及低温焊接	
Q235 Q255	E4321、E4313、E4303、E4301、E4320、E4322、E4310、E4311	E4316、E4315、(E5016、E5015)*	一般不预热
Q275	E5016、E5015	E5016、E5015	厚板结构预热,150 ℃以上
08、10、15、20	E4303、E4301、E4320、E4311	E4316、E4315、(E5016、E5015)*	一般不预热
25、30	E4316、E4315	E5016、E5015	厚板结构预热,150 ℃以上

注:* 一般情况下不选用。

二、中碳钢的焊接

钢中的碳是对可焊性影响最大的元素,随着钢中含碳量的增加,其焊接性变差,中碳钢焊接的主要问题是容易产生气孔和焊接裂纹。

焊接时为防止气孔的产生,可采取以下措施:

(1)应尽量减少焊缝金属中的含碳量,如采用开坡口的接头。

(2)第一层焊缝焊接时,采用小的焊接电流,慢速焊。

(3)尽量选用低氢型焊条,工件与焊条应除锈,焊条应烘干。

焊接时为防止焊接裂纹的产生,可采用以下措施:

(1)选用低氢型焊条。如表 11-2 所示。

表 11-2　中碳钢焊接时焊条的选用

钢号	选用的焊条型号	
	不要求强度或不要求等强度	要求等强度
35 ZG35	E4316、E4315	E5016、E5015
45 ZG45	E5015、E4316、E4317、E5016	E5516、E5515
55 ZG55	E5016、E5015、E4316、E4315	E6016、E6015

(2)采取预热措施。预热有利于降低热影响区的硬度,防止冷裂纹的产生,并能改善焊接接头的塑性。

预热温度取决于母材成分、焊件厚度和所用焊接材料,通常情况下,35、45 钢预热温度可在 100~250 ℃内选择。当含碳量再增高或工件刚度很大时,可将焊前的预热温度提高到 250 ℃以上。

局部预热的加热范围为焊口两侧 150~200 mm。

(3)焊后缓冷。工件焊后可包石棉瓦或放在石棉灰中,或在炉中冷却。

(4)采取中间热处理和焊后热处理措施。焊接厚壁工件,当焊缝焊至 1/3 或 1/2 的焊缝厚度时,可入炉进行中间热处理,以降低焊接应力。

(5)正确选择焊接参数。

(6)采用 U 形坡口形式。

第二节　低合金钢的焊接

一、低合金钢焊接时存在的问题

(一)焊接热影响区的淬硬倾向

低合金钢焊接热影响区具有一定的淬硬倾向,随着碳当量(CE)的增大,淬硬倾向也相应增大。

(二)焊接裂纹

1．热裂纹

焊接低合金钢时,采用含硫量较高的焊接材料时,会在焊缝金属中产生热裂纹。

2.冷裂纹

低合金钢焊接时的主要问题是容易产生冷裂纹。据统计,在低合金钢焊接事故中,热裂纹仅占 10%,90% 均属于冷裂纹。冷裂纹常常发生在焊接热影响区中,个别发生在焊缝金属中。

3.再热裂纹

是低合金钢在焊后热处理过程中出现的裂纹。这种裂纹的产生是由于加热消除应力的过程中所发生的变形超出热影响区金属在该温度下的塑性变形的能力而引起的。

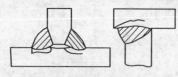

图 11-1 层状撕裂

4.层状撕裂

层状撕裂多发生在三通管接头及丁字接头的角焊缝处,如图 11-1 所示。它与母材的层状偏析密切相关。层状撕裂的特征是从焊趾开始,以 45° 斜角向母材内部延伸达 1 mm 左右,然后改变方向,向平行于表面的夹层发展,转变为层状撕裂。

二、低合金钢的焊接材料、焊接方法和焊接参数

(一)焊接材料的选用

低合金钢焊接材料的选择,应根据母材的力学性能、化学成分、接头刚性、坡口形式以及使用要求来选用。

强度等级在 400 MPa 以下的低合金钢的焊接材料的选择见表 11-3。

表 11-3 低合金钢焊接材料的选择

强度等级 σ_s(MPa)	钢号	焊条	埋弧焊		电渣焊		CO_2 气体保护焊焊丝
			焊丝	焊剂	焊丝	焊剂	
300	09Mn2 09Mn2Si 09MnV 12Mn	E4303 E5002 E4301 E4316 E5015	H08A H08MnA	431			H10MnSi H08Mn2Si
350	16Mn 16MnR 14MnNb	E5002 E5001 E5016 E5015	不开坡口对接 H08A 中板开坡口 H08MnA H10Mn2 H10MnSi 厚板深坡口 H10Mn2	431	H08MnMoA H10MnSi H10Mn2	360 431	H08Mn2Si
400	15MnV 15MnTi	E5016 E5015 E5516 E5515	不开坡口对接 H08MnA 中板开坡口 H10MnSi	431	H08Mn2MoVA	360 431	H08Mn2Si
	14MnMoNb		厚板深坡口 H08MnMoSi	250 359			

注:低合金钢埋弧焊焊剂见 GB/T 12470—1990,气保焊焊丝见 GB/T 8110—1995。

162

强度等级在 400 MPa 以上的低合金钢强度钢焊接材料的选择见表 11-4。

表 11-4 低合金高强度钢焊接材料的选择

强度等级 σ_s(MPa)	钢号	焊条 电弧焊	埋弧焊		电渣焊	
			焊丝	焊剂	焊丝	焊剂
450	15MnVN 14MnVTiRe	E5516 E5515 E6016 E6015	H08MnMoA H10Mn2 H10Mn2Si*	431 350	H10Mn2MoVA	360 431
500	14MnMoVB	E6015 E7015	H08Mn2MoVA H10MnMoVA*	250 330 350		
55	18MnMoNb 14MnMoV	E6015 E7015	H08Mn2MoA H08Mn2MoVA H08Mn2NiMo*	250 350	H10Mn2MoVA H10Mn2Mo H10Mn2NiMoA*	360 431
60	12Ni3CrMoV	65-1*	H10MnSiMoTiA			
	12MnCrNiMoV	803*	H08Mn2Ni2CrMo*	350	H08Mo	360 431
70	14MnMoNbB	H14*	H08Mn2Ni2CrMo*	840		
80	12Ni15CrMoV	840*	H10Mn2Ni3CrMo*			

注:* 为非标准的焊条与焊丝。

(二)焊接参数的确定

低合金钢焊接时,焊接参数的影响比焊接低碳钢时更大,直接影响到焊接接头的性能。焊接参数对热影响区淬硬倾向的影响,是通过冷却速度起作用。焊条电弧焊的焊接参数主要是指电弧电压、焊接电流和焊接速度。综合三者的作用,即以热输入为考虑对象(所谓热输入,是焊接电弧的移动热源给予单位长度焊缝的热量)。

焊接参数大时,热输入大,冷却速度小;反之,焊接参数小,冷却速度大。从减小过热区淬硬倾向来看,应选择较大的焊接参数。当钢材的碳当量 CE 值为 0.4%～0.6%,应对热输入严格控制。热输入过低会在热影响区产生淬硬组织,易产生冷裂纹;热输入过高,热影响区晶粒会长大,其热影响区的冲击韧性就会降低。因此,有一定淬硬性的钢材,焊接时应选用较小的焊接参数,以减少焊件高温停留的时间,同时采用预热,以减少过热区的淬硬倾向。

(三)焊前预热

低合金钢焊接时,为防止产生冷裂纹,除选用低氢焊条外,还应根据母材确定预热温度。采用局部预热时,预热宽度不得小于壁厚的 2～3 倍;点固焊应在预热后进行,并用较大焊接参数(焊接电流大、焊接速度低)进行焊接。若中断焊接时,工件应保持在预热温度以上待焊,或控制焊缝层间温度不得低于预热温度。

焊前预热温度与焊件材料和焊件厚度有关,可参照表 11-5 进行选择。

表 11-5 某些低合金钢预热温度的选择

钢号	焊前预热
16Mn	δ(厚度)$\geqslant$38,100～150 ℃
15MnV	$\delta\geqslant$28,100～150 ℃
15MnTi	$\delta\geqslant$28,100～150 ℃
14MnMoV	200～250 ℃
18MnMoNb	200～250 ℃

在表 11-5 中,16Mn 钢用量最大,应用最为广泛。16Mn 钢板一般以热轧,并为改善塑性和低温冲击韧性,厚板作 900 ℃ 正火处理后供货。16Mn 钢的碳当量 CE 值接近于 0.5%,具有一定的淬硬倾向,并存在冷裂纹问题。16Mn 钢不预热焊接的最低温度详见表 11-6。当焊接时的温度低于表 11-6 中的数值时,应预热到 100 ℃ 以上。

表 11-6 16Mn 钢不预热焊接的最低温度

16Mn 钢板厚(mm)	不预热焊接的最低温度(℃)
＜16	－15
16～24	－5
25～40	0
＞40	要求预热及焊后热处理

(四)焊后热处理

对于低合金钢的焊接,焊后热处理的目的是减少焊接热影响区淬硬倾向和焊接应力,防止产生冷裂纹。若母材较厚,焊至母材厚度的 1/2 时,应作中间消除除应力热处理,焊后也要进行消除应力热处理。对抗应力腐蚀的容器或低温下使用的焊接结构,应进行消除焊接应力热处理。

焊后热处理的温度要低于母材的回火温度,以免影响母材的性能。

表 11-7 为某些低合金钢焊后热处理温度的推荐表。

表 11-7 某些低合金钢焊后热处理温度

钢号	焊后热处理温度
16MnR	600～650 ℃(δ＞30)
15MnVR	560～590 ℃(δ＞28)
14MnMoVg	600～650 ℃
15MnVgc	不热处理
18MnMoNbR	600～650 ℃

注:R—压力容器用钢;g—锅炉用钢;gc—多层高压容器用钢。

(五)防止层状撕裂的措施

厚钢板中含有的硫、磷等杂质,在轧制时形成了带状组织,受焊接拉应力作用而造成层状撕裂。为了防止层状撕裂,除了选择层状偏析少的母材外,接头的坡口形式应设计合理,尽量减少垂直于母材表面的拉力,或选择强度较低的焊条,或采用预敷焊(如图 11-2 所示)的方法。

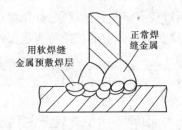

图 11-2 预敷焊

第三节 不锈钢和高铬热强钢的焊接

合金元素总量大于 10% 的钢,一般被称为高合金钢。焊接结构所用的高合金钢,按其使用要求可分为不锈钢和高铬钢等。

一、不锈钢的焊接

不锈钢按钢中的显微组织可分为铁素体不锈钢、双相不锈钢、沉淀硬化不锈钢、奥氏体不锈钢和马氏体不锈钢。其中奥氏体不锈钢应用非常广泛。奥氏体不锈钢的主要合金元素是铬和镍,也称为铬镍奥氏体不锈钢。铬镍钢具有高耐腐蚀性能,是因为有含量较高的铬,铬能提高钢的电极电位,又能形成致密的氧化膜(钝化膜)。当含铬量为 18%,含镍量为 8% 时,基本上能得到均匀的奥氏体组织,含铬量和含镍量越高,奥氏体组织就越稳定。通常把含铬量约 18%、含镍量约 8% 的钢简称为 18-8 钢,其他许多铬镍奥氏体不锈钢都是在 18-8 钢的基础上增减某些合金元素获得的。马氏体不锈钢也称为铬不锈钢,通常指 Cr13 类型的钢,如 Cr13、1Cr13、2Cr13 等,作为抗氧化钢使用。

(一)奥氏体不锈钢焊接接头的晶间腐蚀

一般认为,铬是铬镍奥氏体不锈钢中具有耐腐蚀性的基本元素,当含铬量低于 12% 时,就不再具有耐腐蚀性能了。铬镍不锈钢在焊接或使用的过程中,当温度升高到 450~850 ℃时,由于奥氏体中过饱和的碳向晶界处迅速扩散并在晶粒边界析出,析出的碳与铬形成碳化铬;又因为铬在奥氏体中的扩散速度很慢,来不及向晶界扩散,这样就大量消耗了晶界处的铬,使晶界处的含铬量降低到小于 12%,这时就降低了晶界的耐腐蚀能力。

晶界一旦失去了耐腐蚀能力,使用时,铬镍奥氏体不锈钢在腐蚀性介质的作用下,晶界很快溶解,腐蚀性介质沿着晶界深入腐蚀,而晶粒本身则完整无损。从外观上看工件未发生变化,但稍有变形便产生裂纹。其试样相互敲击时,已失去了金属声。若腐蚀严重时,甚至会产生晶粒脱落现象。

以上说明了晶界腐蚀的机理及其危害。对于铬镍奥氏体不锈钢来说,晶界腐蚀是最严重的破坏形式,是非常危险的。

影响晶间腐蚀的主要因素有加热温度、加热时间和母材的化学成分。

(1)加热温度。如 18-8 钢在 450~850 ℃范围内停留一段时间后,就会发生晶间腐蚀。低于 450 ℃,由于奥氏体中的碳扩散速度不快,不能在晶界处扩散析出而形成碳化铬,所以没有晶间腐蚀现象;如果温度高于850℃,这时不仅碳在奥氏体中扩散速度极快,而且铬在奥氏体中的扩散速度也很快,故不能造成晶粒边界处贫铬,因而也不会发生晶间腐蚀。

(2)加热时间。加热到危险温度范围(450～850℃)要产生晶间腐蚀。但在不同温度下不发生晶间腐蚀允许停留的时间是不同的。如图11-3所示。在700～750℃最不稳定,只需十几秒到几分钟就会丧失抗晶间腐蚀的能力。

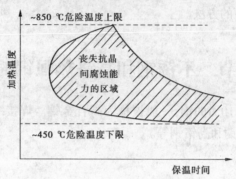

图11-3　加热温度和保温时间对18-8钢
抗晶间腐蚀能力的影响

(3)母材的化学成分。成分中对晶间腐蚀的最主要的影响因素是含碳量,当含碳量小于0.4%,即超低碳的奥氏体不锈钢,则无晶间腐蚀。强碳化物形成元素,如钛、铌、钼、锆等,由于能取代铬而与碳化合,因而能大大提高材料的抗晶间腐蚀能力。

(二)奥氏体不锈钢的焊接

实践证明,铬镍奥氏体不锈钢无论是焊缝还是热影响区,都有发生晶间腐蚀的可能,因此易产生晶间腐蚀是奥氏体不锈钢焊接时的主要问题。此外,还应注意防止发生热裂纹。

焊条电弧焊焊接铬镍奥氏体不锈钢时应注意以下问题。

1.焊条的选择

一般应根据熔敷金属的化学成分与母材相匹配的原则来选择焊条。要以焊缝金属的主要合金元素不低于母材为原则,并考虑抗裂性、抗腐蚀性及耐热性的要求。超低碳不锈钢焊条的抗腐蚀性和抗裂性均较好;含有稳定剂元素铌(Nb)的焊条用于抗晶间腐蚀要求较高的焊接,但抗裂性较差;含碳量大于0.04%且不含稳定性元素的焊条,只能用于耐腐蚀性能不太高的焊件。

目前我国已有定型生产的几十种不锈钢焊条,奥氏体不锈钢焊条型号见表11-8。

2.焊接工艺上应注意的事项

由于不锈钢的导热性差,所以焊接电流要比同样直径的碳钢焊条电流小10%～20%,这样既保证所需熔深,又防止过热。一般也可按焊条直径的25～35倍来选择焊接电流,在立焊或仰焊时的焊接电流还要小10%～30%。焊接前应严格清理坡口,焊接中要保持焊条清洁,以防止焊缝中碳的增加。

在焊接工艺方面采取的措施,其基本原则是焊缝金属冷却速度要快。除上述焊接电流要小外,焊接速度要快,不作横向摆动,层间温度要尽量低,必要时用冷水冷却。焊接时应采用短弧,以减少合金元素的烧损,接触腐蚀介质的一侧最后焊,不得随意打弧,地线要卡牢,防止飞溅金属粘在坡口两侧,保证不锈钢表面层具有良好的抗腐蚀性能。多层焊时,应等前一道焊缝冷却后再焊下一道焊缝,焊缝尽可能一次焊完,少中断、少接头,收弧要衰减,以防止弧坑裂纹。

表 11-8 奥氏体不锈钢焊条的选用

钢号	适用焊条型号
0Cr18Ni9	E308－15　E308－16
1Cr18Ni9Ti	E347－15　E347－16
Cr18Ni12Mo2Ti	E316－15　E316L－16 E316－16　E318－16
Cr25Ni13	E309－15　E309－16
Cr25Ni13Mo2	E309Mo－16
Cr25Ni20	E310－15　E310－16

3. 焊后热处理

通常指稳定化退火和固熔处理。稳定化退火是把焊好的工件加热到 850 ℃保温 4 h,使铬充分扩散,以消除晶界贫铬的方法。固熔处理是将焊件加热到 1 050~1 150 ℃,保温一定时间,使碳化铬分解,碳溶解到奥氏体晶格中去,消除晶界贫铬,然后水冷使碳来不及析出。由于稳定化处理和固熔处理都存在加热过程中工件存在氧化和变形等问题,应慎用。

(三)马氏体不锈钢的焊接

马氏体不锈钢常称铬不锈钢,即 Cr13 类型的钢,作抗氧化钢使用。Cr13 型马氏体钢的焊接性很差,主要问题一是淬硬倾向大,过热倾向大,易产生淬火裂纹;二是易产生扩散氢引起的延迟裂纹。

马氏体不锈钢的焊接,选择焊接材料与焊接参数时应注意以下问题:

1. 焊条的选择

采用焊条电弧焊时,有两种焊条的选用方式:一是选用与母材成分相接近的 Cr13 型焊接材料,使焊缝金属的各项性能与母材相近。但焊前要预热到 150~350 ℃,焊后作700~730 ℃回火热处理。二是选用铬镍奥氏体不锈钢焊条,由于焊缝金属为奥氏体组织,可溶解较多的氢,但焊缝强度较低。

使用铬镍不锈钢焊条,对防止冷裂纹非常有效,焊前可不预热,焊后不作热处理,但焊接厚壁件时,应预热 200 ℃。使用铬镍不锈钢焊条的缺点是接头性能不均匀,焊缝强度低,对构件在高温下工作有一定的影响。

2. 焊接工艺上应注意的事项

焊接薄板时,应采用较小的焊接电流,快焊速,使熔池体积小,焊道窄,防止金属过热。焊前预热温度不应高于 400 ℃,焊后的高温回火应注意缓冷。厚度在 2.5 mm 以下的薄板,焊前可不预热。

近年来采用氩弧焊新工艺焊接马氏体不锈钢,不但使焊接质量得到了保证,而且焊接生产效率高,操作方便且易于实现机械化和自动化。

二、高铬热强钢的焊接

在12%铬的基础上,加入钼、钒、铌等合金元素的钢,能够显著提高材料的高温强度。这种钢在热强性方面超过了最强的铬钼钒耐热钢,用在工作温度600 ℃以下的动力设备部件中,称为高铬热强钢。

高铬热强钢属于马氏体类钢,在空气中冷却就能淬硬,其淬硬及冷裂的倾向很大,焊接性较差,需要在焊接时适当地预热和正确地进行焊后热处理。

(一)焊前预热

为了提高焊接接头的塑性,减少内应力,避免产生裂纹,焊前必须预热。预热温度可根据焊件的厚度和刚性的大小确定,为防止脆化,一般预热温度不宜超过400 ℃。焊后将焊件缓慢冷却到150 ℃左右,再进行热处理。

(二)焊后热处理

为了防止焊接接头的冷裂,要求焊接后用较高的回火温度进行热处理。但若回火温度过高,会使得焊接接头在高温条件的持久强度降低和出现低塑性破坏。

对于刚性大的焊件,为了避免裂纹的出现,焊后需冷却到100~150 ℃保温再进行焊后热处理。若焊后热处理直接从预热温度(300~400 ℃)开始,这种情况下由于碳化物的析出,会降低焊缝金属塑性和韧性。

图11-4为Cr12MoWV钢蒸汽管道的焊前预热和焊后热处理温度。

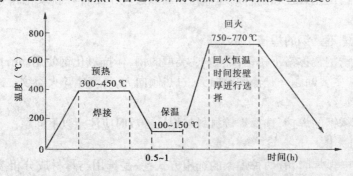

图 11-4 Cr12MoWV 钢蒸汽管道的焊接热参数

(三)焊接材料的选择

高铬热强钢焊接时焊接材料的选择,应保证焊缝金属和母材的化学成分相近,焊缝金属中没有铁素体存在,这是因为铁素体会增加焊缝金属的冷脆性。

(四)焊接工艺上应注意的事项

(1)尽量减少填充金属,当壁厚大于25 mm时应采用双V形坡口。

(2)焊前坡口要清理干净,多层焊时,每道焊缝的清理均很重要,特别要注意坡口边缘死角处的清理,避免夹渣和未焊透。

(3)焊接时,第一层焊接质量是关键,可采用钨极氩弧焊打底,然后再用焊条电弧焊焊接其他各层。

(4)焊接电流不宜过大,每层焊缝的厚度也不宜太大,以确保焊接质量。

第四节　铜和铜合金的焊接

一、铜和铜合金的焊接性

纯铜即紫铜,铜与锌的合金称为黄铜,铜与锡的合金称为青铜,含镍量低于 50% 的铜镍合金称为白铜。铜内有害杂质的含量对铜的性质影响很大,最危险的杂质是铋和铅。铋和铅不溶于铜,而在晶粒周围形成易熔薄层。此外,硫和氧在铜中形成脆性化合物,给焊接带来困难。

铜及铜合金的焊接性较差,在焊接时容易出现以下问题:

(1)难熔合。由于铜及铜合金具有高的导热性,大量的热量被传导出去,使母材难以局部熔化,因此必须采用功率大、热量集中的热源,并必须在焊前对焊件进行预热才能进行焊接。

(2)流动性大。熔化了的铜液具有很好的流动性,一般只能在平焊位置施焊。若要在空间位置单侧对焊,必须加垫板,才能保证焊透和获得良好的成形。

(3)易变形。由于铜的热膨胀系数大,冷却下来时,焊缝要产生很大的收缩,因此必然要产生很大的变形。当采用强制防变形措施时,会造成很大的焊接应力,容易出现裂纹。

(4)易氧化。铜在液态时易氧化生成氧化亚铜,溶解在铜液中。结晶时,生成熔点较低的共晶体,存在于铜的晶粒边界上,使塑性降低,并往往使接头的强度、导电性、耐腐蚀低于母材。

(5)易开裂。铜和铜合金在焊接时,由于很大的焊接应力及氧化生成低熔点的共晶体存在于晶粒边界,容易开裂,若含有铅、铋、硫等有害杂质,形成裂纹的危险性则更大。

(6)易产生气孔。在液态铜中氢的溶解度很大,凝固后溶解度又降低。焊接时焊缝冷却很快,过剩的氢来不及逸出,则形成氢气孔。另外,高温时的氧化亚铜与氢、一氧化碳反应生成的水蒸气和二氧化碳,若凝固前不能全部逸出,也会形成气孔。

二、铜和铜合金的焊接方法

铜和铜合金的焊接方法可采用气焊、碳弧焊、焊条电弧焊和钨极氩弧焊等。其中紫铜和黄铜是比较难焊的材料,一般不采用焊条电弧焊。锡青铜、铝青铜可采用焊条电弧焊,但若采用氩弧焊,不仅使焊接质量得到了保证,而且焊接的生产率高。

(一)焊条电弧焊

焊条电弧焊焊接铜和铜合金的焊条有紫铜焊条(TCu)、锡青铜焊条(TCuSnB)和铝锰青铜焊条(TCuMnAl)。铜和铜合金焊条的型号和熔敷金属的化学成分详见表 11-9。上述焊条均属碱性低氢型,使用直流焊接电源,采用直流反接。

紫铜焊条不宜焊接含氧铜和电解铜,一般要求在 400~500 ℃ 之间预热。锡青铜焊条用于焊接紫铜、黄铜、锡青铜等材料及铸铁补焊,焊接锡青铜时预热 150~250 ℃,焊接紫铜时预热 450 ℃。铝锰青铜焊条用于铝青铜及其他铜合金的焊接、铜合金与钢的焊接及铸铁的补焊。

表11-9 铜及铜合金焊条的型号和熔敷金属的化学成分

型号	化学成分(%)										
	Cu	Sn	Si	Mn	P	Pb	Al	Fe	Ni	Zn	其他元素总量
TCu	余量	—	0.1	0.1	*	0.02	0.01	*	*	*	0.5
TCuSi	余量	—	2.4~4.0	0.3	*	0.02	*	*	*	*	0.5
TCuSnA	余量	5.0~7.0	*	*	0.30	0.02	*	*	*	*	0.5
TCuSnB	余量	7.0~9.0	*	*	0.30	0.02	*	*	*	*	0.5
TCuAl	余量		1.0	2.0		0.02	7.0~9.0	1.5	0.5		0.5
TCuMn-Al	余量	—	0.4	9.0~12.0	—	0.02	5.5~7.5	2.5~4.0	1.8~2.5	*	0.5

注:铜及铜合金焊条见 GB/T 3670—1995;﹡表示其他元素总量应包括这些元素。

当焊件厚度不超过 4 mm 时,可不开坡口;当焊件厚度为 5~10 mm 时,可开单面 V 形或 U 形坡口,清除两侧的油污和氧化物,预热 250~300 ℃,如果采用垫板,可获得单面焊双面成形的焊缝;若焊件厚度大于 10 mm,应开双面坡口,并提高预热温度。焊接时,应采用直流反接,大焊接参数,短弧焊。焊条一般不作横向摆动,焊接中断或更换焊条时动作要快,焊条的操作角度基本上与焊接碳钢相同。较长的焊缝可应用分段退焊法,以减少应力和变形。多层焊时应彻底清除层间熔渣,避免夹渣产生。

(二)钨极氩弧焊

铜和铜合金,其他有色金属及不锈钢等材料,用一般传统的气焊和焊条电弧焊的方法,达不到要求较高的焊接质量,近年来多采用氩弧焊工艺。

1.焊接材料的选择

选择焊接材料的原则是:保证焊接接头的力学性能和气密性,并考虑产品的具体要求,如导电性和导热性等。在采用不含脱氧元素的紫铜焊丝焊接含氧铜时,焊缝力学性能较低,容易产生气孔,此时应配用铜焊粉(粉 301)。

铜和铜合金焊丝的化学成分及熔点详见表 11-10。

表 11-10 铜及铜合金焊丝化学成分及熔点

名称	牌号	化学成分(%)							熔点(℃)
		Cu	Sn	Zn	Si	Fe	Mn	P	
特制紫铜焊丝	丝 201	余量	1.0~1.2	—	0.3~0.5	—	0.3~0.5	0.02~0.15	1 050
低磷铜焊丝	丝 202	余量						0.20~0.40	1 060
锡黄铜焊丝	丝 221	59~61	0.8~1.2	余量	0.15~0.35			—	890
铁黄铜焊丝	丝 222	57~59	0.7~1.0	余量	0.05~0.15	0.35~1.2		0.30~0.09	860
硅黄铜焊丝	丝 224	61~63		余量	0.3~0.7				905

注:牌号标准见 GB 9460—1988。

氩弧焊焊接紫铜时,宜采用丝 201 作填充材料,工艺性优良,焊缝成形良好,力学性能高。

青铜焊接时,一般采用与母材同材质或合金元素高于母材的焊丝,有利于补充在焊接时合金元素的烧损和防止焊缝产生裂纹。

黄铜焊接时采用丝 221、丝 222、丝 224,也可采用与母材成分相同的材料作填充焊丝。

2.紫铜钨极氩弧焊焊接方法

通常采用直流正接进行焊接。焊前应采取预热措施,焊接时用较高的焊接速度。预热温度由板厚确定,一般板厚小于 3 mm 时,预热温度为 150～300 ℃;板厚大于 3 mm 时,预热温度为 350～500 ℃。

紫铜的钨极氩弧焊焊接参数详见表 11-11。

表 11-11　紫铜手工钨极氩弧焊焊接参数

板厚 (mm)	钨极直径 (mm)	填充焊丝直径 (mm)	焊接电流 (A)	氩气流量 (L/min)
1.5	2.5	2	140～180	3～4
2.0	3	3	150～220	4～5
3.0	3	3	200～280	6～7
4.0	4	4	220～320	7～8
5.0	4	4	250～350	8～9
6.0	5	5	300～400	9～11
10.0	6	5	350～500	10～14

3.铜合金的钨极氩弧焊

由于氩弧焊的电弧温度较高,在焊接时合金元素锌、锡、铝等极易蒸发和烧损,应选用交流电源或直流反接。为防止合金元素烧损及减少气孔和裂纹,尽量采用较快的焊接速度、较粗的喷嘴和较大的氩气流量。对于较长的焊缝,应采用分段或逆向焊接法,并在焊后对焊件进行缓冷或适当退火,以消除焊接应力。

4.锡青铜的钨极氩弧焊

锡青铜的钨极氩弧焊焊接参数详见表 11-12。

表 11-12　锡青铜的手工钨极氩弧焊焊接参数

母材厚度 (mm)	钨极直径 (mm)	焊丝直径 (mm)	焊接层数	氩气流量 (L/min)	焊接电流 (A)
3	3	3	1	12～14	100～150
5	4	4	1	14～16	160～200
7	4	4	2	16～20	210～250
8	5	5	2	20～24	260～300
9	5	6	3～4	22～26	310～380
10	6	6	4～6	26～30	400～450

5. 黄铜的钨极氩弧焊及熔化极氩弧焊

黄铜的钨极氩弧焊及熔化极氩弧焊焊接参数详见表 11-13 和表 11-14。

表 11-13　黄铜手工钨极氩弧焊接参数

材料	板厚(mm)	坡口	钨极直径(mm)	电流(A)		氩气流量(L/min)	预热温度(℃)
普通黄铜	1.2	端接	3.2	直流正接	185	7	不预热
锡黄铜	2	V形	2.2	直流正接	180	7	不预热

表 11-14　黄铜熔化极氩弧焊焊接参数

材料		板厚(mm)	坡口			焊丝		电流(直流反接)(A)	电压(V)	氩气流量(L/min)	预热温度(℃)
			形式	钝边(mm)	间隙(mm)	名称	直径(mm)				
低锌黄铜		3.2~12.7	V形		0	硅青铜	1.6	275~185	25~28	12~13	不预热
高锌黄铜	锡黄铜	3.2	I形	0	0	锡青铜	1.6	275~285	25~28	14	不预热
	镍黄铜	9.5~12.7	V形	0	3.2	锡青铜	1.6	275~285	25~28	14	不预热

第五节　铝和铝合金的焊接

一、铝和铝合金的焊接

铝及铝合金指纯铝、防锈铝合金和普通的铸造铝合金。铝及铝合金的焊接性较差,只有正确选用焊接材料和焊接工艺,才能获得性能满足使用要求的焊接产品。铝的焊接方法,通常采用的有气焊、碳弧焊、氩弧焊等,焊条电弧焊的焊接接头质量较低,仅用来焊接一些质量要求不高的产品及铸件的补焊等。

铝及铝合金在焊接时容易出现以下问题:

(1)极易氧化。铝不论是固态或液态都极易氧化,生成三氧化二铝(Al_2O_3)薄膜,并且氧化膜熔点很高,为 2 050 ℃,而铝的熔点仅为 658 ℃。Al_2O_3 具有很高的电阻,在电弧焊中,相当于电弧与工件之间有一层绝缘层,使电弧燃烧不稳定。氧化膜妨碍焊接过程的顺利进行,而且氧化铝的密度大于铝,因此造成焊缝夹渣和成形不良。

(2)熔化时无颜色变化。铝从固体到液体的过程中没有颜色变化,温度稍高会造成金属塌陷和熔池烧穿。再者,由于高熔点的氧化膜覆盖在熔池表面,给观察母材的熔化、熔合情况带来困难。这样就增加了焊接工艺上控制温度的难度,稍不注意,整个接头就会塌落,所以铝的焊接比钢材焊接要困难得多。

(3)易变形。由于铝的导热系数是铁的 2 倍,凝固时的收缩率比铁大 2 倍,所以铝焊件变形大,如果措施不当就会产生裂纹。

(4)易产生气孔。铝及铝合金在焊接时,在空气中马上氧化生成 Al_2O_3。不但阻碍金

· 172 ·

属熔合,还会吸收一定的水分,焊丝表面和母材表面氧化膜吸收的水分,在电弧作用下分解出来的氢被液态金属铝吸收。此外,焊条药皮中的潮气、空气中的水分也都是氢的来源。铝合金的一个特征是,氢在液态金属中的溶解度随温度变化的幅度大,又由于铝导热性能好,焊缝凝固速度快,因此来不及逸出的氢气便形成很多气孔。铝的纯度愈高,产生气孔的倾向就愈大。

(5)易开裂。铝合金的凝固不是在某一温度下进行,而是在某一温度区间进行。在开始凝固时温度较高,焊缝呈液－固状态,液态比较多,此时的收缩量可由未凝固的液态金属补充;在最后凝固时,焊缝固－液状态中液态金属已很少,以间层状存在,由于此时温度处于凝固温度区间的下限,已产生很大的收缩,这样就会在液态的层间处拉开,若无液体补充,便形成裂纹。一般来说,纯铝不易产生凝固裂纹,防锈铝合金裂纹倾向也很小,但硬铝、超硬铝等经热处理强化的铝合金的热裂纹倾向较大。

二、铝和铝合金的焊接方法

氩弧焊是铝及铝合金的主要焊接方法。钨极氩弧焊用来焊接薄板,焊接时可不填充焊丝,不预热,厚度增加时,应填充焊丝并进行预热。采用熔化极氩弧焊,可以焊接 8~25 mm 厚的中厚板。

(一)焊接电源

钨极氩弧焊焊接铝和铝合金,一般使用交流电源;熔化极氩弧焊的焊接电源应使用直流反接。采用熔化极氩弧焊时,由于对焊缝金属气孔的敏感性较大,要求对焊丝和母材进行严格的清理,并采用直径较粗的焊丝。

(二)焊丝和母材的清理方法

坡口一般采用机械清理,多用钢丝刷和钢丝轮或用刮刀和锉刀等工具,直到露出金属光泽。焊丝采用化学清洗,化学清洗的方法很多,但最后必须用水冲洗并干燥。焊件和焊丝清理的数量应以当天焊完为准,否则第二天要重新清理。

(三)焊丝的选择

氩弧焊焊接铝及铝合金,焊丝选择的原则:与母材化学成分相同的焊丝。焊接纯铝时考虑到抗腐蚀性,可选用纯度比母材高一级的焊丝。焊接铝镁合金时,为了弥补镁在焊接时的烧损,可选用比母材的含镁量高 1% ~2% 的铝镁合金焊丝。4A01 合金焊丝流动性和塑性均较好,在对接头强度要求不高时,可用来焊接裂纹倾向较大或流动性差的铝合金。但 4A01 焊丝不适于焊接纯铝和铝镁合金,其原因是使焊缝中含硅量增多,枝晶间易形成脆性化合物,使接头的塑性和抗腐蚀性能降低,增加产生热裂纹的倾向。

铝及铝合金焊接时,填充焊丝的选择详见表 11-15。

(四)焊接工艺

采用钨极氩弧焊焊接铝及铝合金,应使用具有陡降外特性的交流电源,并具有引弧、稳弧和消除直流分量的装置。

氩弧焊要求氩气的纯度大于 99.95%。

进行全位置对接焊时,钨极直径、焊丝直径、焊接电流大小和氩气流量详见表 11-16。

当进行角接焊和卷边焊时,焊接电流应增加 10% ~15%,并适当提高预热温度。

当焊接 8~25 mm 的中厚板时,预热温度随板厚的增加,在 100~250 ℃ 范围内确定。

表 11-15 铝及铁合金氩弧焊时填充焊丝的选择

被焊材料	填充焊丝	被焊材料	填充焊丝
1070A	L1	LF11	LF5
1060	L2 或 L3	LF21	LF21 或 LT1
L3~L5	L2,L3	LY11	LF2 或 LT1
L6	L6	LY12	LF2 或 LT1
LF2	LF3	LY16	LT1
LF3	LF5 或 LF3	LD2	LT1
LF5	LF5	LD10	LT1
LF6	LF6 或 LF14*		

注:填充焊丝见标准 GB/T 10858—1989。

* LF14 为 LF6 中增加了合金元素钛(0.15%~0.24%),可细化晶粒,提高抗裂性。

表 11-16 铝及铁合金钨极氩弧焊时的焊接工艺参数

板厚 (mm)	钨极直径 (mm)	焊接层数	焊丝直径 (mm)	焊接电流 (A)	氩气流量 (L/min)	适用范围
1	1.5	1	3	40~70	4~6	全位置
2	2	1	4	50~90	6~8	全位置
3	3	1	4	90~130	6~8	全位置
4	4	1	4	110~150	8~12	全位置
5	5	1	5	140~200	12~20	全位置
6	6	1~2	5	200~250	15~25	全位置
10	6~8	2	6	200~300	15~25	全位置
12	8	2~3	6~8	300~350	15~25	平焊
16	8	3~4	8	350~400	20~30	平焊

第六节　镍和镍合金的焊接

镍的原子量、密度、磁性、线膨胀系数、常温下的机械性能都与铁相似。但镍和铁的晶格结构不同。镍为面心立方晶格且在熔化前晶格结构不发生变化,也没有相变。

镍呈银白色,在抛光后能保持很长时间的光泽。镍的强度适中,塑性、韧性较好,耐腐蚀性好,抗氧化和热强性好。而且镍的低温性能较好,其抗拉强度和延伸率比常温都有所提高。镍对很多合金元素都有较高的溶解度,派生出许多种合金,除具有耐高温或耐高温介质腐蚀等特殊性能外,还具有高的电阻性能以及良好的塑性和加工工艺性能。

可进行焊接的镍及镍合金有:

(1)纯镍。主要用来制造耐腐蚀件,如机械和化工设备中的耐腐蚀件、医疗器械、食品工业用器皿和电气器件等。

(2)镍铜合金。这种合金常称为蒙乃尔合金,具有优良的抗海水腐蚀性能,对含有氯离子的介质及某些酸、碱都有良好的耐腐蚀性能。含有铝、钛的镍铜合金强度较高。

(3)镍铬合金。这种合金含铬量一般在 20% 以下,常称为因科镍合金,具有良好的抗纯水腐蚀性能,化学工业及核电站中常用这些材料。在镍铬合金中,加入钼、钨、铝、钛等元素又形成很多高温合金。

(4)镍钼合金。这种合金一般含钼 15%～30%,尚有铁、铝等少量元素,具有良好的抗腐蚀性能和抗氧化性能。这种合金又称哈斯特洛依合金。

镍及镍合金的化学成分详见表 11-17 所示。

表 11-17 镍和镍合金的化学成分(GB 5235—85)

组别	代号	主要化学成分(%)					杂质总和
		Ni＋Co	Cu	Si	Mn	其他	
纯镍	N2	≥99.98	—	—	—	—	≤0.02
	N4	≥99.9	—	—	—	—	≤0.1
	N6	≥99.5	—	—	—	—	≤0.5
	N8	≥99.0	—	—	—	—	≤1.0
	DN (电真空镍)	≥99.35	—	—	—	C:0.02～0.110 Mg:0.02～0.10	≤0.35
阳极镍	NY1	≥99.7	—	—	—	—	≤0.3
	NY2	≥99.4	0.01～0.1	—	—	O:0.03～0.3 S:0.002～0.01	≤0.6
	NY3	≥99.0	—	—	—	—	≤1.0
镍锰合金	NMn3	余量	—	—	2.3～3.3	—	≤1.5
	NMn5	余量	—	—	4.6～5.4	—	≤2.0
镍铜合金	Ncu40-2-1	余量	38～42	—	1.25～2.25	Fe:0.2～1.0	≤0.6
	Ncu280-2.5-1.5	余量	27～29	—	1.2～1.8	Fe:0.2～3.0	≤0.6

一、镍及镍合金的焊接性

纯镍及强度较低的镍合金的焊接性良好,相当于铬镍奥氏体不锈钢。但镍及镍合金焊接中存在的主要问题是焊缝金属的热裂纹、气孔和焊接热影响区的晶粒长大。

(一)热裂纹

镍及镍合金焊接时,由于 S、Si 等杂质在焊缝金属中偏析,S 和 Ni 形成低熔点共晶。焊缝金属凝固过程中,低熔点共晶在晶界间形成一层液态薄膜,在焊接应力的作用下形成所谓凝固裂纹。Si 在焊接过程中和氧等形成复杂的硅酸盐,在晶界间形成一层脆的硅酸盐薄膜,在焊缝金属凝固过程中或凝固后的高温区,形成高温低塑性裂纹。因而,S、Si 是镍及镍合金焊缝金属中最有害的元素。

防止热裂纹产生的措施:首先应尽量降低焊缝金属中 S、Si 等杂质的含量,焊前坡口区域、焊丝等都要严格清理,严格控制母材中杂质的含量;其次还应向焊缝金属中添加适量的 Mn、Nb、Mo、Mg、Ti 等元素,以抵消 S、Si 等杂质的有害作用;再者,采用小热输入焊接是非常必要的,焊前不预热,层间温度应尽量低。焊条电弧焊选用低氢焊条。

(二)气孔

焊接镍及镍合金时,气孔是个较难解决的问题,特别是焊接纯镍和镍铜合金时更为严重。这是由于液态镍和镍合金焊缝金属黏度比较大,张力也较大,使气体上浮逸出比较困难,因此出现气孔的机会就比较多。镍合金焊缝金属的气孔有 H_2O(水)气孔、氢气孔和一氧化碳气孔,而以 H_2O 气孔为主。由于液态镍能溶解大量的氧,凝固时氧的溶解度大幅度减小,使凝固过程中过剩的氧将镍氧化成氧化亚镍(NiO)。氧化亚镍和液态金属中的氢发生反应,镍被还原,而氢和氧结合生成 H_2O。H_2O 来不及逸出,又因为收弧和引弧处冷却速度较快,因此容易形成气孔。

解决气孔问题的方法如下:

首先,通过焊条或焊丝向焊缝金属过渡脱氧剂,如钛、铝、锰等,降低含氧量,防止形成氧化亚镍(NiO)。焊条电弧焊采用碱性低氢焊条,以减少焊缝金属中氢、氧的含量。焊条要充分烘干,采用直流反接,用短弧焊。焊接镍铜合金时,应使用引入板和引出板。

其次,焊件、焊丝在焊前应严格清理,清除焊件表面的氧化膜、油脂、油污、涂层及颜料等。

(三)焊接热影响区晶粒的长大

镍和镍合金均为单相合金,容易过热,造成晶粒粗大,使晶间夹层增厚,减弱了晶间结合力,使焊缝和热影响区的塑性、抗腐蚀性能均有降低,并使焊缝金属的液、固相存在的时间加长,进而增强了热裂纹的形成倾向。

防止晶粒长大的措施:采用小的热输入进行焊接,焊接电流小,焊接速度快,焊条不作横向摆动,不预热,层间温度应尽量低,焊后可进行强制冷却。

二、镍和镍合金的焊接方法

镍和镍合金的焊接方法常用的有焊条电弧焊、埋弧焊、钨极氩弧焊和等离子焊等。

(一)焊条电弧焊

焊条电弧焊焊接纯镍时,用镍 112 焊条;焊接镍铬合金时用镍 307 焊条,在焊缝金属中含有 2%~6% 的钼,用来防止裂纹的产生;有些电炉丝为 Cr20Ni18 或 Cr15Ni60Fe 合金制成,可采用镍 307 焊条,也可用奥 407、奥 607 焊条焊接。

为获得优质的焊接接头,焊前必须对焊件及焊丝进行清理,去除表面油污和氧化膜。清除的办法可用机械加工和化学方法。一般采用机械加工方法即可,但在高温加热后或长时间存放后,表面的氧化膜必须采用化学清洗法,详见表 11-18。

表 11-18　纯镍的化学清洗

酸洗				中　和				
溶液	温度 (℃)	时间 (min)	冲洗	溶液 (%)	温度 (℃)	时间 (min)	冲洗	干燥
H_2O:H_2SO_4: HNO_3= 1:1.25:2.25	20~40	50~220	清水	$Ca(OH)_2$ 5~8	40~50	1~3	清水	风干

焊条电弧焊焊接镍和镍合金,焊接电源采用直流反接,选用小电流、短弧和尽可能快的焊接速度,焊接电流可参照表11-19选用。运条时焊条不作横向摆动或横向摆动范围不超过焊条直径的2倍。多层焊时要严格控制层间温度,一般应控制在100℃以下。每一段焊缝接头应回焊一小段,然后沿焊接方向前进。为防止弧坑裂纹,断弧时要进行弧坑处理,并将弧坑填满,必要时应加引弧板和收弧板。

表11-19　镍和镍合金焊接电流

焊条直径(mm)	2.5	3.2	4.0	5
焊接电流(A)	50～70	80～120	105～140	140～170

(二)钨极氩弧焊

目前焊接镍和镍合金的主要方法是钨极氩弧焊。为使焊缝金属获得更高的抗气孔和抗热裂纹的能力,可采用 Mo、W 的 NiCrMo(W)系合金焊丝。当要求焊缝金属具有较大的高温强度时,可采用与母材化学成分相同的焊丝。

由于镍和镍合金的导热系数及熔融后的流动性均比碳钢差,钨极氩弧焊在相同焊接参数下,其熔透深度为碳钢的50%左右。若增大电流将会导致过热,因而只能加大坡口角度和减少钝边来达到熔透。镍和镍合金的钨极氩弧焊接头形式及坡口尺寸详见表11-20。

焊接时,采用直流正接电源,高频非接触引弧,选用一级氩气,并采用引弧板和收弧板,热输人尽可能采用下限。镍和镍合金钨极氩弧焊的焊接参数见表11-21。

表11-20　镍和镍合金的钨极氩弧焊接头形式及坡口尺寸　　　（单位:mm）

坡口形式			板厚 δ	间隙 b
I形对接	背面加垫板		1	0
			1.2	0
			1.5	0
			2.4	0～0.8
			3.0	0.8～1.6
	有背面焊		3.0	0～0.8
			5.0	0.8～1.6
			6.0	1.6～2.4
V形坡口对接	背面加垫板		5	3
			6	5
			8	5
			10	5
			12	5
			16	5
	有背面焊		6	2.4
			8	2.4
			10	3
			12	3
			16	3

表 11-21　镍和镍合金钨极氩弧焊的焊接参数

板厚 (mm)	焊丝直径 (mm)	钨极直径 (mm)	喷嘴直径 (mm)	焊接电流 (A)	氩气流量 (L/min)
2	1.6	2	7～12	80～120	6～10
3	2.5	3	7～12	120～160	9～12
6	2.5	4	10～14	150～200	9～12
8	3	4	12～16	220～280	12～15
10	3～4	4	12～16	260～300	12～15
12	3～4	4	12～16	280～300	12～15

第七节　钛和钛合金的焊接

钛和钛合金具有密度小、强度高、耐腐蚀性能好等突出优点,在航空、海洋、石油、化工、轻工、医药卫生等很多领域得到广泛应用。钛中加入铝、钒、钼、铬、锰等合金元素形成钛合金。钛合金按室温结晶组织可分为以下几种:①α 钛合金,如 TA6、TA7 等,这类合金焊接性良好;②β 钛合金,如 TB1、TB2 等,这类合金焊接性差;③α + β 钛合金,如 TC2、TC4 等,这类合金焊接性最差,在焊接结构中很少采用。

一、钛和钛合金的焊接性

钛是化学性质十分活泼的金属,400 ℃ 以上就开始和空气中的氧、氮、氢等元素起反应,使钛的塑性剧烈下降。钛和钛合金在焊接中遇到的主要问题,一是在 400 ℃ 以上的温度极为活泼,容易使接头脆化;二是易造成过热和生成粗大晶粒,产生裂纹;三是变形较大。

焊接时易吸收气体使接头变脆的影响因素有以下几方面:

(1)氧的影响。氧不论在钛的 α 相或 β 相合金中都有很高的溶解度,并能形成固熔体,引起钛及钛合金硬度、强度升高,塑性下降。为了保证焊接接头的性能,除在焊接过程中要防止氧溶入焊缝金属外,母材含氧量应限制在 0.1% ～0.15% 以内。

(2)氮的影响 。钛在 600 ℃ 以上与氮作用的速度显著增加,形成易溶于钛的氮化钛。焊缝中氮的含量超过 1% 时,易形成很脆的氮化物,使接头塑性下降更多。为保证焊接接头的性能,除在焊接过程中防止氮化外,母材含氮量应限制在 0.01% ～0.05% 以内。

(3)氢的影响。氢是钛中最有害的元素。氢在 400 ℃ 时,在钛中具有很大的溶解度。氢能降低钛和钛合金的塑性和韧性而产生脆裂,同时在冷却过程中,由于溶解度的很大变化,使氢来不及逸出,而聚集成气孔。由于氢是引起接头气孔及裂纹的重要原因,因此焊接钛和钛合金要严防氢的侵入。母材及焊丝中氢含量应限制在 0.01% ～0.015% 以内。

由于钛和钛合金的熔点高,导热性差,热容量小,电阻大,因此焊接熔池具有积累热量多、尺寸大、高温停留时间长和冷却速度慢等特点。这些特点使焊接接头产生过热组织,晶粒变得粗大,脆性严重,使焊接时加热到高温的区域增大,另外焊接变形要比焊接钢大 1 倍,容易引起裂纹。

二、钛和钛合金的焊接方法

钛和钛合金不能采用气焊和二氧化碳保护焊。主要的焊接方法有钨极氩弧焊、等离子弧焊及电子束焊等,其中钨极氩弧焊应用较广。

采用钨极氩弧焊焊接钛和钛合金应注意的问题有:

(1)填充金属。一般选用与母材牌号相同的焊丝,为了提高焊缝的塑性和韧性,可采用 Ti-6A1-4V。

(2)焊接电源。采用直流正接电源。电极选用钍钨极较好。若为纯钨极时,电流密度一般不宜超过 60 A/mm²,若用钍钨极可适当提高电流。焊接时应提前送氩气,结束时应延时断气(10~20 s),以保证尚未冷却的焊缝、近缝区和钨极得到继续保护而不被氧化。

(3)坡口形式。焊件厚度小于 3 mm 时,对接接头可不开坡口,不加填充金属;焊件厚度大于 3 mm 时,应开坡口并加填充金属。接头坡口尺寸见表 11-22。

(4)焊前清理。填充焊丝的杂质含量(特别是含氢量)要严格控制,填充前进行真空脱氢处理(真空加热 850~900 ℃,保温 5~6 h)。使用焊丝前,再用丙酮擦拭。焊件接头端面和两侧 25 mm 范围的正反两面需去除油污,如果表面有氧化膜,还要进行酸洗,清理后的焊件必须在 4 h 内焊接完毕,否则应重新清理。

表 11-22 钨极氩弧焊焊接钛和钛合金接头坡口尺寸

坡口形式		板厚 (mm)	说　明
I 形对接		0.25~2 0.75~3	不留间隙 b　0~0.3 mm
V 形坡口对接		1.5~3 3~6	α　30°~60° 钝边　0.75~1 mm b　0~0.6 mm
X 形坡口对接		6~12	α　30°~60° 钝边　0.75~1 mm b　0~1.2 mm

(5)焊接工艺。在不影响观察的情况下,钨极伸出的长度和喷嘴距工件表面的距离要尽可能短。对于结构复杂的构件,焊枪不摆动,匀速前进。喷嘴和氩气流量要足够大,以获得良好的氩气保护。焊接时若使用填充焊丝,焊丝末端不得移出氩气保护区,中途不得停顿或熄弧,以免空气进入焊接区而污染金属。收弧时要采取衰减措施,以改善收弧质量。焊缝正、反面高于 400 ℃ 的区域要用氩气保护。

为避免金属过热和晶粒长大,热输入应尽可能小,在保证焊缝成形良好的情况下,选用小的焊接电流和快的焊接速度。厚板开坡口进行多层多道焊时,为防止焊件过热,应冷却后再焊下一道焊缝,也可采用焊后急冷的方法,以防止焊缝及热影响区晶粒长大。

焊后,为了改善接头的塑性,消除焊接应力及改善结晶组织,通常要进行低温退火处理,但工业纯钛焊后不用热处理。

钛和钛合金钨极氩弧焊的焊接参数见表 11-23。

表 11-23 钛和钛合金钨极氩弧焊的焊接参数

对接板厚 (mm)	填充焊丝直径 (mm)	焊接电流 (A)	氩气流量(L/min)	
			焊枪	背面
1.2	不用	65	5	1~2
1.52	不用	90	7	3
0.5~0.8	1.5	15~50	6~8	2~3
1.0~1.2	1.5~2.0	40~60	6~8	2~3
1.5~1.8	1.5~2.0	60~80	8~10	2~3
2.0	2.0~2.5	70~100	8~10	2~4
2.5	2.0~2.5	100~130	10~12	2~4
3	2.5~3.0	120~160	10~12	2~4

(6)氩气保护措施。要求氩气的纯度不低于 99.98%,流量适当,过大或过小都会引起焊缝的塑性急剧下降。钛和钛合金氩弧焊时主要是 400℃以上区域的保护问题。需要采用保护效果良好的焊枪,除在焊枪后面加拖罩对焊缝正面进行保护外,还应在焊件的背后采用氩气保护的专用气罩或气垫进行保护,防止接头背面在高温时氧化。

对接头的保护效果,可根据焊缝和近缝区表面颜色来判断。焊接时氩气保护效果对焊缝质量及性能的影响见表 11-24。

表 11-24 氩气保护效果对焊缝质量的影响

焊缝表面颜色	焊缝保护情况	焊缝质量
银白色	良好	良好
黄 色	尚好	对焊缝质量没有影响
蓝 色	一般	焊缝表面氧化,塑性稍有下降,但不影响焊缝整体的质量
青紫色	较差	焊缝氧化较严重,显著地降低焊缝的塑性
暗灰色	较差	焊缝完全氧化,焊接区完全脆化,易产生裂纹、气孔及夹渣等缺欠

习　题

一、名词解释

1.焊接性　　2.热裂纹　　3.冷裂纹　　4.碳当量(CE)　　5.固熔处理

6.晶间腐蚀　　7.高铬热强钢

二、判断题

1. 焊接铝和铝合金时,焊丝选择的原则是选用与母材化学成分相同的焊丝。　　（　　）
2. 钛和钛合金的焊接可采用钨极氩弧焊、等离子弧焊、气焊、CO_2 保护焊及电子束焊等。
　　　　（　　）
3. 晶间腐蚀是不锈钢最危险的一种破坏形式。　　（　　）
4. 焊缝中含碳量越多,产生晶间腐蚀的倾向越小。　　（　　）
5. 铬是铬镍奥氏体不锈钢中具有耐腐蚀性的基本元素,只有当含铬量低于12%时,奥氏体不锈钢才具有耐腐蚀性能。　　（　　）
6. 焊后应采取保温缓冷的工艺措施,防止奥氏体不锈钢产生裂纹。　　（　　）
7. 小电流、快焊速是焊接奥氏体不锈钢的主要工艺措施。　　（　　）
8. 马氏体钢的可焊性比奥氏体不锈钢的可焊性好。　　（　　）
9. 高铬热强钢焊接材料的选择,通常应力求焊缝金属和母材的化学成分相近,并力求焊缝金属中没有铁素体存在。　　（　　）
10. 焊接黄铜时一般不用黄铜芯焊条,而采用青铜芯焊条。　　（　　）
11. 目前焊接镍和镍合金的主要焊接方法是采用 CO_2 保护焊。　　（　　）
12. 紫铜手工钨极氩弧焊通常采用直流正接电源进行焊接。　　（　　）
13. 铜及铜合金焊接时产生的裂纹都属于热裂纹。　　（　　）
14. 铝及铝合金焊接时,常会出现焊接接头与母材不等强度的现象,即接头强度往往比母材高出很多。　　（　　）
15. 目前,焊接铝与铝合金较完善的焊接方法是氩弧焊。　　（　　）

三、选择题

1. 低合金钢焊接时,若板厚较厚,焊后为消除焊接应力,应采取的热处理方式为（　　）。
　　A. 正火　　　　　　B. 退火　　　　　　C. 回火　　　　　　D. 淬火
2. 以下哪项不是影响奥氏体不锈钢晶间腐蚀的主要因素。（　　）
　　A. 加热温度　　　B. 加热时间　　　C. 焊接速度　　　D. 母材的化学成分
3. 铝及铝合金的主要焊接方法是（　　）。
　　A. 气焊　　　　　　B. 氩弧焊　　　　　C. 碳弧焊　　　　　D. 埋弧焊
4. 选择中碳钢焊条的原则之一是选用抗热裂纹和抗冷裂纹较强的（　　）焊条。
　　A. 酸性　　　　　　B. 钛钙型　　　　　C. 钛铁矿型　　　　D. 碱性低氢型
5. 焊接 18MnMoNb 钢应选用（　　）焊条。
　　A. E7015 - D2　　B. E4303　　　　　C. E5015　　　　　D. E5016
6. 普通低合金钢焊接时,最易出现的裂纹是（　　）。
　　A. 热裂纹　　　　　B. 冷裂纹　　　　　C. 再热裂纹　　　　D. 层状撕裂
7. 16Mn 手工钨极氩弧焊时应选用（　　）焊条。
　　A. E4303　　　　　B. E4313　　　　　C. E5015　　　　　D. E6515
8. 奥氏体不锈钢中的主要元素是（　　）。
　　A. 锰和铁　　　　　B. 铝和钛　　　　　C. 铬和镍　　　　　D. 铝和硅
9. 不锈钢产生晶间腐蚀的危险温度区是（　　）℃。

A. 150~250   B. 250~350   C. 450~850   D. 350~450

10. 为避免晶间腐蚀,奥氏体不锈钢中加入的稳定元素有( )两种。

    A. 钛和铌   B. 铬和碳   C. 锰和硅   D. 钼和钨

11. 对晶间腐蚀影响最大的元素是( )。

    A. 碳   B. 铬   C. 锰   D. 硅

12. 手工钨极氩弧焊焊接铝及铝合金时一般应选用( )。

    A. 直流反接   B. 直流正接   C. 交流电   D. 脉冲电流

13. 在焊条直径相同的条件下,焊接不锈钢的电流比焊接低碳钢的电流应( )。

    A. 大些   B. 小些   C. 相等   D. 随意

14. 紫铜手工钨极氩弧焊时,电源应采用( )。

    A. 直流正接   B. 直流反接   C. 交流电   D. 脉冲

15. 铜及铜合金焊接时在焊缝及熔合区易产生( )。

    A. 冷裂纹   B. 热裂纹   C. 层状撕裂   D. 针形气孔

16. 黄铜焊接时,为阻止锌的蒸发与氧化,常在焊芯中加入( )。

    A. 锡   B. 铝   C. 锰   D. 硅

四、填空题

1. 钢中含碳量增加,其可焊性＿＿＿＿＿＿。与低碳钢相比,中碳钢、高碳钢的可焊性＿＿＿＿＿＿。

2. 中碳钢焊接时,应选用抗热裂纹和抗冷裂纹较强的＿＿＿＿＿＿。

3. 低合金钢焊接热影响区具有一定的淬硬倾向,随着碳当量值的提高,淬硬倾向＿＿＿＿＿＿。

4. 铜和铜合金的焊接方法有＿＿＿＿＿、＿＿＿＿＿、＿＿＿＿＿、＿＿＿＿＿等。

5. 镍和镍合金的焊接方法常用的有＿＿＿＿＿、＿＿＿＿＿、＿＿＿＿＿和＿＿＿＿＿等。

6. 低碳钢焊接时,如果环境温度较低或钢材厚度较大时,应采取＿＿＿＿＿措施。

7. 中碳钢、高碳钢的可焊性较差,其焊接时的主要问题是容易产生＿＿＿＿＿和＿＿＿＿＿。

8. 中碳钢、高碳钢焊接时的预热温度取决于＿＿＿＿＿、＿＿＿＿＿和所用＿＿＿＿＿。

9. 马氏体钢的可焊性很差,主要问题:一是淬硬倾向大,过热倾向大,易产生＿＿＿＿＿裂纹;二是易产生扩散氢引起的＿＿＿＿＿裂纹。

10. 影响晶间腐蚀的主要因素有＿＿＿＿＿、＿＿＿＿＿和＿＿＿＿＿。

11. 纯铜即紫铜,铜与锌的合金称为＿＿＿＿＿铜,铜与锡的合金称为＿＿＿＿＿铜,含镍量低于50%的铜镍合金称为＿＿＿＿＿铜。

五、问答题

1. 中碳钢焊接时,为防止气孔的产生,应采取哪些措施?

2. 中碳钢及高碳钢焊接时,为防止焊接裂纹的产生,应采用哪些措施?

3. 低合金钢焊接时存在哪些问题?焊接后热处理的目的是什么?

4. 焊条电弧焊焊接铬镍奥氏体不锈钢时应注意哪些问题?

第十二章 焊接缺欠

第一节 概　述

　　焊接缺欠是指焊接过程中在焊接接头处产生的不符合设计或工艺文件要求的缺欠。产生焊接缺欠的原因有以下三个方面:①设计不当;②选材不当,材料的接合性能不好;③焊接工艺不当。焊接缺欠的分类如图 12-1 所示。

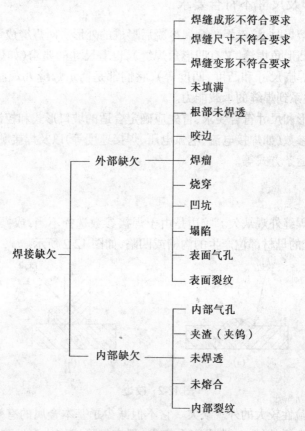

```
                                    ┌─ 焊缝成形不符合要求
                                    ├─ 焊缝尺寸不符合要求
                                    ├─ 焊缝变形不符合要求
                                    ├─ 未填满
                                    ├─ 根部未焊透
                                    ├─ 咬边
                       ┌─ 外部缺欠 ──┤─ 焊瘤
                       │            ├─ 烧穿
                       │            ├─ 凹坑
                       │            ├─ 塌陷
          焊接缺欠 ─────┤            ├─ 表面气孔
                       │            └─ 表面裂纹
                       │            ┌─ 内部气孔
                       │            ├─ 夹渣（夹钨）
                       └─ 内部缺欠 ──┤─ 未焊透
                                    ├─ 未熔合
                                    └─ 内部裂纹
```

图 12-1　焊接缺欠的分类

　　本章主要讨论焊接工艺方面引起的焊接缺欠。

　　所谓焊接工艺是指焊接过程中的一整套技术规定,其中包括焊前准备、焊接材料、焊接设备、焊接方法、焊接顺序、焊接操作的最佳选择以及焊后处理等。焊接工艺中的这些因素都会对焊接缺欠的产生具有不同程度的影响。保证焊接质量,防止焊接缺欠的产生,就必须对这些工艺因素进行有效的控制。

焊接缺欠的存在,对焊接接头的安全和使用性能有直接的影响,即焊接缺欠往往是产品或设备失效以及发生危害性事故的主要原因。从国内、外焊接产品或设备的失效和事故统计来看,主要有以下六种类型:①焊接裂纹;②焊缝中的气孔和夹渣;③焊接腐蚀及泄漏;④焊接结构的脆性破坏;⑤焊接结构的应力与变形;⑥焊接结构的疲劳破坏。

焊接缺欠按其在焊接接头中位置不同,可分为内部缺欠和外部缺欠。外部缺欠可以通过表面检验发现;内部缺欠一般可通过无损检测方法发现。此外,还有组织与性能缺欠,这些缺欠一般要通过破坏性解剖才能发现。

第二节　焊接接头的外部缺欠

一、焊缝成形及尺寸不符合要求

焊缝成形是指熔焊时,液态焊缝金属冷凝后形成的外形。对焊缝成形,有形状的要求(如对角焊缝,既有凸形角焊缝,又有凹形角焊缝),也有尺寸的要求(如焊缝宽度、焊缝厚度、余高、角焊缝的焊脚尺寸和凸度、凹度等),它们都是衡量焊缝外观质量的一个方面。对于承载焊缝,还关系到焊缝的承载能力。

为保证焊缝成形和尺寸符合要求,首先应确定合适的坡口形式和控制组装质量;其次应选择合适的焊接参数(如焊接电流、电弧电压、焊接速度等)以及焊接顺序、焊接方向、焊接位置、焊条角度、运条方式等。

二、咬边

咬边是常见的焊缝外观缺欠。咬边是由于焊接参数选择不当,或操作工艺不正确和技能不熟练,沿焊趾的母材部位产生的沟槽或凹陷,如图 12-2 所示。

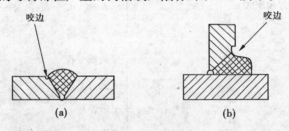

咬边　　　　　　　　　　　　　　　　　咬边

(a)　　　　　　　　　　　　(b)

图 12-2　咬边

咬边是一种危险性较大的外观缺欠。它不但减少了基本金属的有效截面,而且在咬边根部往往形成较尖锐的缺口,造成应力集中,很容易形成应力腐蚀裂纹和应力集中裂纹。因此,对咬边有严格的限制,特别是对于某些重要的焊接产品,不允许存在咬边缺欠。

焊接电流过大、焊接速度过快、电弧过长、焊条角度不当、上坡焊时掌握不好,特别是立焊、横焊和仰焊时运条不当,容易产生咬边。防止咬边,应从这几个方面加以有效的控制。咬边超过允许值。应予补焊。

三、焊瘤

焊瘤是指焊接过程中,熔化金属流淌到焊缝之外未熔化的母材上所形成的金属瘤,如图 12-3 所示。

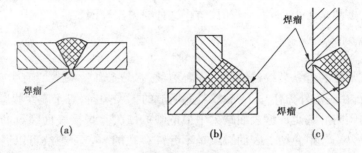

图 12-3　焊瘤

焊瘤常见于立焊、横焊和仰焊焊缝表面以及平焊对接第一层焊缝的背面。焊瘤不仅影响焊缝的外观,而且也掩盖了焊瘤处焊趾的质量情况,往往在这个部位上会出现未熔合缺欠。

对焊接电流和焊接操作进行适当的控制,就可防止焊瘤的产生。发现焊瘤,应磨掉或刨掉,并对焊缝的形状进行必要的修补。

四、烧穿

焊接过程中,熔化金属自坡口流出,形成穿孔的缺欠就是烧穿。烧穿常发生于打底焊道的焊接过程中。发生烧穿,焊接过程难以继续进行。产生烧穿的原因主要是焊接电流过大、坡口间隙过大。为防止烧穿,应控制焊接电流和运条方法,坡口装配间隙应均匀,对局部间隙过大处,应采用小焊条直径、小焊接电流进行堆焊。对烧穿的部位,应认真清除穿孔周围的熔渣,并修整出适当的坡口后局部补焊。

五、凹坑

凹坑是焊后在焊缝表面或焊缝背面形成的低于母材表面的局部低凹部分,如图 12-4 所示。

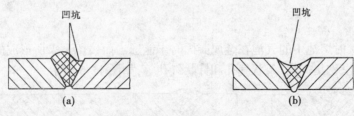

图 12-4　凹坑

产生焊缝表面凹坑的原因主要是坡口截面不均匀,在截面大处填充金属未能填满坡口而形成的凹坑;也可能是焊接速度控制不均匀或多层焊时焊接层数与焊接速度没有配合好所致。出现焊缝表面凹坑时,应该补焊。

焊缝背面凹坑主要是由于填充金属不够,焊缝金属凝固收缩而形成的凹坑。这种缺欠在带垫板的单面焊焊缝中常有出现。在这种情况下,也可能是由于在焊缝根部的垫板上,有焊剂或渣皮占据一定空间,焊接时又未被完全熔化,待焊缝凝固后,形成焊缝背面凹坑。这时,凹坑中总会积存一些熔渣。对于带垫板单面焊焊缝背面凹坑,手工焊时,可以通过运条搅动熔池来防止;而埋弧焊时,防止这种缺欠比较困难。

六、表面裂纹

表面裂纹常见的有纵裂纹、横裂纹、焊趾裂纹、弧坑裂纹。裂纹具有尖锐的缺口和大的长宽比特征,在一定外力作用下,裂纹具有明显的扩展倾向,对于脆性状态的材料,还会有脆性破坏的倾向。它是焊缝表面缺欠中最危险的缺欠。焊接表面裂纹的形成原因,将在焊缝内部缺欠一节中介绍。表面裂纹是不允许存在的。表面裂纹可以通过肉眼、低倍放大镜、磁粉或渗透(着色)等表面无损检测发现。

第三节　焊接接头的内部缺欠

一、夹渣(钨)

夹渣是指焊后残留在焊缝中的熔渣。夹钨则是钨极惰性气体保护焊时由钨极进入到焊缝中的钨粒。夹渣既存在于焊缝金属的内部,也可能存在于相邻焊道之间。

夹渣的存在,会降低焊缝金属的强度。在焊缝金属塑性较差、承受疲劳载荷的情况下,还有可能发展成裂纹。因此,在产品标准或图样中都有明确的规定以限制夹渣大小。

形成焊缝内部夹渣的原因有:①焊条药皮或焊剂所形成的夹渣,被电弧的搅拌作用卷压到熔化金属的表面以下;②由于手工焊操作不当,熔渣流到电弧的前面;③多道焊时熔渣清理不干净;④下坡焊时,熔化金属在熔渣上面过渡,而将熔渣夹在焊道下面;⑤焊接电流较小等都可能。因此,防止夹渣的产生,应对这些因素进行有效的控制。

夹钨是在钨极惰性气体保护焊时由于电流过大,钨极局部熔化而坠入熔池留在焊缝中的缺欠。

可采用射线或超声波检测方法确定夹渣(钨)缺欠。

二、气孔

气孔是焊接时熔池中的气泡在金属凝固时未能逸出而残留下来所形成的空穴。气孔可分为单个气孔、密集气孔、条状气孔和针状气孔等,如图 12-5 所示。

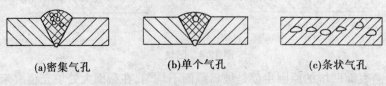

(a)密集气孔　　　　(b)单个气孔　　　　(c)条状气孔

图 12-5　气孔

显然,产生气孔的原因是由于焊接熔池在高温时,吸收了较多的气体,冷却时,气体在金属中的溶解度急剧下降,气体来不及逸出而残留在焊缝金属内集聚成气孔。所以气孔的形成与下列因素有关:①焊接时空气的侵入,焊接冶金过程所产生的气体,溶解于母材、焊丝和焊条钢芯中的气体以及母材上的油、锈等脏物在受热后分解产生的气体是形成气孔的气体来源。②焊接材料的影响,焊条或焊剂受潮,未按规定要求烘干,焊条药皮变质、剥落或因烘干温度过高而使药皮部分成分变质失效,焊剂中混入污物等均易产生气孔。③焊接工艺的影响。手工电弧焊时,采用过大电流造成焊条发红,药皮变质或脱落,保护失效。碱性低氢型焊条焊接时,电弧过长导致空气的侵入,焊接速度增加时,熔池存在的时间变短,气孔倾向增大。焊接电流增大时,熔滴变细,吸收气体量增加,同时熔深增加,使气泡逸出的路程加大,因而促使形成气孔的倾向加大。当使用烘干温度不够的焊条进行焊接时,使用交流电源易出现气孔;而直流正接,气孔倾向较小;直接反接气孔倾向最小。

从焊接工艺上可采取以下措施来防止气孔的产生:不得使用药皮开裂、剥落、变质、偏心或焊芯锈蚀的焊条;各种类型焊条或焊剂都应按规定的温度和保温时间进行烘干;焊接坡口及其两侧应清理干净;要严格按焊接工艺文件规定的工艺参数施焊;碱性焊条施焊时,应短弧操作,若发现焊条偏心要及时转动或倾斜焊条。

可采用射线或超声波检测方法确定气孔。

三、裂纹

裂纹是在焊接应力及其他致脆因素共同作用下,焊接接头中局部地区的金属原子结合力遭到破坏而形成新的界面所产生的缝隙。裂纹具有尖锐的缺口和大的长宽比特征。根据裂纹产生的温度和时间,可分为热裂纹、冷裂纹和再热裂纹。

(一)热裂纹

焊接过程中,焊缝和热影响区金属冷却到固相线附近的高温区产生的焊接裂纹叫热裂纹。热裂纹大部分是沿着焊缝树枝状结晶的交界处产生和发展的,如图 12-6 所示。最常见的情况是沿焊缝中心长度方向开裂,有时也分布在两个树枝状晶体之间或焊缝表面及弧坑上。

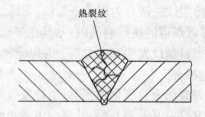

图 12-6　热裂纹产生部位

1. 热裂纹的产生机理

结晶裂纹是典型的热裂纹。焊接热源离开焊缝在结晶过程中,由于凝固金属的收缩,残余液相补充不足,致使焊缝沿晶界开裂,故称结晶裂纹。高温液化裂纹又是热裂纹的另一形态,即在焊接热循环峰值温度作用下,焊接接头的热影响区和多层焊缝的层间金属中,由于含有低熔点共晶物而被重新熔化,在收缩应力的作用下,沿奥氏体晶间开裂,称高温液化裂纹。如果母材及焊丝中的硫、磷、碳、硅的含量偏高时,低熔点共晶物增多,高温液化裂纹倾向显著增加。不论结晶裂纹还是高温液化裂纹,都是在固相线附近高温区温度下形成的沿晶裂纹,统称热裂纹。

2. 热裂纹产生原因

熔池结晶时所受到的拉应力是焊缝产生热裂纹的必要条件。拉应力大小主要取决于结构形式、接头刚性、熔池冷却速度和焊接顺序。而熔池内含有熔点温度比较低的共晶杂质是产生热裂纹的内在因素。因为在熔池冷却过程中,在温度高时,由拉应力造成的晶粒间隙都能被液体金属所填满,不会产生热裂纹。当温度连续下降,柱状晶已生成,由于低熔点共晶的存在,就会在拉应力作用下造成晶粒间隙或在已结晶的固体金属层间形成强度较低的晶间薄层,在拉应力作用下,使晶间薄层被拉开而造成空隙,当液态的低熔点共晶又不足以填充此空隙时,则形成了裂纹。因此,热裂纹可看成是拉应力和低熔点共晶两者联合作用而形成的。增大任何一方面作用,都有可能促使在焊缝中形成热裂纹。

3. 预防热裂纹措施

首先要控制焊缝中有害杂质的含量。在工艺方面,采用焊前预热以减慢焊缝冷却速度、减小焊接应力是防止热裂纹的有效措施。此外,适当提高焊缝形状系数也可减小产生热裂纹的倾向。因为窄而深的焊缝将使杂质集中在柱状晶对称的部位,在较小的拉应力作用下就有可能造成焊缝中间裂纹。因而焊缝形状系数增加,焊缝抗热裂性能可以提高。采用碱性焊条和焊剂以提高焊缝的脱硫能力,或采用收弧板或终焊时填满弧坑以防止弧坑处产生裂纹等。

(二)焊接冷裂纹

冷裂纹是焊接接头冷却到较低温度时产生的焊接裂纹。冷裂纹可以在焊后立即出现,也可能经过一段时间(几小时、几天甚至更长的时间)才出现,又称为延迟裂纹,由于延迟裂纹不是焊后立即出现,因此它的危害性就更严重。

层状撕裂大多数是在焊后150 ℃以下或冷却到室温后产生的。它是焊缝快速冷却过程中,在板厚方向拉伸应力作用下,在钢板中产生的与母材轧制表面平行的裂纹,常发生在 T 形接头和角接接头上,如图 12-7 所示。

根据裂纹产生的部位,冷裂纹一般分为焊道下裂纹、焊趾裂纹和焊根裂纹,如图 12-8 所示。焊道下裂纹发生在靠近焊道的热影响区内,尤其在淬硬倾向较大且含氢量较高的母材热影响区中更易发生;焊趾裂纹发生在应力集中的焊缝和母材交界的焊趾处;焊根裂纹常发生在应力集中的焊缝根部。

热裂纹是沿晶界开裂,开裂面上有氧化的色彩;而冷裂纹既有沿晶界开裂,也有穿过晶粒开裂,或既沿晶界发展又穿过晶粒而开裂,开裂面上看不到氧化色彩,这表明冷裂纹是在较低温度时产生的。

1. 冷裂纹产生的原因

形成冷裂纹的基本条件是:一定的淬硬倾向,一定数量的扩散氢向热影响区扩散和聚集,存在较大的拉伸应力。这三个条件相互影响,在不同情况下,三者中任何一个因素都可能成为导致产生冷裂纹的主要因素。多数情况下,氢是产生冷裂纹的主要因素。

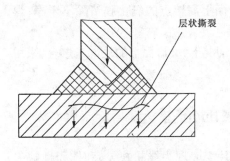

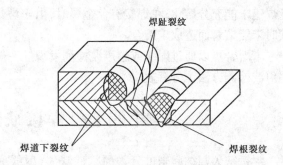

图 12-7　层状撕裂位置　　　　　　　　图 12-8　不同部位的冷裂纹

层状撕裂产生的主要原因则是:在轧制钢材中存在严重的层状非金属夹杂物,如果板厚方向上存在较大的拉应力,则导致层状撕裂。

2.冷裂纹的防止措施

防止冷裂纹主要从降低扩散氢含量、改善焊缝金属组织和降低焊接应力等方面采取措施。如采用低氢型焊接材料,严格控制氢的来源,焊前烘干焊条和焊剂,仔细清除焊接区的污物及油、水、锈等杂物;焊前预热;焊后消氢处理,使扩散氢能充分从焊缝中逸出。另外,焊后热处理,一方面能消除焊接残余应力,另一方面又能改善焊缝金属组织,对于消除延迟裂纹、改善热影响区的塑性都有较好的效果。

(三)再热裂纹

再热裂纹是焊后焊件在一定温度范围再次加热而产生的裂纹,发生在焊接接头热影响区熔合线附近的粗晶区中,如焊趾部位或者焊缝根部应力集中处,裂纹从粗晶区发展至热影响区的细晶区停止,具有穿晶裂纹特征。

再热裂纹往往发生在含有铬、钼、钒等元素的钢中,其敏感温度范围是 580~650 ℃。

防止再热裂纹的措施是:控制母材和焊缝金属的化学成分,减少结构刚性和焊接残余应力,采用合适的焊接工艺施焊,锤击焊层,并适当提高焊接预热温度,焊后立即进行热处理等。

四、未熔合

未熔合是指焊接时焊道与母材之间或焊道之间未完全熔化结合,如图 12-9 所示。空穴型未熔合的危害性与体积性夹渣类似,而面积型(片状)未熔合的危害性与裂纹类似。

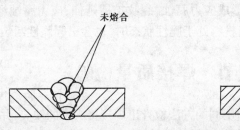

图 12-9　未熔合

产生未熔合的原因是焊接电流过大或电弧偏移和运条不当,使母材或下层焊道和邻近焊道未能充分熔化;在焊接有色金属时,由于坡口面上高熔点的氧化膜清除不干净,焊接时未能熔解而造成未熔合。

未熔合可以通过射线或超声波检测发现。一般情况下,坡口面上的局部未熔合,采用超声波检测方法十分有效。

第四节　焊接缺欠的危害

焊接缺欠归纳起来可分为面状性缺欠(射线底片上表现为线状缺欠)和体积性缺欠(射线底片上表现为点状缺欠)两大类。气孔、夹渣(夹钨)等缺欠属于体积性缺欠;裂纹、未熔合、未焊透等缺欠属于面状性缺欠。焊接缺欠是造成特种设备失效和事故发生的主要原因,必须对焊接缺欠的危害性给予充分认识。

一、体积性缺欠的危害性

气孔、夹渣等体积性缺欠的危害主要是降低焊接接头的承载能力。由于这些缺欠占据了焊缝金属一定的体积,使焊缝金属截面减小,从而降低了焊接接头的强度。

如果气孔穿透焊缝表面,特别是穿透接触介质的焊缝表面,介质积存在孔穴内,当介质有腐蚀性时,将形成集中腐蚀,孔穴逐渐变深、变大而造成泄漏。

夹渣边缘如果是尖锐形状,在该处也会形成应力集中。

二、面状性缺欠的危害性

裂纹、未焊透、未熔合等面状性缺欠的端部呈尖锐状,在承受载荷的情况下,尖锐端部有明显的应力集中,当应力水平超过尖锐端部的强度极限,面状性缺欠就会延伸扩展,以至贯穿整个截面而造成失效。特别是当焊接接头处于脆性状态时,面状性缺欠的扩展速度极快,还可能造成脆性事故。

脆性断裂是一种低应力断裂,是在没有塑性变形情况下产生的快速突发性断裂或粉碎性爆炸,其危害性极大。例如某地液氨贮罐由于运输过程中焊缝缺欠穿透贮罐,造成液氨泄漏蒸发,罐体温度急剧下降,使罐体材料转变为脆性状态,焊缝缺欠也迅速扩展,贮罐发生爆炸,就是一种脆断事故。

面状性缺欠与腐蚀性介质接触时,介质积存于缺欠缝隙内,长时间沉淀浓缩,腐蚀性加大,在焊接残余应力的作用下,形成应力腐蚀,裂纹扩展延伸,应力腐蚀继续作用,裂纹不断发展,以至造成焊接失效。当材料处于脆性状态时,也会引起脆性断裂或爆炸事故。

第五节　焊接质量检验

焊接质量检验的目的就是通过不同的方法检查出焊接接头中的缺欠,并且按相应的标准或规定,对焊接质量做出评定。焊接质量检验的另一个目的就是对保证焊接接头质量的工艺条件进行检查,查出可能影响焊接接头质量的工艺条件的改变,并且予以监督改正。

焊接质量的检验方法包括无损检验、破坏性检验和焊接工艺保证条件的检验,如

图 12-10 所示。

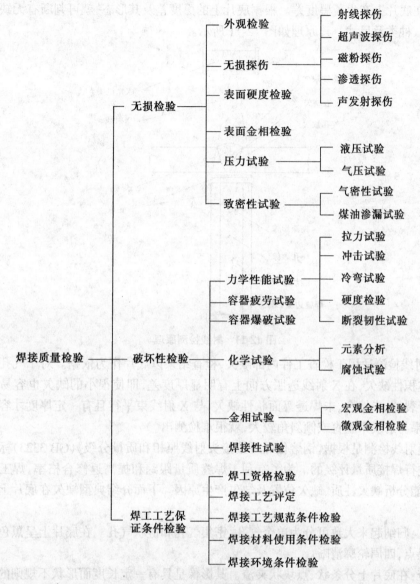

图 12-10　焊接质量的检验方法

一、无损检测

（一）射线检测

　　射线检测方法常使用 X 射线、γ 射线和高能射线，它们是一些波长极短的电磁波和高能粒子流。射线检测以 X 射线使用最广泛。

　　X 射线检测的原理：利用 X 射线管所产生的波长很短的电磁波，穿透被透照的焊缝，当相同厚度的焊接接头材质密度也相同时，X 射线透过的强度相同，如果焊接接头内部有缺欠，造成密度不等，密度大的部位，X 射线衰减大，透过工件射线强度弱，这样就造成了透过工件的射线强度的强弱不同,使放置在工件背面的胶片感光程度不同,底片经暗室处理后,就在底片上产生了黑度差。根据底片上的黑度差及其形态,就可判断有无缺欠和缺欠的形态、种类及尺寸。其原理如图 12-11 所示。

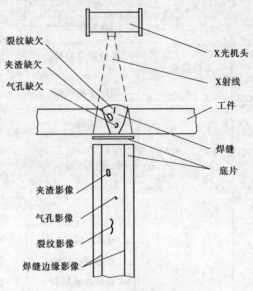

图 12-11 射线检测原理

X 射线检测适用于检查工件内部缺欠,检查结果以底片作为依据。对于气孔、夹渣、凹坑等体积性缺欠,在 X 射线透照方向上有明显厚度差,即使很小的缺欠也容易检查出来。对于裂纹、未熔合、未焊透等面状性缺欠,与 X 射线束平行且有一定厚度才容易检查出来,如果与射线束垂直或倾斜角较大,就很难检测出。

焊缝射线检测是根据《钢熔化焊对接接头射线照相和质量分级》(GB 3323)标准拍片操作和进行焊接质量评级的。为了有利于焊缝质量跟踪和提高返修合格率,焊工应学会识片,并能分析缺欠性质、缺欠位置及缺欠产生原因。下面介绍典型缺欠在底片上的识别方法。

气孔:归纳起来大致可分为单个气孔、密集气孔和链状气孔。在底片上呈黑色圆点或椭圆形黑点,四周轮廓清晰。

夹渣:在底片上分条状、点块状夹渣。其影像是具有一定长度而形状不规则的黑色影像。

未焊透:分单面焊根部未焊透和双面中间未焊透。底片上的影像为清晰的黑直线条,起始端和末端一般没有尖角现象,同时还要根据坡口及钝边位置来判断黑直线是否是未焊透。

未熔合:在底片上的位置往往偏离焊缝中线,它与夹渣影像的区别在于底片上黑色条状的一侧呈平直状,而另一侧呈弯曲状,而夹渣两侧黑色条纹不规则,均不在一条直线上。另外对有些夹渣缺欠还要根据坡口形式、焊接层数来判断,有时很难与体积性未熔合相区分。

裂纹:按其产生部位不同,可分为纵向裂纹、横向裂纹、根部裂纹、弧坑裂纹。在底片上的影像呈暗黑的弯曲形条纹,条纹黑度由中间向两端逐渐消失,即中间弯曲部分较粗,两端逐渐尖细。

(二)超声波检测

超声波是振动频率超过人耳听觉范围的声波,频率在 20 000 Hz 以上。

超声波检测的原理是利用具有压电效应的压电换能器,将高频脉冲振荡电流转换为超声波,通过耦合介质(甘油、合成浆糊等)传入工件中。由于超声波有很强的穿透能力,在工件中按一定的方向传播。当超声波传播中遇到工件内部缺欠和工件的界面时,会反射回来,由换能器接收并转换为高频脉冲振荡电讯号,经接收放大后在指示器的荧光屏上显示出回波的反射脉冲。测量超声波从缺欠处和界面反射波的时间差,就能从屏幕的波形显示区判别工件内部有无缺欠和分析缺欠的部位及形状。其原理如图 12-12 所示,这种方法称为反射法。

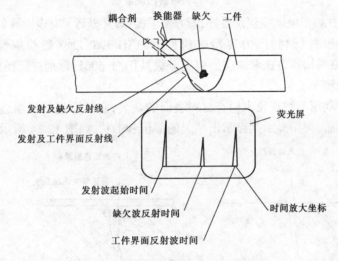

图 12-12 超声波检测原理图

超声波检测的特点表现在它对于未焊透、未熔合、裂纹等面状性缺欠的检测灵敏度高,而对于体状性特别是球面体状的缺欠如气孔的检测灵敏度不如射线检测,若缺欠不是相当大或不是密集的,就不易得到足够的缺欠反射波而被漏检。另一个特点是检测的可靠性在很大程度上取决于检测人员的技术水平和工作责任感以及检测仪的灵敏度。

焊缝超声波检测是根据《锅炉和钢制压力容器对接焊缝超声波检测》(JB 1152—81)或《钢焊缝手工超声波探伤方法和探伤结果的分级》(GB/T 11345)标准进行操作和焊接质量评级的。

(三)磁粉检测

磁粉检测又称为磁力检测,它的原理是铁磁材料通过外加磁场磁化后,若在工件表面或浅层存在缺欠,则将产生漏磁现象。当磁粉撒布或刷在工件表面时,磁粉将被缺欠处漏磁场吸附,产生磁粉堆积,磁粉堆积处就是缺欠所在部位。其原理如图 12-13 所示。

磁粉检测的灵敏度取决于漏磁场的强弱,它是由缺欠的位置、尺寸和材料的磁化强度等因素所决定的。

磁粉检测只适用于铁磁性材料的工件,而且缺欠必须与磁力线方向垂直。因此,使用旋

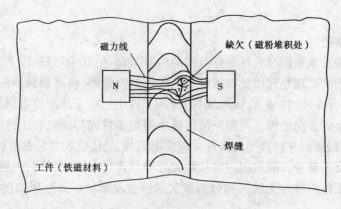

图 12-13 磁粉检测原理

转磁场的检测仪比鞍形磁轭检测仪要好,既方便了操作,又提高了对表面缺欠的检出率。

磁粉检测是根据《钢制压力容器磁粉检测》(JB 3965)或《磁粉探伤方法》(GB/T 15822)及《焊缝磁粉检验方法和缺欠迹痕的分级》(JB/T 6061)标准进行操作和评定。

(四)渗透检测

渗透检测是利用毛细现象来检查材料表面的缺欠,它的原理是将渗透性强的液体渗进材料表面缺欠后,再用显示剂显示出缺欠的部位和形状,如图 12-14 所示。

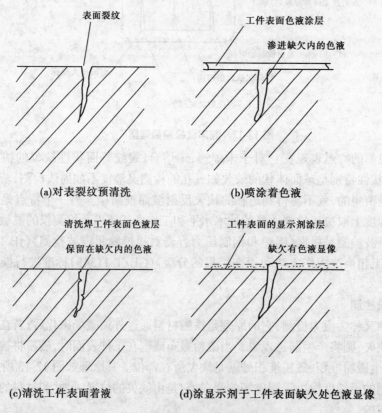

图 12-14 渗透检测原理

渗透检测可用来检测铁磁性材料或非铁磁性材料(包括焊缝)的表面裂纹、折叠、分层、疏松等。一般可发现深度 0.03～0.04 mm、宽 0.01 mm 以上的缺欠。液体渗透检测法按渗透液的显示分荧光法和着色法两种。荧光法是用荧光代替着色液,并需在紫外线照射下才能显示缺欠的荧光图像。

渗透检测按《钢制压力容器》(GB 150—89)附录 H"钢制压力窗口渗透检测"或《焊缝渗透检验方法和缺欠迹痕的分级》(JB/T 6062)标准进行操作和评定。

(五)缺欠种类、形状和检测方法的有效性比较

表 12-1 是各种检测方法对不同缺欠检测能力的比较。

表 12-1　缺欠种类、形状和检测方法

检测方法	平面状	球状	圆柱状	线状表面	圆形表面
	裂纹、未熔合、未焊透	气孔	夹渣	表面裂纹	
射线检测	好或困难	最好	最好		
超声波检测	最好	好	好		
磁粉检测				最好	好或困难
渗透检测				最好或好	最好

(六)压力试验和致密性试验

压力试验和致密性试验是综合性的检验,除了验证特种设备是否具备在最高工作压力下安全运行所需要的承压能力和各连接部位的严密性外,也可以发现焊接接头是否存在穿透性缺欠或细微孔隙。

(七)表面硬度检验和表面金相检验

这两种检验是锅炉压力容器常用的定期辅助检验手段,通过对表面硬度和表面金相检验,可以观察焊接接头特别是过热区的硬度和组织,从而分析热影响区的淬硬程度和热输入是否合适。对于具有腐蚀或应力腐蚀条件的锅炉压力容器,表面金相检验还可以检查和分析腐蚀情况、应力腐蚀和高温蠕变倾向。

二、破坏性检验

(一)力学性能试验

力学性能试验包括拉伸试验、冲击试验、冷弯试验、硬度检验和断裂韧性试验,常用于焊接工艺评定和产品焊接试板的检验,以测定或验证产品焊接接头是否满足使用性能的要求。一般情况下,断裂韧性试验是检验焊接接头抵抗缺欠开裂或裂纹扩展的能力,可以对带有缺欠的特种设备进行安全评定;拉力试验是检验焊接接头的强度;冷弯试验是检验焊接接头的塑性,同时也可反映出焊接接头各个区域的塑性差别、暴露焊接缺欠和检验熔合线(半熔化区)的接合质量;冲击试验是检验焊接接头的韧性和缺口敏感性,规定采用夏比 V 形缺口试样进行冲击试验。

(二)金相检验

金相检验是为了观察和分析由于焊接过程和冶金反应所造成的金相组织变化和组织缺欠。金相检验又分宏观检验和微观检验。

宏观金相检验是直接用肉眼或低倍放大镜来观察焊接接头的断面组织,包括焊接接头的焊缝、半熔化区和热影响区的界限、尺寸及焊接缺欠。从宏观金相中可以明显看到焊缝金属与母材的分界线和焊缝根部凹坑的缺欠。断口分析也是宏观金相的一种,从拉力试件断口上可见明显的白点。

微观金相检验是用100～1 500倍显微镜观察焊接接头的显微组织和显微缺欠。

三、焊接工艺保证条件检验

焊接工艺保证条件检验是焊接过程中的重要检验,其主要内容包括:

(1)焊工资格。焊工应按相关的标准进行考试,合格后方可施焊,并持证上岗。

(2)进行焊接工艺评定,评定合格后,编制焊接工艺文件,焊工应严格执行。

(3)焊接材料和施焊环境应符合有关产品制造标准的规定。

(4)产品焊接试板和焊接工艺纪律检查试板的制备及试验应符合有关锅炉压力容器安全技术监察规程和《钢制压力容器》(GB 150—98)的规定。

第六节　焊接缺欠的返工

经焊接质量检验,发现超过标准规定的焊接缺欠应进行返工。需要说明的是,如果真正实施了严格的焊接质量控制和焊接工艺保证条件的检验,一般不会出现焊接缺欠的返工问题。

一、焊接缺欠的确定

焊接缺欠返工前,应该尽可能准确地确定焊接缺欠的种类、部位和尺寸,这对于保证一次返工合格是至关重要的。对于内部缺欠,有时需要用综合无损检测的方法,如射线和超声波检测的综合使用,才能准确地确定焊接缺欠的种类、部位和尺寸。

二、焊接缺欠返工方案的制订

焊接缺欠返工前应该制订返工方案,并应经焊接专业工程师以及总工程师批准。对于在锅炉压力容器经检验发现焊接缺欠,其返工方案还要报当地锅炉压力容器安全监察部门备案或审查。如果返工方案所拟定的焊接工艺参数超过了焊接工艺评定合格的参数时,还应重新进行焊接工艺评定,评定合格,方可返工。

三、焊接缺欠的清除

焊接缺欠的清除可采用机械磨削和碳弧气刨的方法。

机械磨削可以采用高速角向砂轮、铣削或手工风铲等,但清除缺欠效率较低。机械磨削适用于屈服点大于400 MPa的普通低合金钢、高合金铬钼钢、耐腐蚀钢和复合钢焊接缺欠的清除。

碳弧气刨是利用碳极电弧的高温,把焊接缺欠部位的金属局部加热到熔化状态,用压缩空气把熔化金属及氧化渣吹掉来清除焊接缺欠。具有效率高、噪音小、操作灵活方便等优点,但会使焊接接头再次受热,操作不慎时还可能形成渗碳夹碳、铜斑、粘渣等缺欠。用碳弧气刨清除焊接缺欠后,应采用砂轮打磨沟槽以防止这些缺欠对补焊质量的影响。碳弧气刨适用于低碳钢、强度不高的低合金钢和无耐腐蚀要求的不锈钢焊接缺欠的清除。

清除焊接缺欠要注意沟、槽的断面开头和最小长度。断面形状应适合于补焊时的坡口形状;最小长度应控制在缺欠两端各延伸 50 mm 以上,以减小补焊时的局部变形和应力。

四、焊补

焊接缺欠消除后,应按评定合格的焊接工艺进行焊补。焊补时应使用较小的热输入,适当提高预热温度,采用多道多层焊,焊后进行保温、消氢处理等,必要时还应进行局部热处理。

焊补后应放置 24 h 以上再进行焊接质量检验。

习　题

一、名词解释

1.焊接工艺　　2.焊接缺欠　　3.烧穿　　4.凹坑　　5.夹渣　　6.气孔　　7.裂纹

8.未熔合

二、判断题

1.焊接时,若电流过大、焊速过快,易产生咬边。　　　　　　　　　　　　　（　　）

2.冷裂纹只有在焊接完成后经过一段时间才会出现。　　　　　　　　　　　（　　）

3.对于坡口未熔合,用射线检测的方法比用超声波检测方法更容易发现。　　（　　）

4.射线检测比超声波检测更易于发现体积性缺欠。　　　　　　　　　　　　（　　）

5.磁粉检测只能检查工件表面的缺欠。　　　　　　　　　　　　　　　　　（　　）

6.焊接时电流过小、焊速过高、热量不够或者焊条偏离坡口一侧易产生未熔合。（　　）

7.弯曲试验是测定焊接接头的塑性。　　　　　　　　　　　　　　　　　　（　　）

8.磁粉检测时没有缺欠,磁场是不均匀的,磁力线会发生弯曲。　　　　　　（　　）

9.焊缝质量等级中,Ⅰ级焊缝质量最差。　　　　　　　　　　　　　　　　（　　）

10.破坏性检验包括力学性能试验、化学分析、腐蚀试验、金相检验和焊接性试验等。

　　　　　　　　　　　　　　　　　　　　　　　　　　　　　　　　　（　　）

11.焊接接头的金相检验是用来检查焊缝、热影响区、焊件的金相组织情况及确定内部缺欠的。　　　　　　　　　　　　　　　　　　　　　　　　　　　　　　（　　）

12.外观检验的主要目的是为了检查焊接接头的内部缺欠。　　　　　　　　（　　）

13.由于超声波检验对人体有害,从而限制了超声波检验的大量推广应用。　（　　）

14.X 射线比 γ 射线穿透能力大。　　　　　　　　　　　　　　　　　　　（　　）

15.射线检测底片上呈规则的直线状黑色线条的缺欠为裂纹。　　　　　　　（　　）

三、选择题

1.焊缝表面缺欠中最危险的缺欠是(　　　)。

　　A.咬边　　　　　B.烧穿　　　　　C.凹坑　　　　　D.表面裂纹

2.以下哪种缺欠属于体积性缺欠(　　　)。

    A. 裂纹　　　　　B. 未焊透　　　　　C. 气孔　　　　　D. 未熔合

3.超声波检测对下面哪种缺欠的检测灵敏度最高。(　　　)

    A. 裂纹　　　　　B. 夹渣　　　　　C.气孔　　　　　D.夹钨

4.焊接裂纹在焊接接头中(　　　)。

    A.允许存在　　　　　　　　　　B. 不允许存在

    C.数量不多时允许存在　　　　　D.以上说法都不对

5.焊缝射相底片上呈不规则形状且带棱角的是(　　　)。

    A.裂纹　　　　　B.未焊透　　　　　C. 夹渣　　　　　D.气孔

6.造成凹坑的主要原因是(　　　),在收弧时未填满弧坑。

    A.电弧过短及角度大小　　　　　B.电弧过短及角度不当

    C.电弧过长及角度不当　　　　　D.电弧过长及角度太大

7.下列试验方法中属于破坏性试验的是(　　　)。

    A.力学性能试验　B.外观检验　　　C.气压试验　　　D.无损检测试验

8.下列属于焊缝的致密性试验的是(　　　)。

    A.射线检验　　　B.荧光检验　　　C.煤油试验　　　D.力学性能试验

9.外观检验不能发现的焊缝缺欠是(　　　)。

    A.咬边　　　　　B.焊瘤　　　　　C.弧坑裂纹　　　D.表面微气孔

10.布氏硬度试验时,其压痕中心与试样边缘的距离应不小于压痕直径的(　　　)。

    A.10 倍　　　　　B.2.5 倍　　　　C. 4.5 倍　　　　D.5.5 倍

11.射相底片上呈略带曲折的黑色细条纹或直线细纹,轮廓较分明,两端细,中部稍宽,不大分枝,两端黑度较浅最后消失的缺欠是(　　　)。

    A.裂纹　　　　　B.未焊透　　　　　C.夹渣　　　　　D.气孔

12.疲劳试验是用来测定焊接接头在交变载荷作用下的(　　　)。

    A.强度　　　　　B.硬度　　　　　C.塑性　　　　　D.韧性

13.金相检验是用来(　　　)。

    A.分析焊接性能的　　　　　　　B.化学分析的

    C.分析焊缝腐蚀原因的　　　　　D.检查金相组织情况的

14.造成咬边的主要原因是由于焊接时选用了(　　　)焊接电流,电弧过长及角度不当。

    A.小的　　　　　B.大的　　　　　C.相等　　　　　D.不同

15.在焊接应力及其他致脆因素共同作用下,金属材料的原子结合遭到破坏,形成新界面而产生的缝隙称为(　　　)。

    A.裂纹　　　　　B.凹坑　　　　　C.夹渣　　　　　D.未焊透

16.超声波检测特别适应的是(　　　)。

    A.焊件厚度较薄　　　　　　　　B.焊件厚度较大

    C.焊件几何形状复杂　　　　　　D.焊件表面粗糙

17.水压试验压力应为受压容器工作压力的(　　　)倍。

    A.0.5～1　　　B.1～1.25　　　C.1.25～1.5　　　D.1.5～2

18. 用来测定焊接接头韧性的试验是（　　）。

    A. 拉伸试验　　　　　B. 弯曲试验　　　　　C. 疲劳试验　　　　　D. 冲击试验

19. 焊接电流太小，层间清渣不干净易产生的缺欠是（　　）。

    A. 烧穿　　　　　　　B. 裂纹　　　　　　　C. 夹渣　　　　　　　D. 焊溜

20. 平焊时防止产生焊瘤的主要措施是（　　）。

    A. 对口间隙加大　　　　　　　　　B. 焊接速度不宜过慢

    C. 拉长电弧　　　　　　　　　　　D. 坡口钝边小些

21. 焊丝表面镀铜是为了防止焊缝中产生（　　）。

    A. 气孔　　　　　　　B. 夹渣　　　　　　　C. 裂纹　　　　　　　D. 未熔合

四、填空题

1. 要防止焊瘤的产生，应对_____和_____进行适当的控制。

2. 烧穿的原因主要是_____、_____或_____。

3. 在钨极惰性气体保护焊时由于电流过大，钨极局部熔化而坠入熔池留在焊缝中的缺欠，被称为_____。

4. 根据裂纹产生的温度和时间，可分为_____、_____和_____。

5. 焊接缺欠可分为_____和_____两大类。气孔、夹渣（夹钨）等内部缺欠称为_____，裂纹、未熔合、未焊透等称为_____。

6. 焊缝的主要无损检测方法有_____、_____、_____、_____。

7. 力学性能试验包括_____、_____、_____、_____和_____。

8. 焊接缺欠的清除方法有_____和_____。

9. 一级焊缝内不准有裂纹、未熔合、未焊透和_____。

10. 在焊接性试验中，用的最多的是_____。

11. 焊接检验按其过程可分为_____、_____和_____。

12. 气密性试验的原理是利用_____。

13. 焊接检验方法可分为_____和_____。

五、问答题

1. 产生焊接缺欠的的主要原因有哪些？

2. 由于焊接工艺引起的产品或设备失效有哪几种类型？

3. 焊接接头的外部缺欠和内部缺欠主要有哪几种？

4. 简述咬边的危害性。

5. 气孔产生的原因是什么？从焊接工艺方面可以采取哪些措施来防止气孔的产生？

6. 热裂纹产生的原因和防止措施是什么？

7. 冷裂纹产生的原因和防止措施是什么？

8. 简述面状性缺欠的危害性。

9. 磁粉检测的原理是什么？

第十三章　焊接安全技术

第一节　焊接设备的安全技术

一、焊接电源的安全措施

(一)安装时的安全措施

(1)焊接电源安装时,应注意配电系统开关、熔断器等是否合格、齐全;导线绝缘是否完好;电源功率是否够用。

(2)焊接变压器的一次线圈与二次线圈之间、引线与引线之间、绕组和引线与外壳之间,其绝缘电阻不得小于 1 MΩ。绕组或线圈引出线穿过设备外壳时应设绝缘板;穿过设备外壳的铜螺柱接线柱,应加设绝缘套和垫圈,并用防护盖盖好。有插销孔分接头的焊机,插销孔的导体应隐蔽在绝缘板之内。

(3)所有焊接设备的外壳都必须接地。在电源为三线三相制或单相制系统中,应设置保护接地线。在电网为三相四线制中性点接地系统中,应设置保护接零线。焊机的接地保护见图 13-1,接零保护见图 13-2。

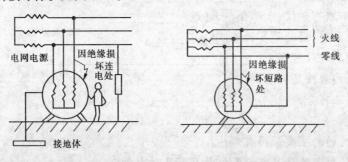

图 13-1　焊机接地保护　　　　图 13-2　焊机接零保护

(4)安装多台焊接变压器时,应分接在三相电网上,尽量使电网中三相负载平衡。

(5)空载电压不同的焊机不能并联使用,因为并联后,在空载情况下,各焊接变压器间会出现不均衡环流。空载电压相同的焊机并联时,应将它们的初级绕组接在电网的同一相,次级绕组也应同相相联,见图 13-3。

(6)硅整流焊机通常都有风扇,以便对硅整流元件和内部线圈进行通风冷却。接线时一定要保证风扇转向正确,并且通风窗离墙壁和其他挡物不应小于 300 mm,以使焊机内部热量顺利排出。

(7)室内焊接时,焊机应放在通风良好的干燥场所,不允许放在高湿度(相对湿度超过90%)、高温度(周围空气温度超过 40 ℃)以及有腐蚀性气体等不良场所。

(8)户外露天焊接时,焊机应放在避雨、通风的地方并予以保护。如果焊机在潮湿处工作,应在焊机下部垫上木板或橡胶板,焊接工作结束后,应立即将焊机移放在干燥处。

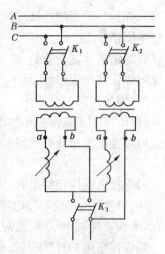

(二)使用时的安全措施

(1)焊机的工作负荷应依照规定,不得任意长时间超载运行。

(2)焊机的接地装置应定期进行检查,以保证其可靠性。移动式焊机在接通电源前必须接地,将接地导线接到地干线上,然后再将其接到设备上;拆除地线的顺序则与此相反。

(3)凡是在有接地(或接零)线的工件上(如机床上的部件等)进行焊接时,应将焊件上的接地线(或接零

图13-3 并联运行图

线)暂时拆除,焊完后再恢复。其目的是防止一旦焊接回路接触不良,大的焊接工作电流可能会通过接地线或接零线将地线或零线熔断。如果焊件本身接地电阻小于 4 Ω,则应将焊机二次线圈一端的接地线(或接零线)的接头暂时解开,焊完后再恢复。总之,焊接变压器二次端与焊件不应同时存在接地(或接零)装置。

(4)在焊接过程中偶有短路是允许的,但短路时间不可过长,否则会发生焊接电源过热,特别是硅整流式焊接电源易被烧坏。

(5)焊接电源在启动以后,必须要有一定的空载运行时间,观察其工作、声音是否正常等。在调节焊接电流及极性开关时,也要在空载下进行。

(6)根据各类焊接电源的特点,在使用中应注意观察易出问题的地方,如旋转式直流弧焊电源打火是否过大,弧焊整流器的空冷风扇转动是否正常等。发现有异常现象时,要立刻切断电源检查。较大的故障应找电工检修。

(7)焊机内部要保持清洁,应定期用压缩空气吹净灰尘。使用新焊机或启用长期停用的焊机时,应仔细观察焊机有无损坏处。在使用焊机前,必须按照产品说明书或有关技术要求进行检验。初、次级线圈的绝缘电阻达不到要求时,应予以干燥处理,损坏、失效处须修复。

(8)焊接作业结束时,及时切断焊机电源。

二、焊钳和焊接电缆的安全要求

(一)焊钳

焊钳是用来夹持焊条和传递电流的,是电焊工的主要工具。焊钳必须符合以下安全要求:

(1)焊钳应保证在任何斜度下都能夹紧焊条,而且更换焊条方便。能使电焊工不必接触导电体部分即可迅速更换焊条。

(2)焊钳必须具有良好的绝缘和隔热能力。由于电阻热,特别是焊接电流较大时,焊把往往发热烫手。因此,手柄的绝热层要求绝热性能良好。

(3)焊钳与电缆的连接应简便可靠。橡胶包皮要有一段深入到钳柄内部,使导体不外露,起到屏护作用。

(4)焊钳的弹簧失效时,应立即更换。钳口处应经常保持清洁。

(5)焊钳结构应轻便,易于操作。焊钳的质量一般为 40～700 g。

(二)焊接电缆

焊接电缆是连接焊机和焊钳等的绝缘导线,应符合以下安全要求:

(1)焊接电缆应具有良好的导电能力和绝缘外层。一般是用紫铜制成,外包胶皮绝缘套。

(2)焊接电缆应轻便柔软,能任意弯曲和扭转,便于操作。因此,必须用多股细导线组成。焊机与焊钳连接的焊接电缆的长度,应根据工作时的具体情况确定,一般以 20～30 m 为宜。太长会增加电压降,太短则操作不方便。

(3)焊接电缆的过度超载,是绝缘损坏的重要原因。应根据焊接电流的大小和所需电缆的长度,按规定选用较大截面积的焊接电缆,以防止由于导体过热烧坏绝缘层。

(4)焊接电缆应用整根的,中间不要有接头。如需用短线接长时,则接头部分不应超过两个,接头部分应用铜导体做成,要紧固可靠,如接触不良,则会产生高温。要保证焊接电缆绝缘良好。

(5)严格禁止利用厂房的金属结构、管道、轨道或其他金属物的搭接来代替焊接电缆使用。

(6)不得将焊接电缆放在电弧附近或炽热的焊缝金属旁,避免高温烧坏绝缘层,同时也要避免碾压和磨损等。

(7)焊机与电力网连接的电源线,由于其电压较高,除了保证具有良好的绝缘外,长度越短越好,一般以 2～3 m 为宜。如确需用较长的导线时,应采取间隔的安全措施,即应离地面 2.5 m 以上沿墙用瓷瓶布设,不得将电源导线拖在工作现场的地面上。

第二节　电焊工操作安全技术

一、焊接安全用电

电焊工在操作时接触电的机会比较多。一般焊接设备所用的电源电压为 220 V 或 380 V,焊机的空载电压一般都在 60 V 以上,而 40 V 的电压就会对人身造成危险。因而焊接安全用电是电焊工操作安全技术的首要内容。

(一)常见的焊接触电事故

焊接触电事故,常在以下情况下发生:

(1)手和身体某部位碰到裸露的接线头、接线柱、极板、导线及破皮或绝缘失效的电线、电缆而触电。

(2)在更换焊条时,手或身体某部位接触焊钳带电部分,而脚和其他部位对地面或金属结构之间绝缘不好。如在金属容器、管道、锅炉内或在金属结构潮湿的地方焊接时,最容易发生触电事故。

(3)焊接变压器的一次绕组和二次绕组之间的绝缘损坏时,手或身体某部位碰到二次线路的裸导体而触电。

(4)电焊设备的罩壳漏电,人体碰触罩壳而触电。

(5)由于利用厂房的金属结构、管道、轨道、天车吊钩或其他金属搭接作为焊接回路而发生触电事故。

(6)防护用品有缺欠或违反安全操作规程发生触电事故。

(7)在危险环境中作业。电焊工作业的危险环境一般指以下几种情况:①潮湿;②有导电粉尘;③被焊件直接与泥、砖、湿木板、钢筋混凝土、金属或其他导电材料铺设的地面接触;④炎热、高温;⑤焊工身体能够同时接触接地导体和电器设备的金属外壳。

通过人体的电流超过 0.05 A 时,就有生命危险;如果有 0.1 A 的电流通过人体,只要 1 s 的时间就会发生触电死亡事故。在焊接作业中,要预防触电,随时随地保持高度警惕。

(二)焊接触电的防护措施

电焊工在操作时应按以下安全用电规程操作:

(1)焊接工作前,应先检查焊机、设备和工具是否安全,如焊机外壳接地、焊机各接线点接触是否良好,焊接电缆的绝缘有无损坏等。

(2)改变二次回路的布设(粗调电流)、改变极性、焊机需要转移工作地点、更换保险丝以及焊机发生故障需检修时,必须在切断电源后才能进行。推拉闸刀开关时,必须戴绝缘手套,同时头部偏斜,以防电弧火花灼伤脸部。

(3)更换焊条时,焊工必须使用焊工手套,要求焊工手套保持干燥、绝缘可靠。对于空载电压和焊接电压较高的焊接操作及在潮湿环境操作时,焊工应用绝缘橡胶衬垫,确保与焊接件绝缘。特别是在夏天由于身体出汗后衣服潮湿,不得靠在焊件、工作台上,以防止触电。

(4)在金属容器内或狭小工作场地焊接金属结构时,必须采取专门防护措施。必须采用绝缘橡胶衬垫,穿绝缘鞋,戴绝缘手套,以保障焊工身体与带电体绝缘。要有良好的通风和照明。不允许采用无绝缘外壳的简易焊钳。须有两人轮换工作,互相照顾,或有人监护,随时注意焊工的安全动态,遇危险时立即切断电源,进行抢救。

(5)在光线不足的较暗环境工作,必须使用手提工作行灯,一般环境下使用的照明行灯电压不超过 36 V。在潮湿、金属容器等危险环境,照明行灯电压不得超过 12 V。

(6)加强电焊工的个人防护。个人防护用具包括完好的工作服、焊工用绝缘手套、绝缘套鞋及绝缘垫板等。绝缘手套不得短于 300 mm,应用较柔软的皮革或帆布制作,经常保持完好和干燥。焊工在操作时不应穿有铁钉的鞋或布鞋,因为布鞋极易受潮导电。在金属容器内操作时,焊工必须穿绝缘套鞋。电焊工的工作服必须符合规定,穿着完好,一般焊条电弧焊穿帆布工作服,氩弧焊等穿毛料或皮工作服。

(7)焊接设备的安装、检查和修理必须由电工来完成。设备在使用中发生故障时,焊工应立即切断电源,并通知维修部门检修,焊工不得自行修理。

(8)遇有人触电时,不得赤手去拉触电人,应迅速切断电源。焊工应掌握对触电人的急救方法。

二、电焊工高处作业安全措施

(1)高处作业时,电焊工首先要系上带弹簧钩的安全带,并把自身系在构架上。为了保护下面的人不致被落下的熔融金属滴和熔渣烧伤,或被偶然掉下来的金属物等砸伤,要在工作处的下方搭设平台,平台上应铺盖铁皮或石棉板。高出地面 1.5 m 以上的脚手架和吊空平台的铺板须用不低于 1 m 调换栅栏围住。

(2)上层施工时,下面必须装上护栅以防火花、工具、零件及焊条等落下伤人。在施焊现场 5 m 范围内的刨花、麻絮及其他可燃材料必须清除干净。

(3)高处作业的电焊工必须配用完好的焊钳、附带全套备用镜片的盔式面罩、锋利的錾子和手锤,不得用盾式面罩代替盔式面罩。焊接电缆要紧绑在固定处,严禁绕在身上或搭在背上工作。

(4)焊接用的工作平台,应保证焊工能灵活方便地焊接各种空间位置的焊缝。安装焊接设备时,其安装地应使焊接设备发挥作用的半径越大越好。使用活动的焊机在高处进行焊条电弧焊时,必须采用外套胶皮软管的电源线;活动式焊机要放置平稳,并有完好的接地装置。

(5)高处焊接作业时,不得使用高频引弧器,以防万一麻电,失足坠落。高处作业时应有监护人,密切注意焊工安全动态,电源开关设在监护人近旁,遇到紧急情况立即切断电源。高处作业的焊工,当进行安装和拆卸工作时,一定要戴安全帽。

(6)遇到雨、雾、雪、阴冷天气时,应遵照特种规范进行焊接工作。电焊工工作地点应加以防护,以免受不良天气影响。

(7)电焊工除掌握一般操作安全技术外,高处作业的焊工一定要经过专门的身体检查,经过有关高处作业安全技术规则考试方可上岗。

三、焊接作业的防火防爆措施

(1)焊接现场要有必要的防火设备和器材,诸如消防栓、砂箱、灭火器等。电气失火,应立即切断电源,应采用干粉灭火。

(2)禁止在储有易燃、易爆物品的房间或场地进行焊接。在可燃性物品附近进行焊接作业时,必须有一定的安全距离,一般距离应大于 5 m。

(3)严禁使用可燃性液体、可燃性气体、具有压力的容器和带电的设备。

(4)对于存有残余油脂、可燃液体、可燃气体的容器,应先用蒸汽吹洗或用热碱水冲洗,然后开盖检查,确已冲洗干净时方能进行焊接。对密封容器不准进行焊接。

(5)作业现场周围空气中含有可燃气体和可燃粉尘的环境严禁进行焊接。

第三节　电焊工劳动保护

焊接作业中不可避免地会产生一些有害因素,如电弧辐射、高频电磁场、金属和非金属粉尘、有毒气体、金属飞溅、射线和噪声等,当焊接方法、焊接参数、焊接材料以及操作者的熟练程度不同时,这些有害因素的表现形式和差别很大,对这些有害因素的防护措施即是对焊工的劳动保护。

一、电弧弧光防护

(一)电弧弧光对人体的危害

电焊弧光辐射主要包括红外线、紫外线和可见光线。弧光辐射作用到人体上,被体内组织吸收,引起组织的热作用、光化学作用或电离作用,致使人体组织发生急性或慢性的损伤。

皮肤受电焊弧光紫外线强烈作用时,可引起皮炎,呈弥漫性红斑,有时出现小水泡、渗出液和浮肿,有烧灼感,发痒。电焊弧光紫外线作用严重时,还伴有头晕、疲劳、发烧、失眠等症状。

因电焊弧光紫外线过度照射引起眼睛的急性角膜炎、结膜炎,称为电光性眼炎。

焊接电弧的可见光线的光度,比肉眼通常能承受的光度约大一万倍。被照射后眼睛疼痛,看不清东西,通常叫电焊"晃眼"。不带防护面罩禁止观看电焊弧光。

(二)电焊弧光防护措施

必须保护焊工的眼睛免受弧光的辐射作用。防护措施如下:

(1)电焊工进行焊接作业时,应按照劳动部门颁发的有关规定使用劳保用品,穿戴符合要求的作业服、鞋帽、手套、鞋盖等,以防电弧辐射和飞溅烫伤。

(2)电焊工进行焊接作业时,必须使用镶有吸收式滤光镜片的面罩。滤光镜片应根据焊接电流强度,按照表 13-1 所示的护目用玻璃的牌号及用途选择。使用的手持式或头盔式保护面罩应轻便、不易燃、不导电、不导热、不漏光。

表 13-1　国产护目用玻璃的牌号及用途(GB 3609)

玻璃牌号	颜色深浅	用途
12	最暗	供电流大于 350 A 的焊接用
11	中等	供电流在 100~350 A 的焊接用
10	最浅	供电流小于 100 A 的焊接用

(3)为保护焊接工地其他工作人员的眼睛,一般在小件焊接的固定场所应安装防护屏,防护屏应采用石棉板、玻璃纤维板和铁板等不易燃烧的板面,并涂上灰色和黑色。屏高约 1.8 m,屏底距地面留 250~300 mm 的间隙,以供空气流通。在工地焊接时,电焊工在引弧时应提醒周围人员注意避开弧光,以免弧光伤眼。

(4)在夜间工作时,焊接现场应有良好的照明,否则由于光线高密度反复剧烈变化,容易引起电焊工眼睛疲劳。

(5)一旦发生电光性眼炎,可到医院就医,也可用以下方法治疗:①奶汁滴治法,用人奶或牛奶每隔 1~2 min 向眼内滴一次,连续 4~5 次就可止泪;②凉物敷盖法,用黄瓜片或土豆片盖在眼上,闭目休息 20 min 即可减轻症状;③凉水浸敷法,眼睛浸入凉水内,睁开几次,再用凉水浸湿毛巾,敷在眼睛上,8~10 min 换一次,在短时间内可治愈。

二、高频电磁场的防护

非熔化极氩弧焊,为迅速引燃电弧,一般采用振荡器来激发引弧,因而在引弧瞬间(2~3 s)有高频电磁场存在。电焊振荡器所产生的高频电磁场,对人体有一定影响,虽危害不大,但长期接触场强较大的高频电磁场,会引起头晕、头痛、疲乏无力、记忆力减退、心悸、胸闷和消瘦等症状。此外,在不停电更换焊条时,高频电会使焊工产生一定的麻电感觉,这在高处作业是很危险的。

为了减少焊接时高频电磁场对焊工的有害影响,使用的焊接电缆应采用屏蔽线。即在焊枪的焊接电缆外面套上用软铜丝纺织成的软管进行屏蔽,将铜丝软管一端接在焊枪上,另一端接地,并在外面再用绝缘布包上。同时在操作台的地面上垫上绝缘橡胶板。目前,已广泛采用接触引弧或晶体管脉冲引弧来取代高频引弧。

三、焊接烟尘和有毒气体的防护

(一)来源及其危害

焊接操作中的金属烟尘包括烟和粉尘。焊条和母材金属熔融时所产生的蒸汽在空中迅速冷凝及氧化形成的烟,其固体微粒直径往往小于 $0.1~\mu m$。直径 $0.1~\sim 10~\mu m$ 的微粒称为粉尘。飘浮于空气中的粉尘和烟等微粒,统称气溶胶。焊条电弧焊的金属烟尘还来源于焊条药皮的蒸发和氧化。

金属烟尘是电弧焊的一种主要有害因素,尤其是焊条电弧焊。焊接烟尘的成分复杂,但主要成分是铁、硅、锰等,其中主要毒物是锰。焊接烟尘是造成焊工尘肺的直接原因,焊工尘肺多在接触焊接烟尘 10 年,有的长达 15~20 年以上发病,其症状为气短、咳嗽、咯痰、胸闷和胸痛等,可通过 X 线透视诊断。

锰中毒也由焊接烟尘引起,锰的化合物和锰尘通过呼吸道和消化道侵入身体。电焊工的锰中毒发生在使用高锰焊条以及高锰钢的焊接中,发病多在接触 3~5 年以后,甚至可达 20 年才逐渐发病。锰及其化合物主要作用于末梢神经系统和中枢神经系统,轻微中毒可引起头晕、失眠,舌、眼睑和手指细微震颤。中毒进一步发展,表现出转弯、跨越、下蹲困难,甚至走路左右摇摆或前冲后倒,书写时震颤不停等。

此外,焊接烟尘还引起焊工金属热,主要症状是工作后发烧、寒战、口内金属味、恶心、食欲不振等。翌晨经发汗后症状减轻。一般在密闭罐、船舱内使用碱性焊条焊接,易得此症。

在焊接电弧的高温和强烈的紫外线作用下,在弧区周围形成多种有毒气体,其中主要有臭氧、氮氧化物、一氧化碳和氟化氢等。

(二)防护措施

焊接烟尘和有毒气体的主要防护措施为:排除烟尘和有毒气体,采取通风技术措施,必要时电焊工在操作时应戴静电口罩或氯化布口罩,一般要求如下:

(1)采用车间整体通风、焊接工位局部通风,排除焊接中产生的金属烟尘和有毒气体等。

(2)在容器内焊接时,要备有抽风机,随时更换容器内的空气。

(3)焊接有色金属时,要注意采用高效率的局部排除烟尘设备。

四、射线的防护

氩弧焊使用的钍钨棒电极中的钍,是天然的放射性元素,应采取有效的防护措施,以防钍的放射性烟尘进入体内。射线的防护措施有:

(1)采用高效率的排烟系统和交换装置,将焊接烟尘排到室外。

(2)钍钨棒贮存地点要固定在地下封闭箱内。大量存放时应藏于铁箱里,并安装排气管。

(3)应备有专用砂轮来磨钍钨棒,砂轮机要安装除尘设备,如图13-4所示。砂轮机所处地面上的磨屑要经常作湿式扫除,并集中深埋处理。磨尖钍钨棒时应戴除尘口罩。

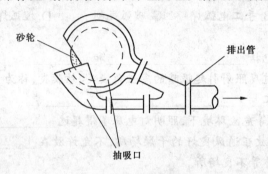

砂轮
排出管
抽吸口

图 13-4　砂轮抽排装置

(4)手工焊接操作时,必须戴送风防护头盔或采取其他有效措施。采用密闭罩施焊时,在操作中不应打开罩体。

(5)接触钍钨棒后以流动水和肥皂洗手,并经常清洗工作服及手套等。

(6)尽量选用铈钨极,从根本上解决放射性问题。

习　题

一、名词解释

1.直接触电　　2.劳动保护　　3.高处焊接作业　　4.焊接电缆

二、判断题

1.更换焊条时,焊工必须使用焊工手套,要求焊工手套保持干燥,绝缘可靠。　　（　　）

2.雨天、雪天、雾天或刮大风(六级以上),只要做好安全工作,可进行高处焊接作业。
　　　　　　　　　　　　　　　　　　　　　　　　　　　　　　　　　（　　）

3.遇有人触电时,不得赤手去拉触电人,应迅速切断电源。　　　　　　　（　　）

4.焊工护目遮光镜片的号数越大,颜色越浅。　　　　　　　　　　　　　（　　）

5.空载电压不同的焊机也能并联使用。　　　　　　　　　　　　　　　　（　　）

6.焊接电缆应具有良好的导电能力和绝缘外层。一般是用紫铜制成,外包胶皮绝缘套。
　　　　　　　　　　　　　　　　　　　　　　　　　　　　　　　　　（　　）

7.高处作业的焊工一定要经过专门的身体检查,经过有关高处作业安全技术规则考试上岗。   (   )

三、选择题

1.在光线不足的较暗环境工作,必须使用手提工作行灯,一般环境使用的照明行灯电压不
超过(   )V。
A.12   B.24   C.36   D.110

2.在可燃性物品附近进行焊接作业时,必须有一定的安全距离,一般距离应大于(   )。
A.2 m   B.3 m   C.5 m   D.10 m

3.具有放射性的钨极是(   )。
A.钍钨极   B.铈钨极   C.纯钨极   D.锆极

4.对焊工有害的高频电磁场产生于下列(   )方法的作业中。
A.钨极氩弧焊   B.手工电弧焊   C.碳弧气刨   D.埋弧焊

四、填空题

1.电焊弧光辐射主要包括_____、_____和_____。

2.因电焊弧光紫外线过度照射引起眼睛的急性角膜炎、结膜炎,称为_____。

3.焊接烟尘可造成焊工_____、_____、_____等。

4.在潮湿、金属容器内等危险环境下,照明灯电压不得超过_____V。

5.室内焊接时,焊机应放在通风良好的干燥场所,不允许放在_____、_____以
及有_____气体等不良场所。

6.所有焊接设备的外壳都必须接地。在电源为三线三相制或单相制系统中,应设置
_____线。在电网为三相四线制中性点接地系统中,应设置_____线。

五、问答题

1.焊接电源安装时的安全措施有哪些?

2.焊接电源使用时的安全措施有哪些?

3.电焊工劳动保护包括哪几方面?

4.氩弧焊的射线防护措施有哪些?

附录一 锅炉压力容器压力管道

焊工考试与管理规则

(国家质量监督检验检疫总局
锅炉压力容器安全监察局)

第一章 总 则

第一条 根据《锅炉压力容器安全监察暂行条例》、《压力管道安全管理与监察规定》，为加强焊工管理工作，保证锅炉、压力容器(含气瓶，下同)和压力管道的焊接质量，制定本规则。

第二条 本规则适用于各类钢制锅炉、压力容器和压力管道受压元件焊接的焊工考试，主要包括：

(一)受压元件焊缝；

(二)与受压元件相焊的焊缝；

(三)熔入永久焊缝内的定位焊缝；

(四)受压元件母材表面堆焊。

其他设备的焊工考试可参照本规则。

第三条 钢制锅炉、压力容器和压力管道的焊条电弧焊、气焊、钨极气体保护焊、熔化极气体保护焊、埋弧焊、电渣焊、摩擦焊和螺柱焊等方法的焊工考试及管理应符合本规则要求；钛和铝材的焊工考试内容、办法和结果评定分别按 JB 4745《钛制压力容器》和 JB 4734《铝制压力容器》中的规定；铜和镍材的焊工考试内容、方法和结果评定按 GB 50236《现场设备 工业管道焊接工程施工及验收规范》中的规定。

钛、铝、铜和镍材料焊工考试的组织、监督、发证和持证焊工的管理按本规则规定执行。

第二章 焊工考试的监督管理及组织

第四条 各省、自治区、直辖市锅炉压力容器安全监察机构(以下简称省级安全监察机构)应组织成立焊工考试监督管理委员会(以下简称焊工考试监管会)。焊工考试监管会在省级安全监察机构领导下进行工作，其主要职责如下：

(一)全过程监督焊工基本知识考试和焊接操作技能考试；

(二)核对焊工考委会资质及承担考试范围；

(三)审查考试计划、内容和试题；

(四)核查应考焊工资格、考试项目及焊工合格证的变更手续;

(五)对《焊工考试基本情况表》(附件一)签字确认。

焊工考试监管会成员由辖区内从事锅炉、压力容器和压力管道焊接技术管理人员和省、地(市)两级安全监察机构人员组成。

第五条 焊工考试工作由焊工考试委员会(以下简称焊工考委会)负责组织和实施。

(一)具备下列条件的单位可以组成焊工考委会:

1.至少应有1名从事焊接工作5年以上,并具有工程师职称(或以上)人员担任主任或副主任,具有2名(或以上)焊接操作技能指导教师或焊接技师。

2.至少应有Ⅱ级(或以上)资格射线无损检测(RT)人员1名,当承担堆焊项目考试时,至少应有Ⅱ级(或以上)资格的表面无损检测人员1名。

3.焊接操作技能考试场地应满足焊工考试要求,考试工位不少于10个,其中至少应包括焊条电弧焊、气体保护焊、埋弧焊三种焊接方法。

4.焊接设备、焊条和焊剂烘干设备、试件和试样加工设备、射线透照设备、试验设备和测量工具等应与承担考试范围相适应。

5.具有一定规模的组织焊工考试和管理焊工焊接档案的能力,一般应具有管理不少于100名焊工的能力。

6.具有适用于不同焊接方法、不同材料种类的基本知识考试题库;有满足焊工考试要求的焊接工艺规程。

7.具有焊工考试细则和相关管理制度。

(二)焊工考委会的主要职责:

1.制定焊工考试计划;

2.审查焊工资格;

3.确定考试内容;

4.检验考试用试板(管)、焊材、设备及仪表;

5.组织焊工进行基本知识和焊接操作技能考试,负责考场纪律;

6.负责考试试件和试样的检测,并评定考试成绩;

7.办理焊工合格证延期和注销手续;

8.发放焊工钢印;

9.建立、管理焊工焊接档案;

10.评定或确认焊工考试用焊接工艺。

焊工考委会应在评定合格的焊接工艺基础上,编制焊工考试焊接工艺规程。焊工考委会在考试10日前将焊工考试项目、时间和地点通知焊工和焊工考试监管会。

第六条 焊工考委会资质及所承担的考试项目范围(包括焊接方法和材料种类),须经所在地地市级(或以上)安全监察机构批准,报省级安全监察机构备案。

承担以下范围焊工考试的焊工考委会,须经省级以上(含省级)安全监察机构批准;

(一)长输管道;

(二)跨省(自治区、直辖市)焊工考试;

(三)铝、铜、钛、镍及其合金;

（四）电渣焊、摩擦焊以及耐蚀堆焊。

焊工考委会只能在批准的范围内组织焊工考试工作，批准机构每 3 年应对焊工考委会进行一次审核。

第七条　焊接锅炉、压力容器和压力管道的焊工，可以向本地的或具备跨省考试资格的焊工考委会提出申请，经考试委员会同意后可参加考试。申请考试焊工应具有初中或初中以上文化程度或同等学历，身体健康，能严格按照焊接工艺规程进行操作，独立承担焊接工作。

第三章　考试内容和方法

第八条　焊工考试内容包括基本知识和焊接操作技能两部分。基本知识考试内容应与焊工所从事焊接工作范围相适应，焊接操作技能考试分为手工焊焊工和焊机操作工考试。

第九条　焊工基本知识考试合格后才能参加焊接操作技能的考试，焊工基本知识考试合格有效期为 6 个月。

第十条　在焊工考试时，属下列情况之一的，需进行相应基本知识考试：

（一）首次申请考试；

（二）改变焊接方法；

（三）改变母材种类（如钢、铝、钛等）；

（四）基本知识考试合格有效期内，未进行焊接操作技能考试的。

第十一条　焊工基本知识考试应包括以下方面内容：

（一）焊接安全知识和规定；

（二）锅炉、压力容器和压力管道的基本知识；

（三）金属材料的分类、牌号、化学成分、力学性能、焊接特点和焊后热处理；

（四）焊接材料（焊条、焊丝、焊剂和气体等）类型、型号、牌号、使用与保管；

（五）焊接设备、工具和测量仪表的种类、名称、使用和维护；

（六）常用焊接方法的特点、焊接工艺参数、焊接顺序、操作方法及其对焊接质量的影响；

（七）焊缝形式、接头形式、坡口形式、焊缝符号及图样识别；

（八）焊接接头的性能及其影响因素；

（九）焊接缺欠的产生原因、危害、预防方法和返修；

（十）焊缝外观检验方法和要求，无损检测方法特点、适用范围、级别、标志和缺欠识别；

（十一）焊接应力和变形的产生原因和防止方法；

（十二）焊接质量管理体系、规章制度、工艺文件、工艺规律、焊接工艺评定、焊工考试和管理规则基本知识。

第十二条　焊工基本知识考试和焊接操作技能考试的结果应记入"焊工考试基本情况表"；焊接操作技能考试试件的检查记录应记入"焊工焊接操作技能考试检验记录表"（附件二）。

第十三条　焊接操作技能考试应从焊接方法、试件材料、焊接材料及试件形式等方面进行考核。焊接方法及代号见表1,焊条类别、代号及适用范围见表2,试件钢号分类及代号见表3,各种试件形式、位置及代号见表4,焊接要素及代号见表5。

表1 焊接方法及代号

焊接方法	代号
焊条电弧焊	SMAW
气焊	OFW
钨极气体保护焊	GTAW
熔化极气体保护焊	GWAW(含药芯焊丝电弧焊 FCAW)
埋弧焊	SAW
电渣焊	DEW
摩擦焊	FRW
螺柱焊	SW

表2 焊条类别、代号及适用范围

焊条类别	焊条类别代号	相应型号	适用焊件的焊条范围	相应标准
钛钙型	F1	EXX03	F1	GB/T 5117、GB/T 5118、GB/T 983(奥氏体、双相钢焊条除外)
纤维素型	F2	EXX10,EXX11,EXX10-x,EXX11-x	F1,F2	
钛型、钛钙型	F3	EXXX(X)-16,EXXX(X)-17	F1,F3	
低氢型、碱性	F3J	EXX15,EXX16 EXX18,EXX48 EXX15-x,EXX16-x EXX18-x,EXX48-x EXXX(X)-15,EXXX(X)-16 EXXX(X)-17	F1,F3,F3J	
钛型、钛钙型	F4	EXXX(X)-16,EXXX(X)-17	F4	GB/T 983(奥氏体、双相钢焊条)
碱性	F4J	EXXX(X)-15,EXXX(X)-16,EXXX(X)-17	F4,F4J	

表3 试件钢号分类及代号

类型	代号	典型钢号示例				
碳素钢	I	Q195 Q215 Q235	10 15 20 25 20R 20g 20G 22g	HP245 HP265	L175 L210	S205

类型	代号	典型钢号示例			
低合金钢	Ⅱ	HP295 HP325 HP345 HP365 L245 L290 L320 L360 L415 L450 L485 L555 S240 S290 S315 S360 S385 S415 S450 S480	12Mng 16Mn 16Mng 16MnR 15MnNbR 15MnV 15MnVR 20MnMo 10MnWVNb 13MnNiMoNbR 20MnMoNb 07MnCrMoVR	12CrMo 12CrMoG 15CrMo 15CrMoR 15CrMoG 14Cr1Mo 14Cr1MoR 12Cr1MoV 12Cr1MoVG 12Cr2Mo 12Cr2Mo1 12Cr2Mo1R 12Cr2MoG 12Cr2MoWVTiB 12Cr3MoVSiTiB	09MnD 09MnNiD 09MnNiDR 16MnD 16MnDR 15MnNiDR 20MnMoD 07MnNiCrMoVDR 08MnNiCrMoVD 10Ni3MoVD
马氏体钢、铁素体不锈钢	Ⅲ	1Cr5Mo	0Cr13	1Cr13	1Cr17　1Cr9Mo1
奥氏体不锈钢、双相不锈钢	Ⅳ	0Cr19Ni9 0Cr18Ni9Ti 0Cr18Ni11Ti 00Cr18Ni10 00Cr19Ni11	0Cr18Ni12Mo2Ti 00Cr17Ni14Mo2 0Cr18Ni12Mo3Ti 00Cr19Ni13Mo3 0Cr19Ni13Mo3	0Cr23Ni13 0Cr25Ni20 00Cr18Ni5Mo3Si2 1Cr19Ni9 1Cr19Ni11Ti 1Cr23Ni18	

表4　试件形式、位置及代号

试件形式	试件位置		代号
板材对接焊缝试件	平焊		1G
	横焊		2G
	立焊		3G
	仰焊		4G
管材对接焊缝试件	水平转动		1G
	垂直固定		2G
	水平固定	向上焊	5G
		向下焊	5GX
	45°固定	向上焊	6G
		向下焊	6GX

试件形式	试件位置	代号
管板角接头试件	水平转动	2FRG
	垂直固定平焊	2FG
	垂直固定仰焊	4FG
	水平固定	5FG
	45°固定	6FG
螺柱焊试件	平焊	1S
	横焊	2S
	仰焊	4S

表5　焊接要素及代号

焊接要素		要素代号
手工钨极气体保护焊填充金属焊丝	无	01
	实芯	02
	药芯	03
机械化焊	钨极气体保护焊自动稳压系统 有	04
	钨极气体保护焊自动稳压系统 无	05
	自动跟踪系统 有	06
	自动跟踪系统 无	07
	每面坡口内焊道 单道	08
	每面坡口内焊道 多道	09

第十四条　焊接操作技能考试合格的焊工,当试件钢号或焊材变化时,属下列情况之一的,不需重新进行焊接操作技能考试:

(一)手工焊焊工采用某类别钢号经焊接操作技能考试合格后,焊接该类别其他钢号时;

(二)手工焊焊工采用某类别任一钢号,经焊接操作技能考试合格后,焊接该类别钢号与类别代号较低钢号所组成的异种钢号焊接接头时;

(三)除Ⅳ类外,手工焊焊工采用某类别任一钢号,经焊接操作技能考试合格后,焊接较低类别钢号时;

(四)焊机操作工采用某类别任一钢号,经焊接操作技能考试合格后,焊接其他类别钢号时;

(五)变更焊丝钢号(或型号)、药芯焊丝类型、焊剂型号、保护气体种类和钨极种类时;

第十五条　经焊接操作技能考试合格的焊工,属下列情况之一的,需重新进行焊接操作技能考试:

(一)改变焊接方法;

(二)在同一种焊接方法中,手工焊考试合格,从事焊机操作工作时;

(三)在同一种焊接方法中,焊机操作考试合格,从事手工焊工作时;

(四)表5中焊接要素(代号)01、02、03、04、06和08之一改变时;

(五)焊件焊接位置超出表11规定的适用范围时。

第十六条 焊接操作技能考试可以由一名焊工在同一个试件上采用一种焊接方法进行,也可以由一名焊工在同一个试件上采用不同焊接方法进行组合考试;或由两名(或以上)焊工在同一个试件上采用相同或不同焊接方法进行组合考试。由三名(含三名)以上焊工的组合考试试件,厚度不得小于20 mm。

第十七条 考试试件

(一)试件形式

各种试件形式如图1所示,主要包括:对接焊缝试件、管板角接头试件、螺柱焊试件和堆焊试件。管板角接头试件接头形式见图2。对接焊缝试件和管板角接头试件,分带衬垫和不带衬垫两种。

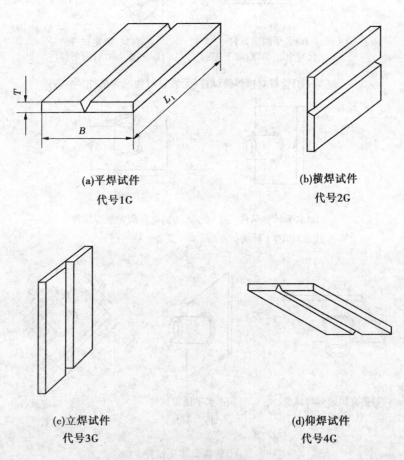

(a)平焊试件
代号1G

(b)横焊试件
代号2G

(c)立焊试件
代号3G

(d)仰焊试件
代号4G

(A)板材对接焊缝试件(无坡口时为堆焊试件)

图1 焊工考试试件形式

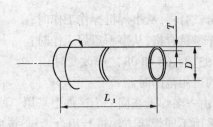

(a)水平转动试件　　　　　　(b)垂直固定试件
代号1G(转动)　　　　　　　　代号2G

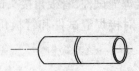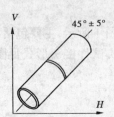

(c)水平固定试件　　　　　　(d)45° 固定试件
代号5G、5GX(向下焊)　　　代号6G、6GX(向下焊)

(B)管材对接焊缝试件(无坡口时为堆焊试件)

(a)水平转动试件　　　　　　(b)垂直固定平焊试件
代号2FRG（转动）　　　　　　代号2FG

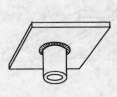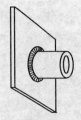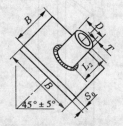

(c)垂直固定仰焊试件　　　(d)水平固定试件　　　　(e)45°固定试件
代号4FG　　　　　　　　　代号5FG　　　　　　　代号6FG

(C)管板角接头试件

续图1

· 216 ·

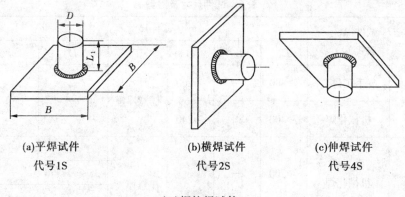

(a)平焊试件　　　　　　(b)横焊试件　　　　(c)伸焊试件
代号1S　　　　　　　　代号2S　　　　　　代号4S

(D)螺柱焊试件
续图1

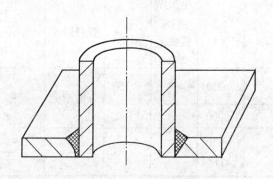

图2　管板角接头试件接头形式

双面焊、部分焊透的对接焊缝和部分焊透的管板角接头均视为带衬垫。

(二)试件规格

考试试件的尺寸和数量见表6。其中堆焊试件首层至少堆焊三条并列焊道,总宽度≥38 mm;堆焊管材试件最小外径应满足取样数量要求。

第十八条　试件适用范围

(一)手工焊焊工采用对接焊缝试件,经焊接操作技能考试合格后,适用于焊件焊缝金属厚度范围见表7。t 为每名焊工、每种焊接方法在试件上的对接焊缝金属厚度(余高不计),当某焊工用一种焊接方法考试且试件截面全焊透时,t 与试件母材厚度 T 相等。

(二)手工焊焊工采用管材对接焊缝试件,经焊接操作技能考试合格后,适用于管材对接焊缝焊件外径范围见表8;适用于焊缝金属厚度范围见表7。

(三)手工焊焊工采用管板角接头试件,经焊接操作技能考试合格后,适用于管板角接头焊件范围见表9,当某焊工用一种焊接方法考试且试件截面全焊透时,t 与试件板材厚度 S_0 相等。

(四)焊机操作工采用对接焊缝试件或管板角接头试件考试时,母材厚度 T 或 S_0 自定,经焊接操作技能考试合格后,适用于焊件焊缝金属厚度不限。

表6 试件尺寸及数量 （单位:mm）

试件类别	试件形式		试件尺寸						试件数量(个)
			L_1	L_2	B	T	D	S_0	
对接焊缝试件	板	手工焊	≥300	—	≥200	任意厚度	—	—	1
		机械化焊	≥400	—	≥240		—	—	
	管	手工焊机械化焊	≥200	—	—	任意厚度	<25	—	3
							25≤D<76	—	3
							≥76	—	1
		手工向下焊	≥200	—	—		≥30		1
管板角接头试件	管与板		—	手工焊≥75,机械化焊≥5	≥D+100	任意厚度	<76	≥T	2
							≥76		1
堆焊试件	板		≥250	—	≥150	任意厚度			1
	管		≥200	—	—				
螺柱焊试件	板与柱		(8~10)D	—	≥50				5

表7 手工焊对接焊缝试件适用于对接焊缝焊件焊缝金属厚度范围 （单位:mm）

焊缝形式	试件母材厚度 T	适用于焊件焊缝金属厚度	
		最小值	最大值
对接焊缝	<12	不限	$2t$
	≥12	不限	不限(注)

注:t 不得小于 12 mm,且焊缝不得小于 3 层。

表8 手工焊管材对接焊缝试件适用于对接焊缝焊件外径范围 （单位:mm）

管材试件外径 D	适用于管材焊件外径范围	
	最小值	最大值
<25	D	不限
25≤D<76	25	不限
≥76	76	不限
≥300(注)	76	不限

注:管材向下焊试件。

表9 手工焊管板角接头试件适用于管板角接头焊件范围   （单位：mm）

管板角接头试件管外径 D	适用焊件范围				
	管外径		管壁厚度	焊件焊缝金属厚度	
	最小值	最大值		最小值	最大值
<25	D	不限	不限	不限	当 $S_0<12$ 时，$2t$
$25{\leqslant}D<76$	25	不限	不限		当 $S_0{\geqslant}12$ 时（注），不限
${\geqslant}76$	76	不限	不限		

注：当 $S_0{\geqslant}12$ 时，t 应不小于 12 mm，且焊缝不得少于 3 层。

　　（五）焊机操作工采用管材对接焊缝试件和管板角接头试件考试时，管外径自定，经焊接操作技能考试合格后，适用于管材对接焊缝焊件外径和管板角接头焊件管外径的最小值为试件外径，最大值不限。

　　（六）气焊焊工焊接操作技能考试合格后，适用于焊件母材厚度及焊缝金属厚度不大于试件母材和焊缝金属厚度。

　　（七）手工焊焊工和焊机操作工采用不带衬垫对接焊缝试件和管板角接头试件，经焊接操作技能考试合格后，分别适用于带衬垫对接焊缝焊件和管板角接头焊件；反之不适用。

　　气焊焊工采用带衬垫对接焊缝试件，经焊接操作技能考试合格后，适用于不带衬垫对接焊缝焊件；反之不适用。

　　（八）手工焊焊工和焊机操作工采用对接焊缝试件和管板角接头试件，经焊接操作技能考试合格后，除规定需要重新考试后，适用于焊件角焊缝，且母材厚度和外径不限。

　　（九）焊机操作工采用螺柱焊试件，经仰焊位置考试合格后，适用于任何位置的螺柱焊焊件；其他位置考试合格后，只适用相应位置的焊件，见图3。

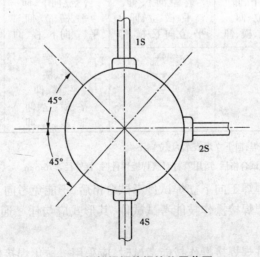

图3 螺柱焊焊件焊接位置范围

（十）耐蚀堆焊试件。

各种焊接方法的焊接操作技能考试规定也适用于耐蚀堆焊。

手工焊焊工和焊机操作工采用堆焊试件考试合格后,适用于焊件的堆焊层厚度不限,适用焊件母材厚度范围见表10。

表10　堆焊试件适用焊件母材厚度范围　　　　（单位:mm）

堆焊试件母材厚度 T	适用于堆焊焊件母材厚度范围	
	最小值	最大值
＜25	T	不限
≥25	25	不限

焊接不锈钢复合钢的复层之间焊缝及过渡焊缝的焊工,应取得耐蚀堆焊资格。

（十一）手工焊焊工和焊机操作工,采用对接焊缝试件和管板角接头试件,经焊接操作技能考试合格后,适用于焊件的焊接位置见表11。

表11　试件适用焊件焊接位置

试件		适用焊件范围			
		对接焊缝位置		角焊缝位置	管板角接头焊件位置
形式	代号	板材和外径大于600 mm的管材	外径≤600 mm的管材		
板材对接焊缝	1G	平	平(注2)	平	—
	2G	平、横	平、横(注2)	平、横	—
	3G	平、立(注1)	平(注2)	平、横、立	—
	4G	平、仰	平(注2)	平、横、仰	—
管材对接焊缝	1G	平	平	平	—
	2G	平、横	平、横	平、横	—
	5G	平、立、仰	平、立、仰	平、立、仰	—
	5GX	平、立向下、仰	平、立向下、仰	平、立向下、仰	—
	6G	平、横、立、仰	平、横、立、仰	平、横、立、仰	—
	6GX	平、立向下、横、仰	平、立向下、横、仰	平、立向下、横、仰	—
管板角接头	2FG	—	—	平、横	2FG
	2FRG	—	—	平、横	2FRG、2FG
	4FG	—	—	平、横、仰	4FG、2FG
	5FG	—	—	平、横、立、仰	5FG、2FRG、2FG
	6FG	—	—	平、横、立、仰	所有位置

注:1.表中"立"表示向上立焊;向下立焊表示为:立向下。

　　2.板材对接焊缝试件考试合格后,适用管材对接焊缝焊件时,管外径≥76 mm。

第十九条　手工焊焊工向下立焊试件考试合格后,不能免考向上立焊;反之也不可。

第二十条　摩擦焊焊接操作技能考试试件,其形式应与任一通过焊接工艺评定的试件或焊件相同。

第二十一条　螺柱焊焊接操作技能考试时,应采用机械化焊接(手工引弧除外)。

第二十二条　试件坡口形式及尺寸应按焊接工艺规程制备,或由焊工考委会按相应国家标准或行业标准制备。

第二十三条　焊接操作技能考试的具体要求如下：

（一）手工焊焊工的所有考试试件，第一层焊缝中至少应有一个停弧再焊接头；焊机操作工考试时，中间不得停弧。

（二）采用不带衬垫试件进行焊接操作技能考试时，必须从单面焊接。

（三）机械化焊接考试时，允许加引弧板和引出板。

（四）表3第Ⅰ类钢号的试件，除管材对接焊缝试件和管板角接头试件的第一道焊缝在换焊条时允许修磨接头部位外，其他焊道不允许修磨和返修；第Ⅱ～Ⅳ类钢号试件除第一层和中间层焊道在换焊条时允许修磨接头部位外，其他焊道不允许修磨和返修。

（五）焊接操作技能考试时，试件的焊接位置不得改变。管材对接焊缝和管板角接头45°固定试件，管轴线与水平面间的夹角应为45°±5°，见图1。

（六）水平固定试件和45°固定试件，应在试件上标注焊接位置的钟点标记。定位焊缝不得在"6点"标记处；焊工在进行管材向下焊试件操作技能考试时，应严格按照钟点标记固定试件位置，且只能从"12点"标记处起弧，"6点"标记处收弧，其他操作应符合本条相关要求。

（七）手工焊焊工考试板材试件厚度＞10 mm时，不允许用焊接卡具或其他办法将板材试件刚性固定，但是允许试件在定位焊时预留反变形量；≤10 mm厚的板材试件允许刚性固定。

（八）焊工应按评定合格的焊接工艺规程焊接考试试件。

（九）考试用试件的坡口表面及两侧必须清除干净；焊条和焊剂必须按规定要求烘干，焊丝必须去除油、锈。

（十）焊接技能操作考试前，由焊工考委会负责编制焊工考试代号，并在焊工考委会成员、监考人员与焊工共同在场确认的情况下，在试件上标注焊工考试代号和考试项目代号。

（十一）试件数量应符合表6要求，且不得多焊试件从中挑选。

第四章　考试结果与评定

第二十四条　焊工基本知识考试满分为100分，不低于70分为合格。

焊工焊接操作技能考试通过检验试件进行评定。各考试项目的试件按本章规定的检验项目进行检验，各项检验均合格时，该考试项目为合格。

由两名（或以上）焊工进行的组合考试，如某项不合格，在能够确认该项施焊焊工时，则该焊工考试不合格，如不能确认该项施焊焊工的，则参与该组合考试的焊工均不合格；其他组合考试，有任一项目不合格，则组合考试项目不合格。

第二十五条　试件的检验项目、检查数量和试样数量见表12，每个试件须先进行外观检查，合格后再进行其他项目检验。

第二十六条　试件的外观检查，采用目视或5倍放大镜进行。手工焊的板材试件两端20 mm内的缺欠不计，焊缝的余高和宽度可用焊缝检验尺测量最大值和最小值，但不取平均值,单面焊的背面焊缝宽度可不测定。

第二十七条 试件的焊缝外观检查应符合下列要求:

(一)焊缝表面应是焊后原始状态,焊缝表面没有加工修磨或返修焊。

表 12 试件检验项目、检查数量和试样数量

试件类别	试件形式	试件厚度或管径(mm)		检验项目						
		厚度	管外径	外观检查(件)	射线透照(件)	断口检验(件)	面弯	背弯	侧弯(注1)	金相检验(宏观)(个)
							弯曲试验(个)			
对接焊缝试件	板	<12	—	1	1	—	1	1	—	
		≥12	—	1	1	—			2	
	管(注2)	—	<76	3	—	2	1	1		
		—	≥76	1	1	1	1	1		
	管材向下焊	<12	≥300	1	1		1	1		
		≥12		1	1				2	
管板间接头试件	管与板	—	<76	2						任一试件取3个检查面
		—	≥76	1						3
堆焊试件	板或管	—	—	1	1(渗透)	—			2	—
螺柱焊试件	板与柱			5					5(折弯)	—

注:1.当试件厚度≥10 mm 时,可以用两个侧弯试样代替面弯与背弯试样。

2.管子摩擦焊按对接焊缝试件对待。

(二)焊缝外形尺寸应符合表 13 和下列规定。

(1)焊缝边缘直线度 f:手工焊 $f \leqslant 2$ mm;机械化焊 $f \leqslant 3$ mm。

(2)管板角接头试件的角焊缝中,焊缝的凹度或凸度应不大于 1.5 mm;

表 13 试件焊缝外形尺寸 (单位:mm)

焊接方法	焊缝余高		焊缝余高差		焊缝宽度		焊道高度差	
	平焊	其他位置	平焊	其他位置	比坡口每侧增宽	宽度差	平焊	其他位置
手工焊	0~3	0~4	≤2	≤3	0.5~2.5	≤3	—	—
机械化焊(注)	0~3	0~3	≤2	≤2	2~4	≤2	—	—
堆焊	—	—	—	—			≤1.5	≤1.5

注:除电渣焊、摩擦焊、螺柱焊外,厚度大于或等于 20 mm 的埋弧焊试件,余高可为 0~4 mm。

管侧焊脚为 $T+(0\sim3)$mm。

(3)不带衬垫的板材试件、不带衬垫的管板角接头试件和外径不小于 76 mm 的管材

· 222 ·

试件背面焊缝的余高应不大于 3 mm。

（4）外径小于 76 mm 的管材对接焊缝试件进行通球检查。管外径大于或等于 32 mm 时,通球直径为管内径的 85%;管外径小于 32 mm 时,通球直径为管内径的 75%。

（三）各种焊缝表面不得有裂纹、未熔合、夹渣、气孔、焊瘤和未焊透;机械化焊的焊缝表面不得有咬边和凹坑。

堆焊两相邻焊道之间的凹下量不得大于 1.5 mm,焊道间搭接接头的平面度在试件范围内不得超过 1.5 mm。

手工焊焊缝表面的咬边和背面凹坑不得超过表 14 的规定。

表 14　试件焊缝表面缺欠规定

缺欠名称	允许的最大尺寸
咬边	深度≤0.5 mm;焊缝两侧咬边总长度不得超过焊缝长度的 10%
背面凹坑	当 T≤5 mm 时,深度≤25% T,且≤1 mm;当 T>5 mm 时,深度≤20% T,且≤2 mm;除仰焊位置的板材试件不作规定外,总长度不超过焊缝长度的 10%

（四）板材试件焊后变形角度 θ≤3°,试件的错边量不得大于 10% T,且≤2 mm,见图 4。

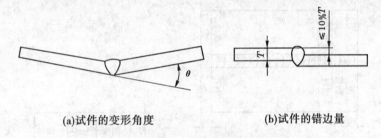

(a)试件的变形角度　　　　　　　　(b)试件的错边量

图 4　板材试件的变形角度和错边量

属于一个考试项目的所有试件外观检查的结果均符合上述各项要求,该项试件的外观检查为合格,否则为不合格。

第二十八条　试件的射线透照应按 JB 4730《压力容器无损检测》标准进行检测,射线透照质量不应低于 AB 级,焊缝缺欠等级不低于 II 级为合格。

堆焊试件表面应按 JB 4730《压力容器无损检测》标准,采用渗透方法进行检测,缺欠评定结果不低于 II 级。

第二十九条　管材对接焊缝试件的断口检验,采用冷加工方法在其焊缝中心加工一条沟槽,沟槽断面的形状和尺寸见图 5,然后将试件压断或折断,检查断口缺欠。

第三十条　试件的断口检验应符合下列要求:

（一）断面上没有裂纹和未熔合;

（二）背面凹坑深度不大于 25% T,且不大于 1 mm;

（三）单个气孔沿径向长度不大于 30% T,且不大于 1.5 mm,沿轴向或周向长度不大于 2 mm;

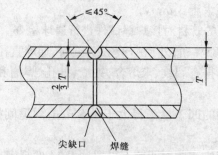

图5　断口检验试样沟槽断面的形状和尺寸

(四)单个夹渣沿径向长度不大于 $25\%T$,沿轴向或周向长度不大于 $30\%T$;

(五)在任何 10 mm 焊缝长度内,气孔和夹渣不得多于 3 个;

(六)沿圆周方向 $10T$ 范围内,气孔和夹渣的累计长度不大于 T;

(七)沿壁厚方向同一直线上各种缺欠总长度不大于 $30\%T$,且不大于 1.5 mm。

第三十一条　弯曲试验按本规则要求和 GB/T 232《金属材料弯曲试验方法》的规定进行。

(一)板材试件应按图6的位置截取弯曲试样;管材试件(包括堆焊试件)应按图7的位置截取弯曲试样。

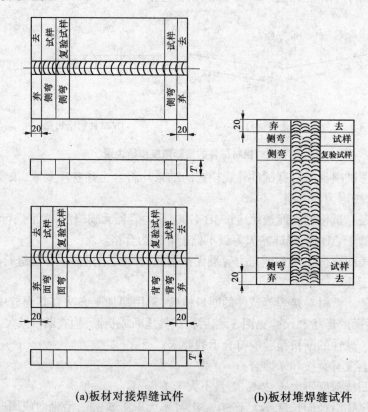

(a)板材对接焊缝试件　　　　　　(b)板材堆焊缝试件

图6　板材试件弯曲试样的截取位置　(单位:mm)

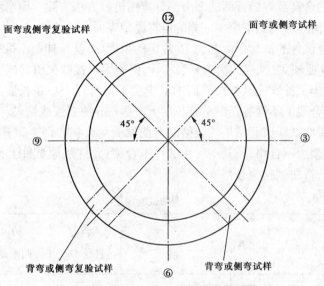

图7　管材试件弯曲试样的截取位置

（二）对接焊缝试件弯曲试样的形式和尺寸见图8；堆焊侧弯试样尺寸参照图8(c)，试样宽度至少应包括堆焊层全部、熔合线和基层热影响区。

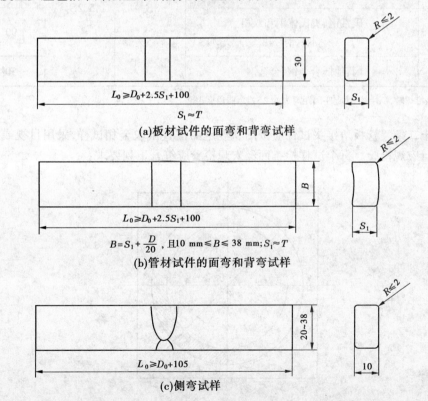

(a)板材试件的面弯和背弯试样

$L_0 \geqslant D_0 + 2.5S_1 + 100$

$S_1 \approx T$

$B = S_1 + \dfrac{D}{20}$，且$10\ \text{mm} \leqslant B \leqslant 38\ \text{mm}$；$S_1 \approx T$

(b)管材试件的面弯和背弯试样

$L_0 \geqslant D_0 + 2.5S_1 + 100$

$L_0 \geqslant D_0 + 105$

(c)侧弯试样

图8　焊接接头弯曲试样的形式和尺寸 （单位：mm）

D_0—弯轴直径，D—管子外径，T—试件厚度，S_1—试样厚度，B—试样宽度，L_0—试样长度

（三）试样上的余高及焊缝背面的多余部分应用机械方法去除。面弯和背弯试样的拉伸面应平齐，且保留焊缝两侧中至少一侧的母材原始表面。

（四）对接焊缝试件的试样弯曲到表15规定的角度后，其拉伸面不得有任一单条长度大于3 mm的裂纹或缺欠，试样的棱角开裂不计，但确因焊接缺欠引起试样棱角开裂的长度应进行评定；堆焊试件弯曲试样拉伸面的堆焊层不得有任一单条长度大于1.5 mm的裂纹或缺欠，在熔合线上不得有任一单条长度大于3 mm的裂纹或缺欠。

试件的两个弯曲试样试验结果均合格时弯曲试验为合格。两个试样均不合格时，不允许复验，弯曲试验为不合格；若其中一个试样不合格，允许从原试件上另取一个试样进行复验，复验合格，弯曲试验为合格。

表15　弯曲试验规定

	钢种	弯轴 直径 D_0	支座 间距离	弯曲角度
带衬垫	碳素钢、奥氏林钢和双相 不透钢	$3S_1$	$5.2S_1$	180°
	其他低合金钢、合金钢			100°
不带衬垫	碳素钢、奥氏体钢和双相 不锈钢			90°
	其他低合金钢、合金钢			50°

注：摩擦焊、堆焊时，$D_0=4S_1$，支座间距离为$6.2S_1$，弯曲角度180°。

第三十二条　管板角接头试件应按图9规定的位置截取金相试样，采用目视或5倍放大镜进行宏观检验。每个试样检查面经宏观检验应符合下列要求：

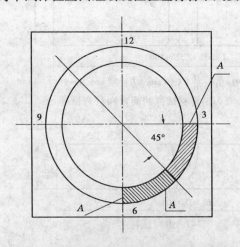

图9　管板角接头试件金相试样的截取位置

注：A 面为金相试样检查面。

(一)没有裂纹和未熔合；

(二)焊缝根部应焊透；

(三)气孔或夹渣的最大尺寸不得超过 1.5 mm；当气孔或夹渣大于 0.5 mm，不大于 1.5 mm 时，其数量不得多于 1 个；当只有小于或等于 0.5 mm 的气孔或夹渣时，其数量不得多于 3 个。

第三十三条 对每个螺柱焊试件采用下列任何一种方法进行检验时，每个螺柱的焊缝和热影响区在锤击或弯曲试验后，没有开裂为合格；

(一)锤击螺柱上端部，使 1/4 螺柱长度贴在试件板上；

(二)如图 10 所示，用套管使螺柱弯曲不小于 15°，然后恢复原位。

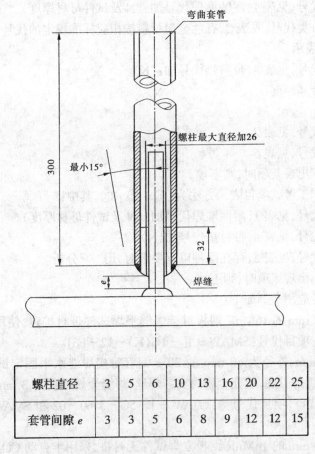

图 10　螺柱焊弯曲试验方法简图 （单位：mm）

螺柱直径	3	5	6	10	13	16	20	22	25
套管间隙 e	3	3	5	6	8	9	12	12	15

第三十四条 焊工焊接操作技能考试不合格者，允许在 3 个月内补考一次。每个补考项目的试件数量按表 6 的规定；试件检验项目、检查数量和试样数量按表 12 的规定。其中弯曲试验，无论一个或两个试样不合格，均不允许复验，本次考试为不合格。

第五章 发证和持证焊工的管理

第三十五条 经基本知识考试和焊接操作技能考试合格的焊工,由焊工考委会将"焊工考试基本情况表"和"焊工焊接操作技能考试检验记录表"报考委会所在地的地(市)级安全监察机构,经审核后签发焊工合格证。

第三十六条 持证焊工应按本规则规定,承担与考试合格项目相应的锅炉、压力容器和压力管道的焊接工作。

第三十七条 焊工考试项目代号,应按每个焊工、每种焊接方法分别表示。

(一)手工焊焊工考试项目表示方法为:①-②-③-④/⑤-⑥-⑦,其中:

①焊接方法代号,见表1,耐蚀堆焊代号加:(N 及试件母材厚度)。

②试件钢号分类代号,表3,有色金属材料按相应标准规定的代号。
异种钢号用 X/X 表示。

③试件形式代号,见表4,带衬垫代号加:(K)。

④试件焊缝金属厚度。

⑤试件外径。

⑥焊条类别代号,见表2。

⑦焊接要素代号,见表5。

考试项目中不出现某项时,则不填。

(二)焊机操作工考试项目表示方法为:①-②-③,其中:

①焊接方法代号,见表1,耐蚀堆焊代号加:(N 及试件母材厚度)。

②试件形式代号,见表4,带衬垫代号加(K)。

③焊接要素代号,见表5,存在两种以上要素时,用"/"分析。

考试项目中不出现该项时,则不填。

(三)项目代号应用举例如下:

(1)厚度为 12 mm 的 16MnR 钢板对接焊缝平焊试件带衬扩建,使用 J507 焊条手工焊接,试件全焊透,项目代号:SMAW-Ⅱ-1G(K)-12-F3J。

(2)壁厚为 8 mm、外径为 60 mm 的 20 g 钢管对接焊缝水平固定试件,背面不加衬垫,用手工钨极氩弧焊打底,填充金属为实芯焊丝,焊缝金属厚度为 3 mm,然后采用 J427 焊条手工焊填满坡口,项目代号为:GTAW -Ⅰ-5G-3/60-02 和 SMAW -Ⅰ-5G(K)-5/60-F3J。

(3)板厚为 10 mm 的 16MnR 钢板立焊试件无衬垫,采用半自动 CO_2 气体保护焊,填充金属为药芯焊丝,试件全焊透。项目代号:GMAW-Ⅱ-3G-10。

(4)管材对接焊缝无衬垫水平固定试件,壁厚为 8 mm,外径为 70 mm,钢号为 16Mn,采用自动熔化极气体保护焊,使用实芯焊丝,在自动跟踪条件下进行多道焊全焊透,项目代号:GMAW-5G-06/09。

(5)在壁厚为 10 mm、外径为 86 mm 的 16Mn 钢制管材垂直固定试件上使用 A312 焊条手工堆焊,项目代号:SMAW(N10)-Ⅱ-2G-86-F4。

(6)管板角接头无衬垫水平固定试件,管材壁厚为 3 mm,外径为 25 mm,材质为 20 号钢,板材厚度为 8 mm,材质为 16MnR,采用手工钨极氩弧焊打底不加填充焊丝,焊缝金属厚度为 2 mm,然后采用自动钨极氩弧焊药芯焊丝多道焊,填满坡口,焊机无稳压系统,无自动跟踪系统,项目代号为:GTAW - Ⅰ/Ⅱ - 5FG - 2/25 - 01 和 GTAW - 5FG(K) - 05/07/09。

(7)S290 钢管外径为 20 mm,壁厚为 12 mm,水平固定位置,使用 E××10 焊条向下焊打底,背面没有衬垫,焊缝金属厚度为 4 mm,然后采用药芯焊丝自动焊,焊机无自动跟踪,进行多道多层焊填满坡口。项目代号为:SMAW - Ⅱ - 5GX - 4/320 - F2 和 FCAW - 5G(K) - 07/09。

(8)板厚为 16 mm 和 0Cr19Ni9 钢板,采用埋弧自动焊平焊,背面加焊剂垫,焊机无自动跟踪,焊丝为 H0Cr21Ni10Ti,焊剂为 HJ260,单面施焊二层,填满坡口,项目代号为:SAW - 1G(K) - 07/09。

第三十八条 设立焊工考委会的企业,应建立焊工焊接档案,内容包括:焊工焊绩(见附件三),焊缝质量检验结果,焊接质量事故。没有焊工考委会的企业,应将焊工焊接档案的内容每半年向负责该焊工考试的考委会报告一次,并由该考委会负责管理其焊工焊接档案。

第三十九条 焊工合格证(合格项目)有效期为 3 年,在合格项目有效期满前 3 个月,继续担任焊接工作的焊工,应向所属焊工考委会提出申请,由该考委会安排焊工考试或免考等事宜。

有效期内的焊工合格证,在各地同等有效。

第四十条 取得焊工合格证的焊工,其首次取得的合格项目,在第一次有效期满后,应全部重新考试;第二次及以后的有效期满后,对已建立焊工焊接档案,且内容齐全、真实的,可由负责管理焊工档案的考委会,根据焊工焊绩等情况,向发证的安全监察机构提出免考申请,经该机构批准后,办理相关手续。

中断受监察设备焊接工作 6 个月以上的,再从事受监察设备焊接工作时,也必须重新考试。

年龄超过 50 岁的焊工,其焊工合格项目有效期满后,如继续从事受监察设备的焊接工作,须重新考试,一般不得免考。

第四十一条 持证焊工的实际焊接操作技能不能满足产品焊接质量要求,或者违反工艺纪律以致发生重大焊接质量事故,或经常出现焊接质量问题时,锅炉压力容器安全监察机构可暂扣其焊工合格证或提请发证机构吊销其焊工合格证。被吊销焊工合格证者,一年后方可提出焊工考试申请。

第六章 附 则

第四十二条 企业应根据本规则结合本企业实际情况,制定持证焊工管理细则。

第四十三条 本规则规定以外的焊接方法、材料种类及特殊焊缝(如:耐磨层堆焊、端接焊缝和槽焊缝等)的焊工考试,其内容、方法和评定标准由企业按照有关产品设计和制造技术条件,参照国外先进工业国家相关标准制定,并报省级锅炉压力容器安全监察机构备案,其他要求仍按本规则执行。

第四十四条 本规则表2以外的焊条,应按我国焊条国家标准确定其型号,由焊工考委会根据该焊条药皮类型列入本规则表2相应类别。

本规则表3以外的钢号,由焊工考委会根据其化学成分、金相组织及焊接工艺特点(如预热、线能量控制、后热等)按表3中钢号划分其类别,并报省级安全监察机构备案。

如表2或表3相应类别焊条或钢号的焊工考试项目合格,即具备该焊条或钢号的相应合格项目。

第四十五条 焊工合格证使用国家质量监督检验检疫总局统一印制的"锅炉压力容器压力管道特种设备操作人员资格证"。

第四十六条 本规则由国家质量监督检验检疫总局负责解释。

第四十七条 本规则自2002年10月1日起执行。

附件一

××××焊工考试委员会
焊工考试基本情况表

编号_____

姓名		性别			身份证号码		
文化程度				考试性质	初考□,重考□,补考□		
首次取得焊工合格证时间					重考原因		
焊工钢印							

基本知识考试		考试日期		试卷编号		考试成绩	

	考试日期		考试工位		焊接工艺规程编号		
焊接操作技能考试	考试项目代号						
	焊接设备及仪表		正常□ 不正常□	不正常内容:			
	试件用材料		合格□ 不合格□	不合格内容:			
	焊材及烘干		合格□ 不合格□	不合格内容:			
	试件加工及尺寸		合格□ 不合格□	不合格内容:			
	检测人员资质		合格□ 不合格□	不合格内容:			
	焊工施焊要求		符合□ 不符合□	不符合内容:			
	考场纪律		遵守□ 不遵守□	不遵守内容:			
	监考人员姓名						

××省(自治区、直辖市)焊工考试监督管理委员会成员:_____、_____

年　月　日

附件二

××××焊工考试委员会
焊工焊接操作技能考试检验记录表

姓名＿＿＿＿＿＿＿＿＿　　　　　　　　　　　　　　　　　　试件编号＿＿＿＿＿＿＿＿＿

焊接方法		焊机操作工□，手工焊焊工□	
焊接工艺规程编号		母材钢号	
试件板材厚度		试件管材外径和壁厚	
螺柱直径		焊材名称及型号	
考试项目代号			

试件外观检查

焊缝表面状况	焊缝余高	焊缝余高差	比坡口每侧增宽	宽度差	焊缝边缘直线度
背面焊缝余高	裂纹	未熔合	夹渣	咬边	未焊透
背面凹坑	气孔	焊瘤	变形角度	错边量	通球检验
角焊缝凹凸度	焊脚	堆焊焊道接头平面度		堆焊焊道高度差	堆焊凹下量

外观检查结果(合格、不合格)			检验员	

无损检验

射线透照质量等级	焊缝缺欠等级	报告编号及日期	结果
			(合格、不合格)
渗透检测方法	渗透检测结果	报告编号及日期	结果
			(合格、不合格)
无损检测人员		无损检测人员证书号	

弯曲试验

面弯	背弯	侧弯	报告编号及日期	结果
				(合格、不合格)
检验员				

断口检查

检验结果		报告编号及日期	结果
		检验员	(合格、不合格)

金相检验(宏观)				
检验结果			报告编号及日期	结果
试样Ⅰ	试样Ⅱ	试样Ⅲ	检验员	(合格、不合格)

螺柱折弯试验							
折弯方法	检验结果					报告编号及日期	结果
	试件Ⅰ	试件Ⅱ	试件Ⅲ	试件Ⅳ	试件Ⅴ	检验员	(合格、不合格)

本焊工考委会确认该焊工按《锅炉压力容器压力管道焊工考试与管理规则》进行焊接操作技能考试和检验,数据正确,记录无误。

该项目焊接操作技能考试结果评为(合格、不合格)

主任委员_____　　　　　　　　　　　　　　　　　　年　　月　　日

附件三

焊工焊绩记录表

单位_____

_____年____月至____年____月　　　　　　　　　　　　　编号_____

焊工姓名	产品名称及编号	焊缝编号	合格项目代号	填表人及施焊日期
				月　　日
				月　　日
				月　　日
				月　　日
				月　　日
				月　　日
				月　　日
				月　　日

焊接检验员_____年　月　日　　　　　　　　　　焊接责任工程师_____年　月　日

附录二　各章习题参考答案

第一章　锅炉基本知识

一、名词解释

1.利用各种燃料或者其他能源,将所盛装的液体加热到一定的参数及压力的密闭设备。

2.额定工作压力=15.7~17.66 MPa 的锅炉。

二、判断题

1.(×)　2.(√)　3.(×)

三、选择题

1.B　2.A　3.A

四、填空题

1.锅筒(锅壳)、封头、炉胆、炉胆顶、集箱、下降管、水冷壁管和烟管、冲天管、过热管和省煤器等

2.大于13.73 MPa　3.安全阀　压力表　水位表　4.固定式锅炉　移动式锅炉

五、问答题

1.答:按使用方式分类,可分固定式锅炉和移动式锅炉两种。

　　按用途分类,可分电站锅炉、工业锅炉、采暖锅炉、机车锅炉和船舶锅炉五种。

　　按出口介质状态分类,可分蒸汽锅炉、热水锅炉和汽水两用锅炉。

　　按压力分类,可分低压锅炉、中压锅炉、高压锅炉、超高压锅炉、亚临界锅炉、超临界锅炉。

　　按蒸发量分类,可分为小型锅炉、中型锅炉、大型锅炉。

　　按结构分类,可分为火管锅炉、水管锅炉和水火管组合锅炉三种。

　　按燃料分类,可分为燃料锅炉、燃油锅炉、燃气锅炉和原子能锅炉四种。

　　按燃烧方式分类,可分为层燃炉、沸腾炉和室燃炉三种(层燃炉又分手烧炉、链条炉排炉、往复炉排炉、双层炉排炉、振动炉排炉和抛煤机炉等多种)。

　　按循环方式分类,可分为自然循环锅炉、多次强制循环锅炉和直流锅炉三种。

2.答:锅筒的作用是汇集、贮存、净化蒸汽和补充给水。水冷壁是布置在炉膛四周的辐射受热面,它是锅炉的主要受热面。对流管束是锅炉的对流受热面,它的作用是吸收高温烟气的热量,增加锅炉受热面。集箱的作用是汇集、分配锅水,保证各受热面管子可靠地供水或汇集各管子的水或汽水混合物。

第二章　压力容器及压力管道基本知识

一、名词解释

1.是指盛装气体或者液体,承载一定压力的密闭设备。

2.是指利用一定的压力,用于输送气体或者液体的管状设备,其范围规定为最高工作压力或者等于 0.1 MPa(表压),输送气体、液化气体、蒸汽介质或者可燃、易爆、有毒、有腐蚀性、最高工作温度高于或者等于标准沸点的液体介质,且公称直径大于 25 mm 的管道。

二、判断题

1.(√) 2.(×)

三、选择题

1.B 2.C 3.B 4.A

四、填空题

1.壳体 连接件 密封元件 接管 开孔及其补强结构 支座 2.低温容器 常温容器 高温容器 3.立式容器 卧式容器 4.工业管道 公用管道 长输管道 5.蒸汽管道 燃气管道 工艺管道

五、问答题

1.答:按压力分类,可分为低压容器、中压容器、高压容器、超高压容器。

按壳体承压方式分类,可分为内压(壳体内部承受介质压力)容器和外压(壳体外部承受介质压力)容器两大类。

按设计温度分类,可分低温容器($t \leqslant -20\ ℃$)、常温容器($-20\ ℃ < t < 450\ ℃$)和高温容器($t \geqslant 450\ ℃$)。

按使用方式分类,可分为固定式容器和移动式容器两大类。

按在生产工艺过程中的作用原理分类,可分为反应容器、换热容器、分离容器和储存容器。

根据容器的压力高低、介质的危害程度以及在生产过程中的重要作用,《压力容器安全技术监察规程》将其适用范围的容器划分为三类:第三类压力容器、第二类压力容器和第一类压力容器。

2.答:压力容器主要由以下五部分构成:①壳体;②连接件;③密封元件;④接管、开孔及其补强结构;⑤支座。

3.答:压力管道应用极广,主要用于化工、石油、制药、能源、航空、环保、钢铁、公用工程等各类工业企业。

第三章 水工金属结构基础知识

一、名词解释

1.是将水流从水库、压力前池或调压室直接引入水电站水轮机的管道,这种管道承受较大的内水压力且承受水击荷载,故又称高压管道。

2.一般设置在水电站、排灌站和船闸输水廊道的进水口,用以拦阻水流中所挟带的污物,使有害污物不易进入引水道内,以保护机组、闸门、阀及管道等不受损害。

二、判断题

1.(×) 2.(√) 3.(×) 4.(√) 5.(√)

三、选择题

1.A 2.C 3.B 4.A 5.D

四、填空题

1.泄水系统　引水发电系统　水闸及排灌系统　交通航运　2.自由伸缩　温度应力　微量角变位　3.栅叶　栅槽埋件　4.门叶　埋设部分　启闭机械

五、问答题

1.答:拦污栅对焊缝的要求是:污栅吊耳板和吊杆的对接焊缝为一类焊缝;拦污栅主梁腹板、翼板对接焊缝为二类焊缝;其他焊缝均为三类焊缝。

2.答:常用的启闭机有卷扬式启闭机、螺杆式启闭机、液压式启闭机、门机、桥机。根据启闭机是否能够移动,又分为固定式和移动式。

3.答:压力钢管的结构有管身、岔管、伸缩节、凑合节、人孔、闷头。

4.答:平面闸门所受的荷载主要有静水压力、浪压力、闸门自重、启闭力、启门阻力等。

第四章　钢材的基础知识

一、名词解释

1.为完全脱氧钢,浇注前加入足够数量的强脱氧剂,浇注时钢液镇静,不产生沸腾现象。

2.将钢材加热到临界点 A_{c_3} 以上保温一定时间,然后空冷。

3.钢在淬火后再进行高温回火的一种热处理方法。

4.钢试样拉伸到断裂前所承受的最大应力。

5.材料抵抗冲击载荷的能力,称为冲击韧性,简称韧性。

6.在一定温度加恒定拉力作用下,试样在规定时间内(通常100 000 h)的蠕变变形量(通常定为1%)或蠕变速度不超过某一规定值的最大应力。

二、判断题

1.(×)　2.(√)　3.(√)

三、选择题

1.A　2.C　3.D

四、填空题

1.2%　2.屈服点　抗拉强度　伸长率　冲击韧性　冷弯　3.20HP　15MnHP
12MnHP　16MnHP　10MnNbHP　4.退火　正火　回火　调质　5.235　B　6.增加下降。

五、问答题

1.答:锅炉钢:g ;压力容器用钢:R

锅炉常用的钢:20R,22g

压力容器常用的钢:20R、16MnR

2.答:钢材的实际使用性能主要包括:热处理状态的机械性能、中温和高温性能、低温性能、疲劳极限、硬度时效敏感和耐腐蚀性能等。

3.答:锅炉受压元件用的钢材牌号有:碳素钢20g 和22g,低合金钢 16Mng、12Mng、14MoMnVg 和18MnMoNbg。

钢管:中低压锅炉用的钢管为 10 号钢和20 号钢,高压锅炉钢管的牌号为 15MnV、12-

MnMoV、20g、15CrMo、12Cr1MoV、12MoVWBSiXt、12CrMoWVTiB、12Cr3MoVSiTiB。

4.答:(1)较高的强度;

(2)良好的塑性、韧性和一定的冷弯性能;

(3)较低的缺口敏感性;

(4)良好的中温性能;

(5)良好的焊接性能和加工工艺性能;

(6)良好的低倍组织。

5.答:(1)良好的综合力学性能;

(2)良好的可焊性;

(3)良好的加工性能;

(4)表面质量好,厚度均匀;

(5)盛装腐蚀介质的设备用钢应具有良好的抗腐蚀性能;

(6)低温设备(温度$\leqslant -20\ ℃$)用钢应具有良好的低温冲击韧性,避免脆性断裂。

6.答:(1)碳的影响。碳是决定钢的强度的主要因素,钢中含碳量增加,钢的强度和硬度增加,塑性和韧性下降,此外,碳的增加会增加冷脆性和对时效的敏感性。

(2)磷和硫的影响。磷使钢的强度增加、硬度增加、塑性下降,在常温下严重冷脆。硫使钢产生"热脆性"。因此,磷和硫都是钢的有害元素,必须严格控制钢中磷和硫的含量。

7.答:(1)正火:提高钢材的塑性和韧性;得到良好的综合性能,并消除组织的不均匀性和内应力;改善组织;消除脆性。

(2)调质:淬火后经不同温度的高温回火,往往可以使钢的性能、质量得到不同程度的改善。

(3)消除应力热处理:松弛内应力,对钢材性能影响很小,主要用于消除冷、热加工中产生的内应力和焊接残余应力。

8.答:钢材的可焊性是指在一定的焊接工艺条件下,获得优良焊接接头的能力。评定可焊性有两个方面:①工艺可焊性,主要指焊接接头出现各种裂纹的可能性,亦称抗裂性;②使用可焊性,主要指焊接接头在使用中的可靠性,包括焊接接头的机械性能和其他特殊性能(如耐热、耐腐蚀、耐低温、抗疲劳、抗时效等)。

第五章 焊接材料

一、名词解释

1.焊条中被药皮包敷的金属芯。

2.涂有药皮供焊条电弧焊用的熔化电极。

二、判断题

1.(×) 2.(×) 3.(√) 4.(×) 5.(√) 6.(×) 7.(×) 8.(×) 9.(×)

10.(√)

三、选择题

1.A 2.C 3.A 4.C 5.C 6.C 7.B 8.C 9.C 10.B

四、填空题

1.焊芯 药皮 手工电弧焊 2.430 全位置 酸性 3.0.1% 4.药芯焊丝 5.高级优质 6.0.1% 小于1% 优质 7.熔炼焊剂 烧结焊剂 陶质焊剂 8.300 9.保护作用 成形作用 渗合金作用 稳弧作用 10.氩弧 氦弧

五、问答题

1.答:(1)焊条药皮具有以下作用:①稳弧作用;②造气保护作用;③造渣保护作用;④脱氧、去硫、去磷作用;⑤渗合金作用;⑥套筒保护作用。

(2)药皮的组成。药皮主要由矿物类、铁合金、有机物、水玻璃等四类物质组成。根据原料作用特点,可以分为稳弧剂、造渣剂、造气剂、脱氧剂、合金剂、稀释剂和黏结剂等。

2.答:焊条药皮中的氧化物多为酸性氧化物,其熔渣的化学性质呈酸性,此类焊条称酸性焊条。反之,药皮中含大量碱性氧化物和氟化钙的焊条为碱性焊条。

酸性焊条药皮中主要有 TiO_2、MnO_2、FeO、SiO_2 等氧化物,氧化性强,元素烧损量大,含氧、氮高,故机械性能差。又因酸性渣脱硫、脱磷能力差,所以抗裂性差,但其工艺性好,对油、锈、水不敏感,抗气孔能力强,可用交直流电源。

碱性焊条药皮中主要有 CaF_2、$CaCO_3$、SiO_2、$MgCO_3$ 及大量铁合金,故脱氧能力强,脱硫、脱磷能力也较强,焊缝金属的力学性能和抗裂性均较好;但工艺性差,对油、锈和水敏感,易产生气孔,又因含有 CaF_2,影响电弧稳定,只能用直流电源施焊。

3.答:一般按焊缝与母材等强的原则选用,但在焊缝冷却速度较大(如薄板施焊、单层焊)时,往往也选用强度比母材低一级的焊条。而厚板的多层焊及焊后需进行正火处理的情况,为防止焊缝强度低于母材,可选用强度高一级的焊条。不同强度级别的母材施焊,应选用强度级别相匹配的钢焊条。

4.答:对强度级别较低的钢材,其选用原则与低碳钢焊条相同,基本上是等强原则。对于强度级别较高的钢材,特别是高强度钢,选用焊条时,应侧重于考虑焊缝的塑性。对于铬钼钢,则着眼于接头的高温性能;对于镍钢,则着重考虑焊缝的低温韧性。低合金异种钢焊接时,则应该依照强度级别较低钢种选用焊条,而施焊工艺则依照强度较高钢种的工艺,同时还要注意其他因素。

5.答:焊剂是埋弧焊过程中保证焊接质量的重要焊接材料,它由十余种氧化物组成,在施焊中起如下作用:①保护作用;②渗合金作用;③成形作用;④稳弧作用。

6.答:HJ403-H08MnA,它表示这种埋弧焊剂采用 H08MnA 按 GB 5293 所规定的焊接工艺参数焊接试板,其试样状态为焊态时焊缝的抗拉强度为 420～560 MPa,屈服强度不小于 336 MPa,伸长率不小于 22%,在 -30 ℃时冲击值不小于 0.35 MPa。

7.答:焊剂的选用一般应和焊丝相配合,选配的一般原则如下:

(1)焊接低碳钢、低合金钢。为保证焊缝具有良好的综合性能,可选用高锰高硅焊剂配合无锰低锰焊丝,或用无锰、低锰、高硅焊剂配合含一定锰量焊丝。

(2)焊接低合金强度钢。可选用碱度较高的低锰、中硅、中氟焊剂,以保证焊缝有良好的韧性。

(3)各类不锈钢。一般选用高碱度的无锰低硅焊剂,使用烧结焊剂效果更好。

第六章　焊接设备

一、名词解释

1.指焊接电源输出的焊接电流流经焊件导电回路。

2.电弧未引燃时,焊接电源输出端的电压即空载电压。

3.电弧两端(两电极)之间的电压降。

4.能使电弧引燃的最低电压。

5.焊接时流经焊接回路的电流。

6.指焊接电弧燃烧时间占整个工作周期的百分比。

7.在额定负载持续率下允许使用的最大焊接电流即额定焊接电流。

8.电极与焊件接触时的电流称为短路电流。

二、判断题

1.(√)　2.(×)　3.(√)　4.(√)　5.(√)　6.(×)　7.(×)　8.(√)

三、选择题

1.B　2.A　3.C　4.A　5.C

四、填空题

1.焊接电流　输出的电压　2.机械调节　电磁控制　电子控制　3.陡降　4.高　5.下降外特性　6.额定焊接电流为200 A　7.增大　8.陡降　9.电源　控制系统　行走机构

10.推丝式　拉丝式　推拉丝式

五、问答题

1.答:(1)具有陡降的外特性。

　　(2)具有良好的动特性。

2.答:(1)空载电压高。

　　(2)可以提供电弧稳定燃烧所需要的电压。

　　(3)弧长变化时,焊接电流变化要小。

　　(4)允许短时间短路。

3.答:在焊接过程中,电焊机的负荷总是不断地变化。引弧时先是焊条与工件短路,随后将焊条拉开;焊接的过程中焊条金属熔滴往熔池过渡,发生短路,接头电弧又拉长等,不会引起电焊机的负荷发生急剧的变化。由于在焊接回路中总有一定的感抗,使得电焊机的输出电流和电压不可能迅速地依照外特性曲线来变化,而要经过一定时间后才能在外特性曲线上的某一点稳定下来。上述性能称为电焊机的动特性。

　　如果电焊机的动特性不好,则该电焊机的使用性能也不好。使用动特性良好的电焊机焊接,容易引弧,在焊接过程中的电弧长度变化时不容易熄弧,飞溅较少。这时电焊工会明显地感到焊接过程"平静",电弧"柔软"。如果使用动特性不好的电焊机焊接,在引弧时电焊条很容易粘在工件上,当焊条拉开的距离稍大,电弧就拉断;在焊接的过程中电弧偶尔拉长,就容易熄弧,飞溅也较严重。

4.答:(1)电焊机应尽可能安放在通风良好、干燥、无腐蚀性介质、不靠近高温和粉尘多的地方。对于焊条电弧焊整流器还要特别注意对硅整流器的保护和冷却。

(2)线圈的电压和接法必须与标牌的规定相符,线的直径要合适。启动电焊机时,电焊钳和焊件不能接触,以防短路。在焊接过程中,也不能长时间短路,特别是焊条电弧焊整流器,当在大电流下工作时,长时间短路易使硅整流器烧坏。

(3)调节焊接电流和变换极性接法时,应在空载下进行。

(4)焊接电源必须在标牌上规定的电流调节范围内及相应的负载持续率下使用。

(5)露天使用时,要防止灰尘和雨水侵入电焊机内部。搬动电焊机时,特别是焊条电弧焊整流器不应受到较剧烈的震动。

(6)保持焊接电缆与电焊机接线柱的接触良好。

(7)每台电焊机壳都应有可靠的接地线,以确保安全。

(8)定期清扫灰尘,定期调节丝杠和旋转轴承。

(9)当电焊机发生故障或有异常现象时,应立即切断电焊机的电源,然后及时进行检查修理。较大的故障应找电工检修。

(10)新安装或闲置已久的焊接电源,在启动以前要作绝缘程度检查。若不符合要求,必须重新干燥后再使用。焊接电源不得在短路状态下启动。

(11)焊接作业完毕或临时离开工作场地,必须及时切断电焊机的电源。

5.答:电焊钳、焊接电缆、电焊条烘干箱、电焊条保温筒、面罩等。

第七章　常用焊接方法

一、名词解释

1.以氩气作为保护气体的一种电弧焊方法。它利用从喷嘴流出的氩气,在电弧及焊接熔池的周围形成连接封闭的气流,保护钨极、焊丝和熔池,避免了空气对熔化金属的侵害。

2.指单位时间焊接焊缝的长度。

3.利用 CO_2 气体作为保护气体,依靠焊丝与焊件之间产生的电弧热来熔化金属和焊丝形成焊缝的一种电弧焊方法。

4.利用电流通过液体熔渣产生的电阻热作为热源,将工件和填充金属熔合成焊缝的垂直位置的焊接方法。

5.将金属螺柱或类似的其他紧固件焊于工件上的方法称为螺柱焊。

二、判断题

1.(×)　2.(√)　3.(√)　4.(×)　5.(×)　6.(√)　7.(√)　8.(√)　9.(×)
10.(×)

三、选择题

1.B A A B　2.D　3.C　4.B　5.C　6.A　7.A　8.B　9.A　10.C　11.B

四、填空题

1.划擦法　直击法　2.丝极电渣焊　熔嘴电渣焊(包括管极电渣焊)　板极电渣焊　3.焊条送进　焊条摆动　焊条前移　4.划圈收尾法　反复断弧收尾法　回焊收尾法　5.灭弧连弧　6.焊条的牌号　焊条直径　电源种类与极性　焊接电流　电弧电压　焊接速度和

焊接层数　7.99.5%　8.直流反接　9.黏度　10.专用胶泥　11.电阻热　12.电容放电

　　13.纤维素型焊条或低氢型焊条手工下向焊　半自动自保护焊或气体保护焊　全自动保护焊或气体保护焊

五、问答题

1.答:焊条电弧焊(SMAW)、钨极气体保护焊(GTAW)、熔化极气体保护焊(GMAW)、埋弧焊(SAW)、电渣焊(ESW)、螺柱焊(SW)。

2.答:(1)工艺灵活,适应性强;

　　(2)质量好;

　　(3)易于分散应力和控制变形;

　　(4)设备简单,维护方便。

3.答:(1)划圈收尾法。当焊条移至焊缝终点时,作圆圈运动,直到填满弧坑再拉断电弧。此法适合于焊接厚板的收尾。

　　(2)反复断弧收尾法。当焊接进行到焊缝终点时,在弧坑处反复熄弧和引弧数次,直到填满弧坑为止。此法适用于薄板和大电流焊接,但不适用于碱性焊条,否则容易产生气孔。

　　(3)回焊收尾法。焊条移至焊缝收尾处稍加停顿,接着改变焊条角度往回焊一小段,相当于收尾处变成一个起头。此法适用于碱性焊条的焊接。

4.答:氩弧焊是以氩气作为保护气体的一种电弧焊方法。它利用从喷嘴流出的氩气,在电弧及焊接熔池的周围形成连接封闭的气流,保护钨极、焊丝和熔池,避免了空气对熔化金属的侵害。

　　手工钨极氩弧焊也称非熔化极氩弧焊,即采用高熔点的钨棒作为电极(简称钨极),在氩气流的保护下,依靠不熔化的钨极与焊件之间产生的电弧来熔化基本金属及填充焊丝的一种焊接方法。

5.答:埋弧焊是利用电弧作为热源的焊接方法。焊接时电弧在颗粒状焊剂层下燃烧并完成焊接过程,由于电弧不外露,因此得名埋弧焊。在自动焊接时,引弧、维持电弧稳定燃烧、送进焊丝、电弧的移动以及结束时填满弧坑等主要动作,完全是利用机械自动来完成;半自动焊时,焊机只能完成向焊接区送焊丝和保持电弧稳定燃烧,而电弧的移动则靠手工来完成。

　　埋弧焊的特点如下:

　　(1)焊接电流大,生产效率高。

　　(2)自动化程度高。

　　(3)焊缝质量好。

　　(4)改善劳动条件,减轻劳动强度和弧光对人体的侵害。

6.答:CO_2 气体保护焊的特点:

　　(1)生产效率高。由于焊接电流密度较大,焊接速度快,焊后不需清渣,生产效率高。

　　(2)成本低。电能消耗少,CO_2 气体价格便宜,成本只有埋弧焊和手工焊的 $1/2$。

　　(3)焊接应力和变形小。电弧加热集中,工件受热面小,CO_2 气流有较强的冷却作用,所以焊接变形和应力都较小。

(4)焊接质量高。焊缝含氢量少,抗裂性能好,不易产生气孔,所以机械性能良好。

(5)操作简便。由于是明弧焊接,便于观察和操作。

(6)飞溅较大,焊缝成形较差。不能采用交流电源,焊接设备比较复杂。

CO_2 气体保护焊的应用范围:

CO_2 气体保护焊主要用于焊接低碳钢及低合金钢等黑色金属。还可用于耐磨零件的堆焊、补焊等。CO_2 气体保护焊在造船、机车制造、汽车制造、石油化工、工程机械、农机制造等领域应用广泛。是发展较快的一种焊接技术。

7.答:电渣焊的特点:

(1)适宜在垂直位置焊接,焊缝金属不易产生气孔和夹渣。

(2)厚件能一次焊成。由于整个渣池均处于高温下,热源体积大,不论多大厚度都可以不开坡口,留有一定装配间隙一次焊成,生产率高,材料消耗少。

(3)焊缝成形系数调节范围大,防止产生焊缝热裂纹。

(4)渣池对被焊工件有较好的预热作用,焊接碳当量较高的金属不易出现脆硬组织,冷裂纹倾向较小。焊接中碳钢、低合金钢时均可不预热。

(5)焊缝和热影响区在高温停留时间较长,易产生晶粒粗大和过热组织,焊接接头冲击韧性较差,一般焊后应进行正火和回火热处理。

8.答:手工下向焊焊接工艺特点是:在管道水平放置固定不动的情况下,焊接热源从顶部中心开始垂直向下焊接,一直到底部中心。其焊接部位的先后顺序是:平焊、立平焊、立焊、仰立焊、仰焊。

手工下向焊焊接工艺采用下向焊专用焊条,下向焊专用焊条以其独特的药皮配方设计,与传统向上焊焊条相比,具有电弧吹力大、焊缝质量好、易于单面焊双面成形、熔敷速度快、熔敷率高等优点,被广泛用于大口径长输管道工程建设中。手工下向焊接工艺经历了全纤维素型下向焊—混合型下向焊—复合型下向焊这一发展进程。

第八章 焊缝与接头形式及其表示方法

一、名词解释

1.在焊件的坡口面间或一焊件的坡口面与另一焊件表面间焊接的焊缝。

2.沿两直交或近直交焊件的交线所焊接的焊缝。

3.把在图样上用技术制图方法表示的焊缝的基本形式和尺寸采用一些符号来表示的方法。

4.根据设计或工艺需要,在焊件的待焊部位加工并装配成的一定几何形状的沟槽叫做坡口。

二、判断题

1.(√) 2.(×) 3.(√) 4.(×) 5.(√)

三、选择题

1.A 2.C 3.A 4.B 5.A 6.D 7.C 8.C 9.D 10.D

四、填空题

1.焊缝横截面形状 焊缝表面形状特征 为了补充说明焊缝的某些特征而采用 2.工件厚度 坡口角度 根部间隙 钝边 焊缝宽度 根部半径 焊缝长度 焊缝间距 焊缝

有效厚度 坡口深度 余高 坡口面角度 3.焊缝形式 坡口尺寸 焊接方法 4.削薄处理 5.熔深

五、问答题

1.答:焊缝形式主要是指由坡口和接头的结构形式而形成的焊缝连接方式。一般可分为对接焊缝、角焊缝、塞焊缝、端接焊缝、点焊缝。

2.答:焊接接头形式主要有对接接头、T形接头、十字接头、搭接接头、角接接头、端接头、套管接头、卷边接头等。

3.答:□表示焊缝底部有垫板

　　　○表示环绕工件周围焊缝

　　　▶表示在现场或工地上焊接

4.答:表示坡口角度为60°,根部间隙为 2 mm,钝边为 3 mm 且封底的 V 形焊缝,焊接方法为焊条电弧焊。

5.答:开坡口是为了保证电弧能深入接头根部,使根部焊透并便于清渣,以获得较好的成形,而且坡口还能起到调节焊缝金属中母材金属与填充金属比例的作用。

第九章　焊接接头组织和性能及其影响因素

一、名词解释

1.紧靠焊缝金属的母材,焊接过程中,被电弧加热,其组织和性能发生变化的部位。

2.焊缝金属与未熔化的母材之交界处。

3.焊接时焊件在加热和冷却过程中温度随时间的变化。

4.由于焊缝金属的结晶冷却速度很快,通常使焊接熔池中液体金属的一次结晶都是在不平衡的冷却条件下进行的,在每一结晶温度下,固相金属的成分来不及趋于一致,而在相当大的程度上保持着由于结晶先后而产生的成分不均匀性,这种合金元素分布不均匀的现象称为偏析现象。

5.熔化的母材在焊缝金属中所占的比例。

6.单位长度焊缝内输入的焊接热量。

7.焊接熔池从液态向固态的转变过程称为焊接熔池的一次结晶。

二、判断题

1.(×) 2.(×) 3.(√) 4.(×) 5.(×) 6.(√) 7.(×) 8.(×) 9.(×)
10.(√) 11.(×) 12.(√)

三、选择题

1.B 2.A 3.A 4.B 5.B 6.C 7.B 8.A 9.A 10.B 11.B

四、填空题

1.加热速度 最高加热温度 T_m 在高温加热停留时间 冷却速度 2.氢 氧 氮

3.氧化物 硫化物 热裂纹 4.焊缝金属 熔合区 热影响区 5.一次结晶 二次结晶

6.淬火区 不完全淬火区 回火区 7.强度 塑性 韧性 疲劳性能 抗腐蚀性能 抗

氧化性能　8.焊缝　热影响区　9.熔合比　10.焊接电流　电弧电压　焊接速度　11.铁素体　珠光体　12.焊接残余应力　焊接接头性能　13.焊接材料　焊接工艺　焊工技能　焊接检验

五、问答题

1.答:影响焊接热循环的主要因素有:

(1)焊接参数和热输入;

(2)预热和层间温度;

(3)板厚、接头形式以及材料本身的导热性能。

2.答:焊接过程中,当热源移动离开熔池以后,熔池金属便开始冷却凝固形成焊缝。焊接熔池从液态向固态的转变过程称为焊接熔池的一次结晶。

焊接熔池中的液体金属在凝固时,通常首先在熔池边缘熔合区母材晶料上,沿着与散热相反的方向以柱状形态向焊接熔池中心生长,直到相互阻碍时停止,成为柱状晶。但在一定条件下,焊缝中心也会出现等轴晶。

3.答:焊缝中的偏析有以下三种:

(1)显微偏析。熔池结晶时,最先结晶的结晶中心的金属最纯,而后结晶的部分含合金元素和杂质略高,最后结晶的部分,即晶粒的外端和前端,含合金元素和杂质就更高。因此,在一个晶粒内部和晶粒之间的化学成分是不均匀的,这种现象称为显微偏析。

(2)区域偏析。熔池结晶时,由于柱状晶体的不断长大和推移,会把杂质"赶"向熔池中心,这样熔池中心的杂质含量比其他部位高,这种现象称为区域偏析。

(3)层状偏析。焊接熔池始终是处于气流和熔滴金属的脉动作用下,所以无论是金属的流动或是热量供应和传递都具有脉动的性质。这就可能使晶体的成长速度出现周期性的增加和减少,就会出现结晶前沿液体金属中杂质浓度的波动,形成周期性的偏析现象,称为层状偏析。

4.答:焊缝金属冷却到室温时发生固态相变,产生不同的组织,称为焊缝金属的二次结晶。二次结晶组织主要取决于填充金属的化学成分,对于低碳钢来说,焊缝金属组织为铁素体和珠光体。由于焊缝的冷却速度很大,有时可能产生魏氏组织。而晶粒的粗细与焊缝金属的性能有很大关系,粗大柱状晶的塑性和韧性差,细小柱状晶的塑性和韧性好。

5.答:不易淬火钢热影响区分为过热区、正火区、不完全重结晶区和再结晶区。

(1)过热区。加热温度在 1 100 ℃到固相线之间,由于加热温度大大超过了相变温度,奥氏体晶粒急剧长大,冷却时,成为晶粒粗大的过热组织即晶粒粗大的铁素体和珠光体,其塑性和韧性大大降低。

(2)正火区。加热温度在 A_{c3} 以上至 1 100 ℃,高温时为晶粒细小的奥氏体,冷却时得到细小晶粒的铁素体和珠光体,其机械性能略高于母材。

(3)不完全重结晶区。加热温度在 $A_{c1} \sim A_{c3}$ 之间,高温时为奥氏体和铁素体,冷却时为细小晶粒的铁素体和珠光体及粗大晶粒的铁素体。所以在这个区的组织中,其晶粒粗细不均匀,其性能与母材没有显著的差别。

(4)再结晶区。加热温度在 450 ℃ $\sim A_{c1}$ 之间,对于焊前经过冷塑性变形的母材,由于冷塑性变形而破碎的晶粒发生了再结晶,重新成长为完整的晶粒,使金属的塑性稍有改善。

6.答:影响焊接接头性能的因素主要有:焊接材料、焊接方法、熔合比、焊接参数、操作方法和焊后热处理。

7.答:焊后热处理的目的是消除焊接残余应力和改善焊接接头性能。

（1）消除应力热处理。焊后加热到 600～650 ℃范围内,保温一定时间,消除焊接残余应力,以保证结构在使用时安全可靠。

（2）改善性能热处理。对于易淬火钢,焊后进行高温回火热处理,以消除淬硬组织,并得到回火组织,从而改善焊接接头的综合性能,提高高温性能。

对于奥氏体不锈钢,可在焊后进行固溶化或稳定化热处理,从而提高抗晶间腐蚀性能。

第十章 焊接变形与焊接应力

一、名词解释

1.物体单位截面上所出现内力的大小,用来表示外力作用的大小。

2.应力在焊件中只沿一个方向发生,如焊接薄板对接焊缝和在工件表面堆焊时,产生的纵向应力,也称单向应力。

3.应力存在于焊件中一个平面内的不同方向上,如焊接中厚板对接接头时,既有沿焊缝方向的纵向应力产生,也有沿垂直于焊缝方向的横向应力产生,两个方向的应力在同一平面内,也称双向应力。

4.应力在焊件中沿空间三个方向发生,如焊接厚板对接接头时,不但有纵向应力和横向应力产生,沿厚度方向也有焊接应力存在,这种应力状态就叫做体积应力,也称三向应力。

5.事先估计好焊件焊接变形的方向和大小,然后在装配时预先人为地给予一个相反方向的变形,使之与焊接变形相抵消。

二、判断题

1.（×） 2.（√） 3.（√） 4.（×） 5.（√） 6.（×） 7.（√） 8.（√） 9.（√）
10.（×） 11.（×） 12.（×） 13.（×） 14.（×） 15.（×） 16.（×） 17.（√）

三、选择题

1.B 2.B 3.C 4.C 5.B 6.B 7.C 8.D 9.A 10.C 11.C 12.C 13.C
14.D 15.C 16.B 17.D 18.A 19.B 20.C

四、填空题

1.大 大 2.机械矫正法 火焰加热矫正法 3.焊缝长度 垂直于焊缝长度 厚度方向上不均匀的横向收缩变形 4.大 5.加热 保温 冷却 6.平行 垂直 7.热处理法机械拉伸法 温差拉伸法 振动法 8.点状加热 线状加热 三角形加热 9.强制冷却淬硬 10.体积应力

五、问答题

1.答:焊缝附近温度较高,伸长较大的部分受两侧温度较低、伸长较小的金属的限制而被压缩并产生压应力;两侧金属则由于受到焊缝附近温度较高、伸长较大的金属的作用而被拉伸并产生拉应力,因此焊件端面只能向前平移到介于最大伸长和最小伸长之间的某个位置。塑性变形的产生,是造成焊件在冷却后产生焊接残余应力与焊接残余变形的原因。

2.答:按焊接变形的表现形式,可以将其分为以下七类:

(1)纵向收缩变形;

(2)横向收缩变形;

(3)弯曲变形;

(4)角变形;

(5)波浪变形;

(6)错边变形;

(7)扭曲变形。

3.答:可以采取以下措施来控制焊接变形:

(1)减小焊缝长度,减少焊缝数量。

(2)合理布置焊缝在结构中的位置。

(3)增大结构的刚性。

(4)选择变形比较小的焊接工艺方法。

(5)确定合理的装配间隙,选择合理的焊缝形式和尺寸。

(6)选择合理的装配顺序和焊接方向。

(7)减小焊接热输入。

(8)尽可能采用多层多道焊方法,并合理地安排其焊接顺序。

(9)采用反变形法:就是事先估计好焊件焊接变形的方向和大小,然后在装配时预先人为地给予一个相反方向的变形,使之与焊接变形相抵消。

(10)采用刚性固定法。

(11)采用散热法

4.答:焊接变形对焊接结构的不利影响主要有以下几个方面:

(1)降低装配质量;

(2)增加制造成本;

(3)降低结构的承载能力。

5.答:采取以下措施可以达到减小结构焊接残余应力的目的:

(1)分散布置焊缝,或使相邻焊缝间相距一定距离。

(2)尽量减少焊缝数量,确定合理的焊缝尺寸。

(3)减小焊接热输入。

(4)根据板厚和具体结构选择合理的坡口形式。

(5)降低局部刚性。

(6)确定合理的焊接顺序。

(7)锤击或辗压焊缝区。

(8)预热。

(9)加热减应区法。

6.答:焊接应力的存在对结构在制造和使用过程中的不利影响主要有以下几个方面:

(1)对结构在制造过程中的不利影响:

焊接应力的存在有可能使结构在制造过程中产生各种焊接裂纹。

(2)对结构在使用过程中的不利影响:

a.降低结构的承载能力,缩短使用寿命。

b.消耗材料的塑性。

c.加速应力腐蚀开裂。

d.在结构使用中造成变形。

e.加速蠕变。

f.影响结构的尺寸稳定。

7.答:消除焊接残余应力常用的方法主要有以下三种:

(1)热处理法。将焊件的整体或局部以一定的速度加热到一定的温度,保温一定的时间,然后以一定的速度冷却。由于随温度的升高,金属的屈服强度降低,这样,在残余应力超过加热温度下屈服强度的区域将发生塑性变形,使应力降到该温度下的屈服强度。

(2)机械拉伸法。在焊后对焊缝进行机械拉伸,使焊缝及其附近区域产生与压缩塑性变形方向相反的拉伸塑性变形,以达到消除焊接残余应力的目的。

(3)温差拉伸法。通过对结构的局部加热所造成的温差对焊缝进行拉伸,利用拉伸塑性变形抵消焊接时所产生的压缩塑性变形,从而达到消除焊接残余应力的目的。

第十一章 常用金属材料的焊接

一、名词解释

1.指金属材料在一定焊接工艺条件下,能获得优质焊接接头的能力。

2.在焊接过程中焊缝和热影响区金属冷却到固相线附近的高温区产生的焊接裂纹。

3.焊接接头冷却到较低温度时产生的焊接裂纹。

4.按化学成分对钢材的可焊性进行估算,把合金元素对可焊性影响的大小折算成相当的碳元素含量。

5.把焊件加热到 $1\,050\sim1\,150$ ℃,保温一定时间,这样使碳化铬分解,碳溶解到奥氏体晶格中去,消除晶界贫铬,然后水冷使碳来不及析出。

6.产生于晶粒之间的腐蚀称为晶间腐蚀。可导致晶粒间的结合力丧失,强度几乎完全消失,当受到应力作用,会沿晶界断裂,是不锈钢最危险的一种破坏形式。

7.在12%铬的基础上,加入钼、钒、铌等合金元素的钢,能够显著提高材料的高温强度。这种钢在热强性方面超过了最强的铬钼钒耐热钢,用在工作温度600 ℃以下的动力设备部件中,称之为高铬热强钢。

二、判断题

1.(√) 2.(×) 3.(√) 4.(×) 5.(×) 6.(×) 7.(√) 8.(×) 9.(√)
10.(√) 11.(×) 12.(√) 13.(√) 14.(×) 15.(√)

三、选择题

1.C 2.C 3.B 4.D 5.A 6.B 7.C 8.C 9.C 10.A 11.A 12.C 13.B
14.B 15.B 16.D

四、填空题

1.逐渐下降 较差 2.碱性低氢焊条 3.增加 4.气焊 碳弧焊 焊条电弧焊 焊条钨极氩弧焊 5.焊条电弧焊 埋弧自动焊 钨极氩弧焊 等离子焊 6.预热 7.气孔 裂纹 8.母材成分 焊件厚度 焊接材料 9.淬火 延迟 10.加热温度 加热时间 母材的化学成分 11.黄 青 白

五、问答题

1.答:(1)应尽量减少焊缝金属中的含碳量,在焊接时必须减少母材的熔化,采用开坡口的接头。

(2)第一层焊缝焊接时,尽量采用小的焊接电流、慢速焊,减少母材的熔深。同时也要注意保证母材熔透,避免产生夹渣和未熔合等缺欠。

(3)焊条药皮要有足够的脱氧剂;加强对熔池的保护,减少氧气的侵入,使熔池的含氧量减少。

(4)尽量选用低氢型焊条,以减少氢气的来源;工件与焊条要除锈,焊条必须烘干。

2.答:(1)正确选用焊条。

(2)采取预热措施。

(3)采取焊后缓冷措施。

(4)采取中间热处理和焊后热处理措施。

(5)正确选择焊接参数。

(6)尽量采取U形坡口。

(7)采用能降低焊接应力的焊接工艺措施。

(8)在焊接操作上,尽量减少母材的熔化量。

3.答:低合金钢焊接热影响区具有淬硬倾向,易产生焊接裂纹。
低合金钢焊接后热处理的目的是减少焊接热影响区淬硬倾向和焊接应力,防止产生冷裂纹。

4.答:(1)焊条的选择。一般应根据熔敷金属的化学成分与母材相匹配的原则来选择焊条。

(2)焊接工艺上应注意的事项。焊缝金属冷却速度要快,冷却过程中通过丧失抗晶间腐蚀能力的区域的速度要快。焊接电流要小,焊接速度要快,不作横向摆动,层间温度要尽量低,必要时用冷水冷却。

(3)焊后热处理。指稳定化退火和固熔处理。

第十二章 焊接缺欠

一、名词解释

1.焊接过程中的一整套技术规定,其中包括焊前准备、焊接材料、焊接设备、焊接方法、焊接顺序、焊接操作的最佳选择以及焊后处理等。

2.焊接过程中在焊接接头处产生的不符合设计或工艺文件要求的缺欠。

3.焊接过程中,熔化金属自坡口流出,形成穿孔的缺欠。

4.焊后在焊缝表面或焊缝背面形成的低于母材表面的局部低凹部分。

5.焊后残留在焊缝中的熔渣。

6.焊接时熔池中的气泡在凝固时未能逸出而残留下来所形成的空穴。

7.在焊接应力及其他致脆因素共同作用下,焊接接头中局部地区的金属原子结合力遭到破坏而形成新的界面所产生的缝隙。

8.焊接时焊道与母材之间或焊道之间未完全熔化结合的部分。

二、判断题

1.(√) 2.(×) 3.(×) 4.(√) 5.(×) 6.(√) 7.(√) 8.(√) 9.(√)

10.(√) 11.(√) 12.(×) 13.(×)

14.(×) 15.(×)

三、选择题

1.D 2.C 3.A 4.B 5.C 6.C 7.A 8.C 9.D 10.B 11.A 12.A 13.D

14.B 15.A 16.B 17.C 18.D 19.C 20.B 21.A

四、填空题

1.焊接电流 焊接操作 2.电流过大 间隙过大 突然改变了焊接位置 3.夹钨

4.热裂纹 冷裂纹 再热裂纹 5.面状性缺欠 体积性缺欠 体积性缺欠 面状性缺欠

6.射线检测 超声波检测 磁粉检测 渗透检测 7.拉力试验 冲击试验 冷弯试验

硬度检验 断裂韧性试验 8.机械磨削 碳弧气刨 9.条状夹渣 10.焊接裂纹试验

11.焊前检验 焊接过程中的检验 成品检验 12.容器内外的压力差 13.破坏性检验

非破坏性检验

五、问答题

1.答:产生焊接缺欠的主要原因有以下三个方面:①设计不当;②选材不当,材料的接合性能不好;③焊接工艺不当。

2.答:由于焊接工艺引起的失效有以下六种类型:①焊接裂纹;②焊缝中的气孔和夹渣;③焊接腐蚀及泄漏;④焊接结构的脆性破坏;⑤焊接结构的应力与变形;⑥焊接结构的疲劳破坏。

3.答:焊接接头的外部缺欠主要有:焊缝成形及尺寸不符合要求、咬边、焊瘤、烧穿、凹坑、表面裂纹。

焊接接头的内部缺欠主要有:夹渣(钨)、气孔、裂纹、未熔合。

4.答:咬边是一种危险性较大的外观缺欠。它不但减少了基本金属的有效截面,而且在咬边根部往往形成较尖锐的缺口,造成应力集中,很容易形成应力腐蚀裂纹和应力集中裂纹。

5.答:产生气孔的原因是由于焊接熔池在高温时,吸收了较多的气体,冷却时,气体在金属中的溶解度急剧下降,气体来不及逸出而残留在焊缝金属内集聚成气孔。

从焊接工艺上可采取以下措施来防止气孔的产生:不得使用药皮开裂、剥落、变质、偏心或焊芯锈蚀的焊条;各种类型焊条或焊剂都应按规定的温度和保温时间进行烘干;焊接坡口及其两侧应清理干净;要严格按焊接工艺文件规定的工艺参数施焊;碱性焊条施焊时,应短弧操作,若发现焊条偏心要及时转动或倾斜焊条。

6.答:熔池结晶时所受到的拉应力是焊缝产生热裂纹的必要条件,而熔池内含有熔点温度比较低的共晶杂质是产生热裂纹的内在因素。热裂纹是拉应力和低熔点共晶两者联合作用而形成的。

预防热裂纹的产生,首先要控制焊缝中有害杂质的含量。在工艺方面,焊前预热减慢焊缝冷却速度、减小焊接应力是防止热裂纹的有效措施。另外适当提高焊缝形状系数也可减小产生热裂纹的倾向。施焊时采用碱性焊条和焊剂提高脱硫能力,采用收弧板或终焊时应逐渐断弧,并填满弧坑以防止弧坑冷却速度过快和偏析而在弧坑处形成热裂纹。

7.答:冷裂纹是焊接接头冷却到较低温度下时产生的焊接裂纹。形成冷裂纹的基本条件是:焊接热影响区有一定的淬硬倾向,焊缝中含有一定数量的扩散氢向热影响区扩散和聚集,以及存在较大的拉伸应力。在多数情况下,氢是诱发冷裂纹最活泼的因素。而层状撕裂的主要原因则是轧制钢材中存在严重的层状非金属夹杂物,致使厚度方向上的拉伸塑性很差,在板厚方向上若存在较大的拉应力,则导致层状撕裂。

　　防止冷裂纹主要从降低扩散氢含量、改善组织和降低焊接应力等方面采取措施。在工艺措施方面,焊前预热是防止冷裂纹产生的有效措施。采取焊后加热或将预热温度在焊后仍保持一段时间,使扩散氢能充分从焊缝中逸出,可防止延迟裂纹。接头冷却时间越长,因而热影响区就可以减轻或避免淬火,同时也有利于氢的逸出,降低了冷裂纹倾向。

8.答:裂纹、未焊透、未熔合等面状性缺欠的危害性很大,因为这些面状性缺欠的端部呈尖锐状,在锅炉压力容器承受载荷的情况下,尖锐端部有明显的应力集中,当应力水平超过尖锐端部的强度极限,面状性缺欠就会延伸扩展,以至贯穿整个截面而造成锅炉容器的失效。特别是当焊接接头处于脆性状态时,面状性缺欠的扩展速度极快,还可能造成脆性事故。

9.答:磁粉检测的原理是铁磁材料通过外加磁场磁化后,若在工件表面或浅层存在缺欠,则将产生漏磁现象。当磁粉撒布或刷在工件表面时,磁粉将被缺欠处漏磁场吸附,产生磁粉堆积,磁粉堆积处就是缺欠所在部位。

第十三章　焊接安全技术

一、名词解释

1.直接触电是指触及正常运行状态下的带电焊接设备或靠近高压电网所造成的触电。

2.劳动保护是指为保障职工在生产劳动过程中的安全和健康所采取的措施。

3.焊工在距基准面 2 m 以上(包括 2 m)有可能坠落的高处进行焊接作业,称为高处焊接作业。

4.焊接电缆是连接焊机和焊钳等的绝缘导线。

二、判断题

1.(√)　2.(×)　3.(√)　4.(×)　5.(×)　6.(√)　7.(√)

三、选择题

1.C　2.C　3.A　4.A

四、填空题

1.红外线　紫外线　可见光线　2.电光性眼炎　3.尘肺　锰中毒　焊工金属热　4.12

5.高湿度　高温度　腐蚀性　6.保护接地　保护接零

五、问答题

1.答:(1)安装焊接电源时,要注意配电系统开关、熔断器等是否合格、齐全;导线绝缘是否完好;电源功率是否够用。

　　(2)焊接变压器的一次线圈与二次线圈之间、引线与引线之间、绕组和引线与外壳之间,其绝缘电阻不得小于 1 MΩ。

(3)为了确保安全,不发生触电事故,所有电焊机及其他焊接设备的外壳都必须接地。

(4)安装多台焊接变压器时,应分接在三相电网上,尽量使电网中三相负载平衡。

(5)空载电压不同的电焊机不能并联使用。因为并联时在空载情况下各焊接变压器间会出现不均衡环流。

(6)硅整流焊机通常都有风扇,以便对硅整流元件和内部线圈进行通风冷却。接线时一定要保证风扇转向正确,并且通风窗离墙壁和其他挡物不应小于 300 mm,以使电焊机内部热量顺利排出。

(7)在室内焊接时,电焊机应放在通风良好的干燥场所,不允许放在高湿度(相对湿度超过90%)、高温度(周围空气温度超过 40 ℃)以及有腐蚀性气体等不良场所。

(8)在户外露天焊接时,必须把电焊机放在避雨、通风的地方并予以防护。

2.答:(1)电焊机的工作负荷应依照设计规定,不得任意长时间超载运行。

(2)电焊机的接地装置必须定期进行检查,以保证其可靠性。

(3)凡是在有接地(或接零)线的工件上(如机床上的部件等)进行焊接时,应将焊件上的接地线(或接零线)暂时拆除,焊完后再恢复。

(4)在焊接过程中偶有短路是允许的,但短路时间不可过长,否则会发生焊接电源过热,特别是硅整流式焊接电源易被烧坏。

(5)焊接电源在启动以后,必须要有一定的空载运行时间,观察其工作、声音是否正常等。在调节焊接电流及极性开关时,也要在空载下进行。

(6)根据各类焊接电源的特点,在使用中应注意观察易出问题的地方,发现有异常现象时,要立刻切断电源检查。较大的故障应找电工检修。

(7)电焊机内部要保持清洁,应定期用压缩空气吹净灰尘。

(8)焊接作业结束时,及时切断焊机电源。

3.答:(1)电弧弧光防护;

(2)高频电磁场的防护;

(3)焊接烟尘和有毒气体的防护;

(4)射线的防护。

4.答:(1)采用高效率的排烟系统和交换装置,将焊接烟尘排到室外。

(2)钍钨棒贮存地点要固定在地下封闭箱内。大量存放时应藏于铁箱里,并安装排气管。

(3)应备有专用砂轮来磨钍钨棒,砂轮机要安装除尘设备,砂轮机所处地面上的磨屑要经常作湿式扫除,并集中深埋处理。磨尖钍钨棒时应戴除尘口罩。

(4)手工焊接操作时,必须戴送风防护头盔或采取其他有效措施。采用密闭罩施焊时,在操作中不应打开罩体。

(5)接触钍钨棒后以流动水和肥皂洗手,并经常清洗工作服及手套等。

(6)尽量选用铈钨极,从根本上解决放射性问题。

参 考 文 献

[1] 张兆杰,等.锅炉操作安全技术.郑州:黄河水利出版社,2002

[2] 张兆杰,等.压力容器安全技术.郑州:黄河水利出版社,2001

[3] 徐初雄.焊接技术问答.北京:机械工业出版社,2000

[4] 沈松泉,黄振仁,顾竞成.压力管道安全技术.南京:东南大学出版社,2000

[5] 俞宽铣.锅炉压力容器焊工培训教材.北京:北京科学技术出版社,1999

[6] 机械工业职业鉴定指导中心.电焊工技术.北京:机械工业出版社,1999

[7] 张三保,等.锅炉压力容器压力管道焊工基本知识.呼和浩特:远方出版社,2002

[8] 霍立兴.焊接结构的断裂行为及评定.北京:机械工业出版社,2000

[9] 赵熹华.焊接结构方法与机电一体化.北京:机械工业出版社,2000

[10] 殷树言,等.CO_2焊接设备原理与调试.北京:机械工业出版社,2000

[11] 劳动和社会保障部教材办公室.焊工工艺与技能训练.北京:中国劳动社会保障出版社,2001

[12] 徐初雄.焊接工艺500问.北京:机械工业出版社,1999

[13] 朱正行,严向明,王敏.电阻焊技术.北京:机械工业出版社,2000

[14] 王政.焊接工装夹具及变位机械性能、设计、选用.北京:机械工业出版社,2001

[15] 吴树雄.电焊条选用指南.北京:化学工业出版社,1997

[16] 机械工业职业技能鉴定指导中心.中级、高级电焊工技术.北京:机械工业出版社,1999

[17] 李志远,钱乙余,张九海.先进连接方法.北京:机械工业出版社,2000

[18] 林尚杨,陈善本,李成桐.焊接机器人及其应用.北京:机械工业出版社,2000

[19] 王其隆.弧焊过程质量实时传感与控制.北京:机械工业出版社,2000

[20] 史耀武,张新平,雷永平.严酷条件下的焊接技术.北京:机械工业出版社,2000

[21] 高忠民.电焊工技术.北京:金盾出版社,2000

[22] 机械工业技师考评培训教材编审委员会.焊工技师培训教材.北京:机械工业出版社,2001

《特种设备焊工培训教程》读者意见反馈卡

亲爱的读者,读完本书后,请把您的想法填在本卡上,寄给作者,以便修订再版时使本书内容更完善。谢谢您的合作。

您的个人资料

姓名:_____ 性别:_____

工作单位:_____

通讯地址:_____

联系电话:办公_____ 手机_____

邮政编码:_____

1.您认为哪些章节编写得好?

2.您认为哪些章节应做哪些修改?

3.您对本书的意见和建议。

回函请寄:

河南省郑州市中原中路 152 号河南省锅炉压力容器安全科学检测研究院　张兆杰

邮政编码:450007

联系电话:13703922768　　0371－65928501